Informatik-Fachberichte

Herausgegeben von W. Brauer
im Auftrag der Gesellschaft für Informatik (GI)

48

Wolfgang Wahlster

Natürlichsprachliche Argumentation in Dialogsystemen

KI-Verfahren zur Rekonstruktion und
Erklärung approximativer Inferenzprozesse

Springer-Verlag
Berlin Heidelberg New York 1981

Autor

Wolfgang Wahlster
Fachbereich Informatik der Universität Hamburg
Schluterstr. 70, 2000 Hamburg 13

AMS Subject Classifications (1979): 68 G 99, 03 B 52
CR Subject Classifications (1981): 3.6

ISBN 3-540-10873-4   Springer-Verlag Berlin Heidelberg New York
ISBN 0-387-10873-4   Springer-Verlag New York Heidelberg Berlin

© by Springer-Verlag Berlin Heidelberg 1981
Printed in Germany

Druck- und Bindearbeiten: fotokop wilhelm weihert KG, Darmstadt
2145/3140 – 5 4 3 2 1 0

A TREATISE OF QUESTION ANSWERING SYSTEMS IN AI

ZUSAMMENFASSUNG

Die vorliegende Arbeit leistet einen Beitrag zur Informatik-Forschung im Fachgebiet Künstliche Intelligenz (KI). Gegenstand der Arbeit ist der als 'Erklärungskomponente' bezeichnete Teil von natürlichsprachlichen Dialogsystemen.
Aufgabe einer Erklärungskomponente ist es, eine für den Benutzer verständliche
und im jeweiligen Dialogzustand angemessene Erklärung als Antwort auf eine 'Warum'-Frage des Benutzers zu generieren.

Hauptziel der Arbeit ist die theoretische Fundierung, der Entwurf und die
Implementation einer Erklärungskomponente, durch die erstmals auch komplexe
mehrsträngige Argumentationen verbalisiert werden können, zusammen mit einem
Ableitungskalkül für approximative Inferenzen.

Die wesentlichen praktischen Vorteile der Integration einer Erklärungskomponente in anwendungsorientierte KI-Systeme sind die größere Transparenz und
Kontrollierbarkeit sowie die vereinfachte Handhabung, die eine Verbesserung
der Akzeptanz, der Arbeitszufriedenheit und der Arbeitsproduktivität der Benutzer großer wissensbasierter Dialogsysteme erwarten lassen. Für die Theorie-
bildung im Bereich der Künstlichen Intelligenz besteht der Wert von Erklärungskomponenten in ihrem Beitrag zur Erforschung der Form und Funktion von Metawissen und Metakommunikation als Voraussetzungen für intelligentes Verhalten.

Es wird die Bedeutung einiger grundlegender Ergebnisse der Argumentationstheorie, der Fragelogik und der linguistischen Pragmatik für den Entwurf von
Erklärungskomponenten untersucht. Der Forschungsstand bei der Entwicklung von
Erklärungskomponenten wird vollständig dargestellt, um die innovativen Merkmale der in der Arbeit vorgestellten Erklärungskomponente deutlich herausar-
beiten zu können.

Sämtliche für die derzeit absehbaren Anwendungen von Erklärungskomponenten
relevanten Sprechaktschemata für argumentative Dialogsequenzen werden analysiert.
Der Begriff 'Antwort auf eine 'Warum'-Frage' wird operationalisiert, wobei u.a.
das beim Partner vermutete Vorwissen und die Informativität eines Inferenzschrittes berücksichtigt werden.

Als Voraussetzung für die Realisation einer Erklärungskomponente werden
approximative Inferenzprozesse über einer Wissensbasis, deren Ergebnisse aufgrund einer Benutzeranfrage erklärt werden sollen, in einem fuzzy-sortierten
Evidenzenkalkül formalisiert. Dabei werden als neue Konzepte u.a. Mehrfachableitungen, Fuzzy Sorten, Evidenzverstärkungsoperationen und multiple AND/OR-
Bäume eingeführt. Es wird gezeigt, wie sich diese formalen Konzepte in der
KI-Programmiersprache FUZZY ohne inkompatible Veränderungen des Interpreters

realisieren lassen und wie sie zur Rekonstruktion approximativer Inferenzprozesse verwendet werden können.

Um inferenz-basierte Antworten erklären zu können, muß ein natürlich-
sprachliches Dialogsystem die Fähigkeit besitzen, Beschreibungen seiner eigenen Inferenzprozesse aufzubauen und zu speichern. Eine der wesentlichen Grund-
ideen für die neuartige Realisierung dieses Teils der Erklärungskomponente besteht darin, einen sog. Prozedur-Dämon nicht nur für die Steuerung von Mehrfachableitungen sondern auch für den Aufbau einer formalen Beschreibung der
ausgeführten Inferenzprozesse einzusetzen.

Zum Schluß der Arbeit wird ein ATN-basierter Sprachgenerator als Teil der
Erklärungskomponente vorgestellt, durch den u.a. auch die als DEDUCE-Prozeduren codierten Inferenzregeln in natürlichsprachliche Formulierungen überführt
werden können.

Insgesamt wird in der Arbeit versucht, nicht nur den praktischen Nutzen
und den theoretischen Stellenwert von Erklärungskomponenten in KI-Systemen
zu bestimmen, sondern die Entwicklung einer Erklärungskomponente von der begrifflichen und formalen Fundierung bis hin zur Implementierung vollständig zu erfassen.

DANKSAGUNG

Das Entstehen der vorliegenden Arbeit wurde von Herrn Prof. Dr. W. Brauer
mit lebhaftem Interesse und wertvollen Anregungen begleitet. Ihm gilt mein
aufrichtiger Dank für die Betreuung der Arbeit.
Für einzelne Hinweise danke ich auch den Herren Prof. Dr. W. v. Hahn, Prof. Dr.
H.-H. Nagel, Prof. Dr. P. Raulefs, Dr. P. Schefe und Prof. Dr. J.W. Schmidt
sowie meinen Kollegen Dipl.-Inform. H. Boley, Dr. W. Hoeppner und A. Jameson.
Die während des Entstehens der Arbeit an der Rechenanlage DECsystem 1070 des
Fachbereichs Informatik durchgeführten Forschungs- und Entwicklungsarbeiten,
die wegen der hohen Hauptspeicher- und Rechenzeitanforderungen oft nur nachts
und am Wochenende durchgeführt werden konnten, wären ohne die kontinuierliche
Unterstützung und Geduld von Herrn Dr. H.-J. Mück und seinen Mitarbeitern nicht
möglich gewesen.

Das vorliegende Buch ist die überarbeitetete Fassung meiner Dissertation 'Theorie,
Entwurf und Implementation einer Erklärungskomponente für approximative Inferenz-
prozesse in natürlichsprachlichen Dialogsystemen', die am 6.1.1981 vom Fachbereich
Informatik der Universität Hamburg auf Antrag von Prof. Dr. W. Brauer, Prof. Dr.
W. v. Hahn und Prof. Dr. P. Raulefs angenommen wurde.

INHALTSVERZEICHNIS

1. GRUNDLAGEN DES ENTWURFS EINER ERKLÄRUNGSKOMPONENTE

1.1. EINLEITUNG

1.1.1. EINFÜHRUNG IN DIE FUNKTION UND DEN AUFBAU VON ERKLÄRUNGSKOMPONENTEN

Besonders für anwendungsorientierte Systeme aus dem Bereich der *Künstlichen Intelligenz*[1] (Abk.: KI) wird in letzter Zeit immer häufiger gefordert[2], daß solche interaktiven Systeme durch die Integration einer *Erklärungskomponente*[3] befähigt werden sollten, eine ausgeführte Informationsverarbeitung auf Anfrage in einer für den Benutzer verständlichen Form zu erklären. Die Tatsache, daß diese Fähigkeit zur automatischen Generierung von Erklärungen auch in der Forschung zu Datenbanksystemen (vgl. BRODIE 1980) und Programmiersystemen (vgl. WINOGRAD 1975 und 1979) als ein Merkmal zukünftiger Systeme angesehen wird, läßt erwarten, daß der vorliegende Beitrag zur theoretischen Fundierung, zum Entwurf und zur Implementierung von Erklärungskomponenten auch für weitere Teilgebiete der Informatik außerhalb des engeren Rahmens der KI-Forschung von Interesse ist.

Im Zusammenhang mit den ersten KI-Systemen, die über eine Erklärungskomponente verfügen (vgl. den Überblick in 1.5.), wird u.a. von 'a new breed of programs which are 'responsible' for their answers' gesprochen (STALLMAN/SUSSMAN 1977, S. 166). Außerdem werden solche Systeme mit Schlagwörtern wie 'Self-Knowledge' (CARBONELL 1980, S. 2) und 'Implementation of 'introspective' processes' (BARR 1979, S. 31) belegt und in den allgemeinen Rahmen zukünftiger Systeme gestellt, 'which understand what they are doing' (WINOGRAD 1975, S. 14) und 'which are aware of their own thought processes' (HAYES 1975, S. 566).

Die in den angeführten Zitaten enthaltenen antropomorphen Charakterisierungen von KI-Systemen mit Erklärungskomponente können aber nicht nur bei Informatik-Laien Mißverständnisse und Fehleinschätzungen verursachen, sondern erheben auch einen wissenschaftlichen Anspruch, der beim derzeitigen Entwicklungsstand

(1) Da es eine Reihe von neueren Lehrbüchern zum Fachgebiet 'Künstliche Intelligenz' gibt (JACKSON 1974, HUNT 1975, RAPHAEL 1976, BODEN 1977, WINSTON 1977, BUNDY et al. 1978, NILSSON 1980), werden in der vorliegenden Arbeit die Geschichte, die theoretischen Grundlagen und bisherigen Ergebnisse der KI-Forschung nicht auf breiter Basis zusammengefaßt.
(2) U.a. enthalten die Übersichtsartikel von FEIGENBAUM 1977 (S. 1018), MCDERMOTT 1978 (S. 217), MYLOPOULOS 1980 (S. 11f.) die Forderung nach einer Erklärungskomponente.
(3) Zur Defintion des Begriffs 'Erklärungskomponente' und zur Abgrenzung des hier zugrundegelegten Erklärungsbegriffs vgl. Abschnitt 1.2.1.

von Erklärungskomponenten nicht erfüllt werden kann. Legt man dagegen eine
realistische Einschätzung zugrunde, die Erklärungskomponenten grundsätzlich
in den Bereich der *Metaformalismen* einordnet (vgl. SCHEFE 1979, S. 4), so
läßt sich der vergleichsweise bescheidene Anspruch erheben, daß die in der
vorliegenden Arbeit entwickelten algorithmischen Verfahren zur Erzeugung von
Erklärungen einerseits zahlreiche Vorteile bei der praktischen Anwendung von
KI-Systemen mit sich bringen (vgl. 1.1.2.) und andererseits für die KI - verstanden als Teil der Grundlagenwissenschaft 'cognitive science' - auch theoretisch relevant sind (vgl. 1.1.3.).

In der vorliegenden Arbeit wird davon ausgegangen, daß alle Antworten
einer Erklärungskomponente schriftlich und in natürlicher Sprache ausgegeben
werden[1]. Während eines Dialoges kann der Benutzer das System durch Eingabe
einer in natürlicher Sprache formulierten *'Warum'-Frage*[2] jederzeit zur Generierung einer argumentativen Antwort veranlassen (vgl. Fig. 1).

Erklärungskomponenten können lediglich Erklärungen für Ergebnisse von sym-
bolischen Schluß- und Ersetzungsverfahren erzeugen, wie sie in *pattern-gesteuerten Inferenzsystemen* (vgl. WATERMAN/HAYES-ROTH 1978 zur Einführung) realisiert sind.[3]

Wie Fig. 1 zeigt, muß es für eine Erklärungskomponente die Möglichkeit geben,
eine Beschreibung der vom Wirtsystem durchgeführten Verarbeitungsprozesse aufzubauen, auf denen die zu erklärenden Daten basieren. Dadurch ergibt sich eine
Abhängigkeit zwischen der Erklärungskomponente und den im Wirtsystem implementierten Inferenzmechanismen.

Ein Ziel der vorliegenden Arbeit ist der erstmalige Entwurf und die Realisierung einer Erklärungskomponente, durch die auch komplexe *Mehrfachableitungen*
(vgl. 3.1.3.) verbalisiert werden können, zusammen mit einem Inferenzsystem,

---

[1] Obwohl die Generierung von Erklärungen, in denen auch graphische Hilfsmittel benutzt werden, für Systeme in Anwendungsbereichen wie Maschinen-
bau, Architektur, Geometrie als sinnvoll erscheint, wurde diese Möglichkeit in der KI-Forschung bisher nocht nicht verfolgt und ist auch nicht
Gegenstand der vorliegenden Untersuchung.

[2] Wir gehen im einleitenden Teil dieser Arbeit von einem intuitiven Vorverständnis des Begriffs 'Warum'-Frage aus. In den Kapiteln 1.4. und 4.1. wird
der Begriff 'Warum'-Frage genau eingegrenzt und formalisiert. Beispiele
für 'Warum'-Fragen, wie sie von Erklärungskomponenten beantwortet werden,
findet der Leser in Kapitel 1.5.

[3] Dies bedeutet keine prinzipielle Einschränkung, da jeder Algorithmus u.a.
als Produktionssystem codiert werden kann (vgl. WATERMAN/HAYES-ROTH 1978,
NILSSON 1980). Andererseits darf natürlich nicht erwartet werden, daß eine
Erklärungskomponente z.B. die Resultate eines beliebigen FORTRAN-Programms
erklären kann. Bisher existieren auch noch keine Erklärungskomponenten
in Systemen für Parallelverarbeitung oder rein numerische Berechnungen.

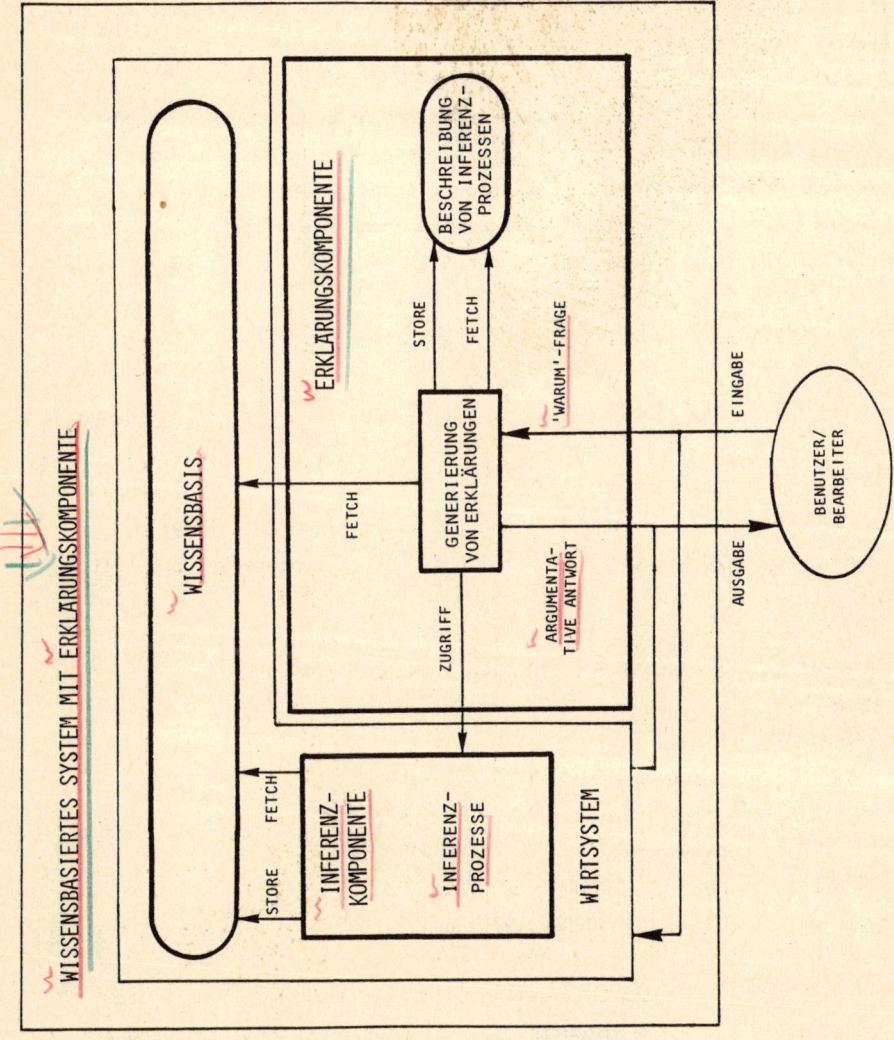

3

Fig. 1: Architektur eines wissensbasierten Systems mit Erklärungskomponente

durch das neben einfachen prädikatenlogischen Schlüssen vor allem auch *approximative Inferenzen* über unsicherem und vagem Wissen (vgl. WAHLSTER 1977) erfaßt werden können.

Bevor wir in Kapitel 1.2. ausführlich auf die begrifflichen Grundlagen des
Entwurfs einer Erklärungskomponente eingehen, geben wir im folgenden zunächst
einen Überblick zu der praktischen und theoretischen Motivation für die Entwicklung von Erklärungskomponenten, aus dem sich dann die allgemeinen Entwurfsziele für eine Erklärungskomponente ergeben.

1.1.2. DIE PRAKTISCHE MOTIVATION ZUR ENTWICKLUNG VON ERKLÄRUNGSKOMPONENTEN

Die folgende Liste enthält eine Zusammenstellung der Einsatzmöglichkeiten für
Erklärungskomponenten[1]:

- wissensbasierte Experten- und Beratungssysteme (vgl. MICHIE 1979)
- Frage-Antwort-Systeme (vgl. BOLC 1980) und textverstehende Systeme (vgl.
  SCHANK/ABELSON 1977)
- Tutorielle KI-Systeme (vgl. SLEEMAN 1979)
- natürlichsprachliche Schnittstellen (vgl. WALTZ 1977) zu:
    - Theorem-Beweisern
    - Industrierobotern
    - Szenenanalysesystemen
    - Programmsynthesesystemen
- deduktive Datenbanksysteme (vgl. GALLAIRE/MINKER 1978)
- Methodenbanksysteme (vgl. DITTRICH et al. 1979)
- Programmiersysteme (vgl. WINOGRAD 1975 und 1979)

Die Reihenfolge entspricht dem Entwicklungsstand für den jeweiligen System-
typ. Beispielsweise wird beim Entwurf von wissensbasierten Experten- und Be-
ratungssystemen heute bereits standardmäßig eine - wenn auch meist sehr einfache - Erklärungskomponente vorgesehen. Dagegen gibt es für Methodenbanksysteme erst einen Aufsatz (MIKELSON 1975), in dem erste Experimente mit einer Erklärungskomponente beschrieben werden, und für Programmiersysteme wurden m. W.
bisher lediglich Zielvorstellungen für den Einsatz von Erklärungskomponenten
entwickelt.

[1] Die Literaturhinweise beziehen sich auf Einführungen oder Überblicke.

Im folgenden werden die Vorteile, die eine Anwendung von Erklärungskomponenten mit sich bringt, auf den Status der mit dem System interagierenden Person und auf den Typ der 'Warum'-Frage bezogen. Wir gehen dabei von der groben Unterscheidung zwischen:

B1: Benutzer (als Anwender des Systems)

B2: Bearbeiter (als Systemkonstrukteur oder -verwalter)

aus und teilen die von der Erklärungskomponente zu beantwortenden 'Warum'-Fragen vorläufig in zwei Klassen ein[1]:

F1: Die 'Warum'-Frage zielt auf die Erklärung einer Tatsache oder Behauptung.

F2: Die 'Warum-Frage zielt auf die Begründung einer Frage oder Aufforderung des Systems.

Für die einzelnen Interaktionsmodi, die sich aus den Kombinationen der Kategorien B1, B2 und F1, F2 ergeben, lassen sich im einzelnen folgende Vorteile der Verwendung einer Erklärungskomponente angeben:

Interaktionsmodus B1/F1:

- Für den Benutzer ist die Möglichkeit zur kritischen Auswertung und Prüfung der einer Konklusion zugrundeliegenden Prämissen und Inferenzregeln wichtig, falls er
  - mit der Konklusion nicht einverstanden ist. Dies ist zu erwarten, wenn in der Wissensbasis des Systems Information über wenig standardisierte Wissensgebiete (z.B. Medizin) gespeichert ist.
  - die Konklusion nicht versteht oder wenn die Auskunft für ihn unerwartet ist.
  - bei der Weitergabe von Systemauskünften eine besondere Verantwortung gegenüber Dritten hat. Dies ist z.B. der Fall, wenn aufgrund einer Systemauskunft ein Arzt seinem Patienten ein Medikament verschreibt (vgl. DAVIS 1976) oder ein Rechtsanwalt seinem Mandanten juristische Schritte empfiehlt.
- Falls das System zu Ausbildungszwecken eingesetzt wird, können die vom System als Reaktion auf 'Warum'-Fragen generierten Erklärungen pädagogisch wertvoll sein (vgl. COLLINS et al. 1975). 'Warum'-Fragen geben dem Lernenden die Möglichkeit, Zusammenhänge gezielt zu verfolgen und durch eigene Initiative sein Wissen zu erweitern.[2]

---

(1) Eine systematische Untersuchung der verschiedenen Verwendungsweisen von 'Warum'-Fragen wird erst in 1.4. und 2.3. vorgenommen.

(2) Besonders deutlich wird dies bei den permanenten 'Warum'-Fragen von Kindern.

Interaktionsmodus B2/F1:

- Mit einer Sequenz von 'Warum'-Fragen kann der Bearbeiter auf verschiedenen Detailebenen nach Ursachen für 'falsche' Antworten oder Reaktionen des Systems suchen, ohne direkt in der Wissensbasis oder dem Programmtext nachsehen zu müssen. Dies führt zu einer erleichterten Fehlerdiagnose. Besonders bei der Verarbeitung von Massendaten ist eine solche Möglichkeit zur gezielten Rückverfolgung eines Verarbeitungsprozesses, wie sie in primitiver Form auch in Dialogprogrammiersprachen realisiert ist[1], von großer Bedeutung.

- Der schrittweise Aufbau, die Änderung oder die Korrektur der Wissensbasis sowie damit verbundene Konsistenzprüfungen werden dadurch erleichtert, daß Auswirkungen von Veränderungen in der Wissensbasis auf das Systemverhalten durch 'Warum'-Fragen direkt kontrollierbar werden.

Interaktionsmodus B1/F2:

- Eine asymmetrische Dialogstruktur, in der sich der Benutzer gezwungen sieht, auf eine Frage oder Anforderung des Systems zu reagieren, obwohl nach seiner Meinung kein Grund für eine derartige Sprechhandlung des Systems vorliegt, ist für den Benutzer unbefriedigend. Die Integration einer Erklärungskomponente gibt dem Benutzer dagegen die Möglichkeit, sich über die Ziele, die das System mit einer Frage oder Anforderung verfolgt, zu informieren (vgl. SCOTT et al. 1977 und 2.3.2.).

- Die Beantwortung einer vom Benutzer gestellten 'Warum'-Frage durch die Erklärungskomponente kann zu treffenderen Antworten des Benutzers auf eine vorangegangene Systemanfrage führen, so daß die Dialogabwicklung insgesamt effizienter wird (vgl. Abschnitt 2.3.2.).

Interaktionsmodus B2/F2:

- Wenn der Bearbeiter bei Testläufen auf Fragen oder Anforderungen des Systems stößt, die ihm überflüssig zu sein scheinen, so kann er mithilfe der Erklärungskomponente die 'Wissenslücke' des Systems (z.B. eine fehlende Inferenzregel, deren Anwendung die Frage des Systems erübrigt hätte) lokalisieren, um dann die Wissensbasis entsprechend zu ergänzen.

- Außerdem sind, wie schon im Interaktionsmodus B2/F1 angeführt, Auswirkungen von Änderungen in der Wissensbasis leichter überprüfbar.

Die Fähigkeit zur Beantwortung von 'Warum'-Fragen erscheint als besonders

---

[1] Z.B. kann sich der Benutzer von LISP-Programmiersystemen bei Unterbrechungen des Evaluationsprozesses mit Hilfe sog. 'Backtrace-Kommandos' wie BKF, BK, BKE Auszüge aus einem 'ex post facto' Ablaufprotokoll eines Evaluationsprozesses ausdrucken lassen.

wichtig für wissensbasierte Dialogsysteme, deren Reaktionen auf:

- einer großen Zahl von Inferenzschritten und/oder
- komplexen Schlußverfahren, z.B. approximativen Inferenzen auf vagem oder unsicherem Wissen und/oder
- Operationen über einer großen Wissensbasis mit starker gegenseitiger Abhängigkeit einzelner Wissenseinheiten beruhen.

Die wesentlichen praktischen Vorteile, die von der Integration einer Erklärungskomponente in ein Dialogsystem zu erwarten sind, lassen sich stichwortartig folgendermaßen zusammenfassen: Durch die größere *Transparenz* und *Kontrollierbarkeit* sowie die *vereinfachte Handhabung* ist eine Verbesserung der *Akzeptanz*, der *Arbeitsproduktivität* und der *Arbeitszufriedenheit* zu erwarten, oder wie Sussman und Stallman es prägnant formulieren *'such programs are more convincing when right, and easier to debug when wrong'* (STALLMAN/SUSSMAN 1977, S. 136).

Obwohl die genannten Erwartungen lediglich auf Plausibilitätsüberlegungen und ersten Erfahrungsberichten beruhen, weist die empirische Studie von DZIDA et al. 1978 zumindest darauf hin, daß Benutzer von Dialogsystemen die zur 'Selbsterklärungsfähigkeit' (vgl. DZIDA et al. 1978, S. 31) gehörenden Eigenschaften eines Systems für zentrale Kriterien der Benutzerfreundlichkeit halten.

1.1.3. DIE THEORETISCHE MOTIVATION ZUR ENTWICKLUNG VON ERKLÄRUNGSKOMPONENTEN

Den Anstoß für die Entwicklung von Erklärungskomponenten gaben aber nicht allein die oben angeführten praktischen Vorteile solch einer Komponente bei der Anwendung von KI-Systemen, sondern gleichermaßen auch das Interesse der KI an der theoretischen Untersuchung der Form und Funktion von *Metawissen* (vgl. DAVIS/BUCHANAN 1977, BARR 1979) und *Metakommunikation* (vgl. V. HAHN et al. 1980) als Voraussetzungen für intelligentes Verhalten.

Als Metawissen bezeichnet man in der KI Wissen, das sich auf anderes Wissen in der Wissensbasis des Systems bezieht. 'Metawissen' ist ein relativer Begriff, d.h. eine Wissenseinheit X kann Metawissen relativ zu einer Wissenseinheit Y sein und dabei selbst Gegenstand von Metawissen in der Wissenseinheit Z sein, so daß im allgemeinen mehrere Metaebenen zu unterscheiden sind.

Wie Fig. 1 zeigt, wird in einer Erklärungskomponente eine Wissensquelle zur Beschreibung durchgeführter Inferenzprozesse aufgebaut, die Metawissen über die Verwendung des in der Wissensbasis des Wirtsystems gespeicherten Wissens in den vorangegangenen Inferenzprozessen darstellt.

META KNOWLEDGE &

META COMMUNICATION

Die bisherigen Untersuchungsergebnisse in der KI weisen darauf hin, daß Metawissen nicht nur bei der Generierung von Erklärungen sondern auch in anderen
komplexen Informationsverarbeitungsprozessen wie dem Analysieren von Program-
mierfehlern (z.B. im System HACKER, vgl. SUSSMAN 1973), der Handlungsplanung
(z.B. im System NOAH, vgl. SACERDOTI 1977) und der Wissensaufnahme (z.B. im
System TEIRESIAS, vgl. DAVIS 1976) eine wichtige Steuerungsfunktion hat.

Daher sind auch in allen Entwürfen für neuere, auf dem Frame-Konzept basierende Wissensrepräsentationssprachen wie KRL (vgl. BOBROW/WINOGRAD 1977)
und AIMDS (vgl. SHRIDHARAN 1978) einige Möglichkeiten zur expliziten Darstellung von Metawissen vorgesehen. In der ersten Version von KRL konnte die Rele-
vanz von Frame-Deskriptoren durch Metamerkmale wie CRITERIAL und PRIMARY angegeben werden (vgl. auch WAHLSTER 1977, S. 141f.) und in AIMDS können die als
Attribute eines Frames verwendeten Relationen zusätzlich durch mathematische
Eigenschaften wie Reflexivität, Symmetrie und Transitivität charakterisiert
werden.

Besondere Berücksichtigung fand die Darstellung und Verarbeitung von Metawissen auch in dem Inferenzsystem FOL (WEYHRAUCH 1980). In FOL kann zu einer
logischen Theorie T eine Metatheorie mit Metatheoremen wie (1) angegeben werden. FOL kann unter Verwendung von Theoremen t_1 und t_2 aus der Theorie T nach

(1) ANDI: $\forall$ thm1 thm2. THEOREM(mkand (wffof (thm1), wffof (thm2))) [1]

der Anweisung (2) Ableitungen in der Metatheorie durchführen, die schließlich
zur Konstruktion eines entsprechenden Theorems t_3 in T führen können. Die be-

(2) REFLECT ANDI t_1, t_2;

sonders für die natürliche Sprache typische Eigenschaft der Reflexivität
kann in FOL z.B. dazu benutzt werden, durch die Anweisung (3) die Metatheorie

(3) REFLECT ANDI ANDI, ANDI;

mithilfe des Theorems ANDI aus META um das neue Metatheorem (4) zu ergänzen.
(4) $\forall$ thm1 thm2. THEOREM(mkand (wffof (thm1), wffof (thm2))) $\wedge$
$\forall$ thm1 thm2. THEOREM (mkand (wffof (thm1), wffof (thm2)))

Für die KI-Forschung im Bereich 'Simulation von natürlichsprachlichem Dialogverhalten' ist die mit der Integration einer Erklärungskomponente verbundene
Fähigkeit zur Metakommunikation von Interesse, die in natürlichsprachlichen
KI-Systemen bisher meist im Rahmen von Klärungsdialogen (vgl. V. HAHN et al.
1980) realisiert wurde. Metakommunikative Dialoge stellen eine Kommunikations-

---

[1] Dieses Metatheorem besagt, daß die Konjunktion der beiden in Theoremen thm1
und thm2 enthaltenen Formeln, ebenfalls ein Theorem ist (vgl. WEYHRAUCH
1980, S. 149).

form dar, in welcher der Dialogverlauf selbst Gesprächsgegenstand ist. Metakommunikative 'Warum'-Fragen (vgl. 2.3.2.) können u.a. zur Aufklärung und
Vermeidung von Mißverständnissen zwischen den Dialogpartnern verwendet werden. Wie für jede andere Komponente eines natürlichsprachlichen KI-Systems
(z.B. Ellipsenkomponente, Pronomenkomponente) so kann auch der Beitrag, den
eine Erklärungskomponente in Hinblick auf das Fernziel einer möglichst vollständigen Rekonstruktion natürlichsprachlichen Dialogverhaltens leistet, erst
nach der Integration der Komponente in ein Dialogsystem beurteilt werden, in
dem bei der automatischen Analyse und Generierung natürlichsprachlicher Äußerungen eine große Zahl von sprachlichen, kommunikativen und kognitiven Fähigkeiten zusammenwirken (vgl. V. HAHN 1978). Daher wurde die in der vorliegenden
Arbeit beschriebene Erklärungskomponente trotz der im Entwurf grundsätzlich an-
getrebten Unabhängigkeit von einem bestimmten Wirtsystem in jeder Phase der
Entwicklung in dem vollständig implementierten natürlichsprachlichen Dialogsystem HAM-RPM (Abk. für Hamburger Redepartnermodell, vgl. V. HAHN et al. 1980)
erprobt.

1.1.4. ENTWURFSZIELE FÜR EINE ERKLÄRUNGSKOMPONENTE

Im folgenden werden die allgemeinen Entwurfsziele für Erklärungskomponenten
angegeben. Es handelt sich dabei lediglich um eine Übersicht zu den angestrebten Eigenschaften einer Erklärungskomponente, die im Verlauf der weiteren Arbeit noch im einzelnen präzisiert werden. Die Anforderungen treffen auf Erklärungskomponenten in allen oben genannten Anwendungsbereichen zu. Allerdings wurde die Gewichtung der Entwurfsziele auf die oben angeführten Haupt-
anwendungen von Erklärungskomponenten in KI-Systemen abgestimmt.

Das wichtigste Entwurfsziel besteht darin, daß die von der Erklärungskomponente erzeugten natürlichsprachlichen Erklärungen[1]:

- korrekt (richtige Wiedergabe der zugrundeliegenden Inferenzketten,
  vgl. DAVIS 1976)
- verständlich (klare sprachliche Struktur, vgl. WEINER 1979, Berücksichtigung des beim Dialogpartner vermuteten Vorwissens, vgl. SWARTOUT
  1978)
- informativ (hoher Erklärungswert, keine irrelevanten Details, vgl.
  WAHLSTER et al. 1978)

[1] Die angeführten Eigenschaften sind nach absteigenden Prioritäten geordnet.
Bei Konflikten zwischen den Entwurfsparametern wird der Entwurf stets der
Eigenschaft mit höherer Priorität angepaßt.

• kommunikativ adäquat (situationsgerechte Erklärungs- und Detailebene vgl. DAVIS 1976) und

• kohärent (Bezug zu vorangegangenem Dialog, vgl. V. HAHN 1979) sind.

Daneben werden als weitere Entwurfsziele berücksichtigt:

• Datenunabhängigkeit (die Generierung von Erklärungen soll auf einem allgemeinen Verfahren beruhen, das bei beliebigem Inhalt der Wissens-basis funktioniert)

• einfache Handhabung und flexibler Aufruf (die Generierung von Erklärungen soll durch ein möglichst großes Repertoire sprachlicher Formulierungen des Benutzers oder kommunikative und kognitive Bedingungen ausgelöst werden können, vgl. 2.1.)

• kurze Reaktionszeiten (die Komponente soll für die in Realzeit ablaufenden natürlichsprachlichen Dialoge mit dem Benutzer einsetzbar sein)

• Dialogfähigkeit (auf Anfrage sollen zusätzliche Erklärungen angeboten oder bereits angegebene Erklärungen weiter ausgeführt werden, vgl. 2.3.)

Zusätzliche Entwurfsziele, auf deren Spezifikation hier verzichtet werden kann, sind natürlich die in der Informatik als allgemeine Qualitätsmerkmale für Software-Produkte anerkannten Eigenschaften wie modularer Aufbau, Portabilität und Adaptabilität.

1.2. BEGRIFFLICHE GRUNDLAGEN

Da es in der KI noch keinen völlig einheitlichen Gebrauch der Bezeichnung Erklärungskomponente[1] gibt, muß zunächst definiert werden, was in dieser Arbeit unter einer Erklärungskomponente verstanden werden soll.

1.2.1. ZUR DEFINITION DES BEGRIFFS 'ERKLÄRUNGSKOMPONENTE'

Als *Erklärungskomponente* bezeichnen wir diejenige Komponente eines natürlich-sprachlichen KI-Systems, deren Aufgabe es ist, eine für den jeweiligen Benutzer verständliche und im jeweiligen Dialogzustand angemessene Erklärung als Antwort auf eine 'Warum'-Frage zu erzeugen.

Wegen der Mehrdeutigkeit des Ausdrucks 'Erklärung' in der Alltagssprache (vgl. auch STEGMÜLLER 1969 , S. 72f. und HEMPEL 1977) muß der hier verwendete Erklärungsbegriff gegenüber anderen Bedeutungen von 'Erklärung' abgegrenzt werden.

Von den fünf im folgenden aufgeführten Bedeutungsvarianten ist für diese Arbeit ausschließlich (a) relevant:

(a) Erklärung von Tatsachen, Behauptungen, Ereignissen und Prozessen

Beispiel: A erklärt, warum nicht jede kontextfreie Sprache von einem endlichen Automaten erkannt werden kann.

(b) Erklärung des Funktionierens eines komplexen Gebildes

Beispiel: A erklärt, wie ein Flip-Flop arbeitet.

(c) Erklärung als Handlungsanleitung

Beispiel: A erklärt, wie der Inhalt eines Magnetbandes auf Platte kopiert wird.

(d) Erklärung von Begriffen

Beispiel: A erklärt, was eine Turingmaschine ist.

(e) Erklärung als durch die offizielle Funktion des Sprechers gestützte Festlegung oder Feststellung

Beispiel: A erklärt, daß die Sitzung des Fachbereichsrates eröffnet ist.

In der oben angegebenen Definition wird der Erklärungsbegriff dadurch eingeschränkt, daß eine Erklärung als eine Antwort auf eine 'Warum'-Frage angesehen

---

[1] Engl.: 'explanation capability (u.a. in SHORTLIFFE 1976), oder 'explanation facility' (u.a. in SWARTOUT 1977, S. 7), oder 'explanation generator' (u.a. in WEINER 1979, S. 1), oder 'justification system' (u.a. in SWARTOUT 1978, S. 4)

wird. Da der Ausdruck 'Warum'-Frage, wie wir in den Kapiteln 1.4. und 2. zeigen werden, selbst mehrdeutig ist, setzt die Verwendung dieser Einschränkung eine eindeutige Festlegung des Begriffs 'Warum'-Frage voraus (vgl. 1.4., 2., 4.1.).

In der KI-Literatur findet sich bei WEINER 1979 folgende Abgrenzung des Erklärungsbegriffs:

> The term 'explanation' does not refer to any discourse which can serve some explanatory function, but only discourse in which a speaker gives reasons and/or causes for assertions being explained.
> (WEINER 1979, S. 1)

Beim Entwurf einer Erklärungskomponente gemäß der obigen Definition ist der Gegenstand der Rekonstruktion die 'natürliche' Erklärung, die von Weiner folgendermaßen charakterisiert wird:

> A 'natural' explanation is one given by a person, rather than a machine in a natural social setting, rather than an experimental setting.
> (WEINER 1979, S. 1)

Ein spezieller Typ der Erklärung von Fakten im Sinne von (a) sind die in der Wissenschaftstheorie als deduktiv-nomologisch klassifizierten Erklärungen (vgl. HEMPEL 1977, STEGMÜLLER 1969). Diese werden von Bromberger folgendermaßen definiert:

> The explanation of a fact is a valid and sound (i.e. all premises are true) deduction, none of those premises are superfluous, some of whose premises are empirical laws, and whose conclusion is a description of the fact explained.
> (BROMBERGER 1965, S. 91)

Im Gegensatz zu der hier angestrebten Begriffsbestimmung wird in den meisten bisher vorliegenden Arbeiten zu Erklärungskomponenten in der KI auf eine Definition des Begriffs verzichtet und von einem intuitiven Vorverständnis ausgegangen. Obwohl die oben unter (a) spezifizierte Bedeutung meist Ausgangspunkt der Überlegungen zu sein scheint, gehen dann nicht nur auch die unter (b) - (d) genannten Bedeutungsvarianten ein, sondern der Begriff der Erklärungskomponente wird oft sogar noch weiter gefaßt. So gehört nach den Spezifikationen für Erklärungskomponenten durch SCOTT et al. 1977 (S. 28) und HAYES/REDDY 1979 (S. 29) auch die Beantwortung allgemeiner Wissensfragen wie Ist Blut steril? zur Aufgabe einer Erklärungskomponente. Eine solche Erweiterung des Begriffs 'Erklärungskomponente' führt m.E. dazu, daß er überflüssig wird, da er vom Begriff 'Frage-Antwort-System' dann nicht mehr unterscheidbar ist.

NATURAL EXPLANATIONS

1.2.2. KAUSALE UND TELEOLOGISCHE ERKLÄRUNGEN

Innerhalb des in 1.2.1. durch (a) abgegrenzten begrifflichen Rahmens wird
besonders in wissenschaftstheoretischen Arbeiten häufig zwischen *kausalen*
und *teleologischen* Erklärungen unterschieden (vgl. V. WRIGHT 1974, S. 17).
Diese Unterscheidung, die in der Literatur[1] u.a. auch durch das Begriffspaar *Erklärung-Begründung* (vgl. HERINGER et al. 1977, S. 257f.) wiedergegeben wird, basiert auf einer Klassifikation des *Explanandum* (als Gegenstand
einer Erklärung) und des *Explanans* (als das Erklärende), wie sie in Fig. 2
dargestellt ist. Erklärungen und Begründungen können nicht aufgrund ihrer

	ERKLÄRUNG (= kausale Erklärung)	BEGRÜNDUNG (= teleologische Erklärung)
Typisches Explanandum	Ereignis oder physischer Zustand	Handlung oder psychischer Zustand
Typ der Prämissen im Explanans	Ursache	Grund
Inferenz beruht auf	empirischem Gesetz	Konvention oder Norm
Beispiel	*Holz schwimmt auf Wasser, weil sein spezifisches Gewicht kleiner als 1 ist.*	*Peter nimmt die Hände aus der Tasche, damit er höflich grüßen kann.*

Fig. 2: Zur Unterscheidung zwischen Erklärung und Begründung

Realisierung an der sprachlichen Oberfläche (etwa durch eine eineindeutige
Zuordnung der Konjunktionen *weil* und *damit*) sondern nur anhand ihrer zugrunde-

---

[1] Ein anderes Begriffspaar, mit dem dieselbe Unterscheidung erfaßt werden soll,
ist z.B. 'Erklärung-Rechtfertigung' (vgl. GÖTTERT 1978, S. 22). Auf die Rele-
vanz der Unterscheidung zwischen 'cause-explanations' und 'reason-explanations'
für die sprachorientierte KI-Forschung weist WILKS 1977 hin.

liegenden semantischen Struktur unterschieden werden[1]. Die Einführung dieser Unterscheidung widerspricht nicht der Tatsache, daß Handlungen und psychische Zustände z.B. in der Medizin als Ereignisse bzw. physische Zustände betrachtet werden können und damit auch für Kausalerklärungen zugänglich werden. Allerdings gilt die alte philosophische Fragestellung, ob nicht jede teleologische Verhaltenserklärung in eine kausale Erklärung überführt werden kann (wie es die sog. Kausalisten (vgl. DAVIDSON 1963) im Gegensatz zu den sog. Intentionalisten (vgl. den Überblick in V. WRIGHT 1974) behaupten), auch in der zeitgenössischen Wissenschaftstheorie immer noch nicht als endgültig geklärt.

Der Entwurf einer Erklärungskomponente in der KI kann aber unabhängig von einer Entscheidung über diese Grundsatzfrage erfolgen, weil Erklärungen dabei nicht inhaltlich interpretiert sondern formal rekonstruiert werden sollen. Voraussetzung für den Aufbau einer Erklärungskomponente ist allerdings die Formalisierung und Implementierung von Inferenzen, die natürlichsprachlichen Erklärungen und Begründungen zugrundeliegen, - ein klassisches Forschungsgebiet der KI, in dem immer noch viele Probleme ungelöst sind (vgl. den Überblick in MCDERMOTT 1978, WINOGRAD 1980). Während man sich bei der formalen Rekonstruktion von Erklärungen in einfachen Fällen auf den Prädikatenkalkül beschränken kann, muß man bei Begründungen auf Kalküle mit Modalitäten des Glaubens, Wünschens, Wissens usw. zurückgreifen, für die maschinelle Deduktionsverfahren erst ansatzweise entwickelt wurden (vgl. z.B. MORGAN 1976). Als einfaches Beispiel für die Formalisierung von Begründungen für Handlungen kann das in Fig. 3 dargestellte Grundschema eines sog. praktischen Schlusses angesehen werden (vgl. V. WRIGHT 1974, S. 93, GÖTTERT 1978, S. 7f.).

P beabsichtigt, Q(a) herbeizuführen.
P glaubt, daß er Q(a) nur herbeiführen kann, wenn er h tut.
Folglich macht sich P daran, h zu tun.

Fig. 3: Grundschema eines praktischen Schlusses

Obwohl sich also die Unterscheidung zwischen Erklärung und Begründung in einem KI-System durchaus in der verschiedenen Organisation der zugrundeliegenden Inferenzprozesse (z.B. spezielle Repräsentationskonstruktionen und Deduktions-

[1] So handelt es sich bei dem Satz *Peter weinte, weil er hingefallen war* nicht etwa um eine kausale sondern um eine teleologische Erklärung. V. WRIGHT 1974 spricht in diesem Zusammenhang, von quasi-kausalen bzw. quasi-teleologischen Erklärungen.

PRACTICAL INFERENCE

verfahren für Ereignisse und menschliche Handlungen) wiederspiegeln kann, gilt für KI-Systeme mit Erklärungskomponente grundsätzlich, daß die inhaltliche Klassifikation einer vom System durch formale Operationen ermittelten Antwort auf eine 'Warum'-Frage als Erklärung oder Begründung erst aufgrund einer Interpretation der Systemantwort durch den Benutzer vorgenommen wird (vgl. auch SCHEFE 1979, S. 5f.). Besonders deutlich wird dies in den Fällen, in denen ein KI-System auf Anfrage Auskunft über sein eigenes Verhalten gibt (vgl. 1.5.).

Für den Informatiker, als Konstrukteur eines KI-Systems mit Erklärungskomponente, ist stets klar, daß es für jegliches Verhalten des Systems (so auch für die Beantwortung von 'Warum'-Fragen über das Systemverhalten) eine Kausalerklärung gibt. Dies schließt aber keineswegs aus, daß es Anwendungssituationen geben kann, in denen die Antworten des Systems von einem Benutzer als teleologische Erklärungen des Systemverhaltens gedeutet werden.

1.3. ARGUMENTATIONSTHEORETISCHE GRUNDLAGEN DES ENTWURFS EINER ERKLÄRUNGSKOMPONENTE

Ziel dieses Kapitels ist es weder, einen Beitrag zur Theorie der Argumentation zu liefern, noch, einen Überblick zur Argumentationstheorie zu geben (vgl. dazu GÖTTERT 1978, VÖLZING 1979), sondern es soll die Bedeutung einiger grundlegender Ergebnisse der Argumentationstheorie für den Entwurf einer Erklärungskomponente innerhalb der Informatik untersucht werden.

Als *Argumentation*[1] bezeichnen wir eine oder mehrere aufeinanderfolgende Sprechhandlungen, in denen eine Erklärung oder Begründung für eine Handlung[2] (als Anwort auf Fragen wie *Warum hast Du das getan?, Warum fragst Du das?*) oder Aussage (als Antwort auf Fragen wie *Warum schwimmt Holz auf Wasser?*) gegeben wird.

Als *argumentativ* bezeichnen wir Äußerungsfolgen, in denen Argumentationen zusammen mit anderen Äußerungstypen auftreten (vgl. auch KINDT 1975, S. 244). Wir sprechen im folgenden u.a. von argumentativen Antworten, argumentativen Dialogsequenzen und argumentativen Dialogen[3].

1.3.1. PARTNERBEZUG UND SITUATIONSABHÄNGIGKEIT VON ARGUMENTATION

Wichtige Konsequenzen für den Aufbau einer Erklärungskomponente ergeben sich aus der Erkenntnis der Argumentationstheorie, daß Argumentationen auf den jeweiligen Dialogpartner und den situativen Kontext abgestimmt sind[4]. In einer gegebenen Situation wird nämlich nicht jede (logisch) korrekte Erklärung von jedem beliebigen Argumentationspartner als solche akzeptiert werden. Erfolgreiches und kooperatives Argumentieren, wie es in natürlichsprachlichen KI-Systemen angestrebt wird, setzt voraus, daß die Argumentation dem in der jeweiligen Situation gültigen Standard entspricht und vom Dialogpartner auch verstanden werden kann.

Wenn die Erklärungskomponente eines KI-Systems von vornherein in Hinblick auf ein bestimmtes Benutzerprofil entworfen wurde (vgl. der DIGITALIS ADVISOR für den Argumentationsstandard und das Vorwissen von Fachärzten, vgl.

---

[1] In der Literatur zur Argumentationstheorie gibt es verschiedene Explikationen des Argumentationsbegriffes (vgl. z.B. die Überblicke in GÖTTERT 1978, VÖLZING 1979). Die hier angegebene Definition wurde ausschließlich in Hinblick auf die in dieser Arbeit behandelte informatische Fragestellung gewählt und erhebt nicht den Anspruch, alle sinnvollen Explikationen des Argumentationsbegriffes zu erfassen.

[2] Damit sind non-verbale Handlungen und Sprechhandlungen angesprochen.

[3] 'Argumentative Texte', zu deren maschineller Analyse sich Ansätze bei LENDERS 1975, S. 193f., finden, werden in dieser Arbeit nicht betrachtet.

[4] Vgl. z.B. die Argumentationsanalyse II in METZING 1975.

1.5.2.2.), so ist deren Anwendungsbreite weit geringer als für Systeme, in denen die Selektion und Strukturierung der Erklärungen auch durch Wissen über den jeweiligen Dialogpartner (z.B. Argumentation für Facharzt/Medizinstudent/ Laie) gesteuert wird. Die Verwendung eines expliziten *Partnermodells*, das Informationen über das beim Partner vermutete Wissen enthält, in einer Erklärungskomponente bewirkt also nicht nur eine angemessenere Rekonstruktion natürlichsprachlicher Argumentationsformen sondern führt unter Anwendungsgesichtspunkten auch zu erhöhter Flexibilität.

1.3.2. EIN ALLGEMEINES STRUKTURSCHEMA FÜR NATÜRLICHSPRACHLICHE ARGUMENTATION

Ein weiterer Forschungszweig der Argumentationstheorie, dessen Ergebnisse für die Entwicklung einer Erklärungskomponente relevant sind, ist die Suche nach allgemeinen Strukturschemata für natürlichsprachliche Argumentation (vgl. die Überblicke in GÖTTERT 1978, VÖLZING 1979). Besonders das Schema von Toulmin wird in den Arbeiten zur Argumentationstheorie immer wieder aufgegriffen (vgl. TOULMIN 1969, S. 104). Fig. 4 zeigt das Toulminsche Schema in einer Form, die der in der KI üblichen Terminologie entspricht (in Kursivschrift sind die Bezeichnungen von Toulmin angegeben).

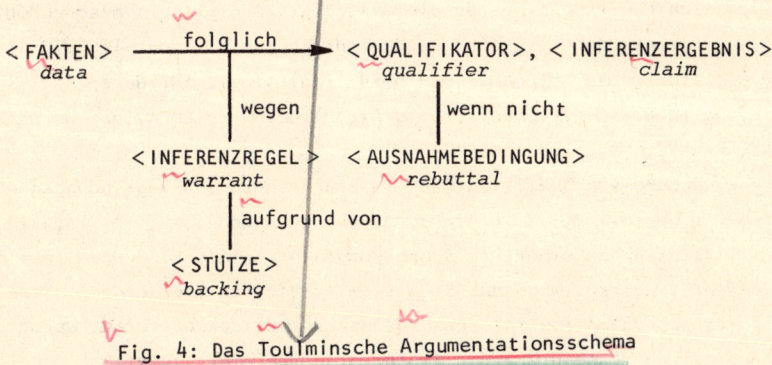

Fig. 4: Das Toulminsche Argumentationsschema

Wie das Beispiel in Fig. 5, das eine typische Ausprägung einer nach dem Toulminschen Schema aufgebauten Argumentation darstellt, verdeutlicht, ist das elementare Schlußschema des Modus ponens, das in der KI nicht nur in automatischen Beweisern sondern u.a. auch in Interpretern für Produktionensysteme und in der Deduktionskomponente von PLANNER-artigen Programmiersprachen realisiert wird, im Toulminschen Schema als Spezialfall enthalten. Allerdings umfaßt eine Argumentation gemäß dem in Fig. 4 angegebenen Schema neben der Anwendung einer Inferenzregel auf Fakten zur Ableitung eines Inferenzprozesses auch Bestandteile wie einen Qualifikator, eine Stütze und eine Ausnahme-

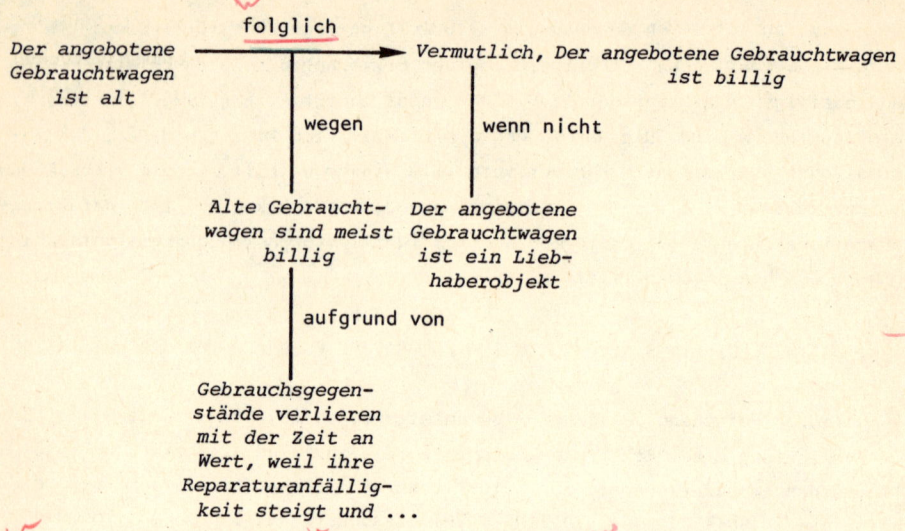

Fig. 5: Beispiel für eine Argumentation nach dem Toulminschen Schema

bedingung, die bisher in Inferenzkomponenten von KI-Systemen kaum berücksichtigt wurden.

Qualifikatoren bewirken eine für die Alltagsargumentation typische Modi-
fikation des Inferenzergebnisses und werden sprachlich als sog. linguistische
Hecken wie *möglicherweise, manchmal* und *meist* realisiert, für deren Analyse
und Generierung in Dialogsystemen bereits Algorithmen implementiert wurden
(vgl. WAHLSTER 1977, WAHLSTER 1980).

Da die Verwendung von Qualifikatoren in Erklärungen und Begründungen an
zugrundeliegende approximative Inferenzprozesse gebunden ist (vgl. Kapitel 3),
können Qualifikatoren von einer Erklärungskomponente eines KI-Systems nur dann
sinnvoll verwendet werden, wenn das KI-System zusätzlich über eine Komponente
verfügt, in der approximative Inferenzprozesse formal rekonstruiert werden.
Entwurf, theoretische Fundierung und Implementierung einer Inferenzkomponente
für approximative Schlüsse sind daher zentrale Fragestellungen in der vorliegenden Arbeit (vgl. Kapitel 3).

Stützen dienen zur Sicherung der Gültigkeit der in einer Argumentation
verwendeten Inferenzregel. Sie stellen damit Metawissen (vgl. 1.1.3.) bzgl. der
Inferenzregeln dar. Stützen können aus Verweisen auf Theorien, Konventionen
oder direkten Beobachtungen bestehen. Auf die Verwendung von Stützen in argumentativen Dialogsequenzen gehen wir in Abschnitt 2.1.3.2. ein.

Ausnahmebedingungen gehören insofern auch zum Metawissen, als sie Verweise auf konkurrierende Inferenzregeln enthalten, deren Anwendung nicht zu

dem angegebenen Inferenzergebnis führen würde. Es ist offensichtlich, daß das Toulminsche Schema lediglich Relationen zwischen wichtigen Bestimmungsstücken einer Argumentation beschreibt, ohne formale Verfahren zur Generierung von Er- ~~TRUE~~ klärungen zu liefern. Es kann somit für den Entwurf einer Erklärungskomponente lediglich als Orientierungshilfe nicht aber als formale Fundierung (vgl. 1.4.) verwendet werden.

Unsere Untersuchungen der Struktur von argumentativen Dialogen in den folgenden Abschnitten wird zeigen, daß folgende für den Aufbau einer Erklärungskomponente wichtige Charakteristika natürlichsprachlicher Argumentation durch ~~NOTICE~~ Toulmins Schema nicht erfaßt sind:

(a) Alltagsargumentationen sind oft nicht wie im Schema in Fig. 4 einsträngig sondern mehrsträngig (vgl. 2.2.2.). *SEE P 65*   (a)

(b) Argumentationen sind nicht nur einschrittig sondern bestehen häufig auch aus längeren Inferenzketten (vgl. 2.2.2.).   (b)

(c) Eine Argumentation kann auch Verweise auf Inferenzstrategien enthalten, die als Metawissen zur Steuerung der Anwendung von Inferenzregeln dienen (vgl. 1.5.2.1.).   (c)

EVERYDAY ARGUMENTATION

THE INTEREST IN COMMON SENSE IS TYPICAL FOR AI !

NOT BAD MIXING TOULMIN & LOGIC !
WAHLSTER DISPLAYS A TYPICAL NAIVETE AMONG MANY AI RESEARCHERS !

1.4. 'WARUM'-FRAGEN AUS DER SICHT DER FRAGELOGIK UND LINGUISTISCHEN PRAGMATIK

Neben der Argumentationstheorie, auf derer für den Entwurf einer Erklärungskomponente relevante Ergebnisse wir im letzten Abschnitt eingegangen sind,
muß sich auch die Fragelogik mit der Untersuchung von 'Warum'-Fragen und argumentativen Antworten befassen. Allerdings werden in den meisten Arbeiten zur
Fragelogik, in denen versucht wird, die Semantik natürlichsprachlicher Fragen
und Antworten zu formalisieren, 'Warum'-Fragen wegen der mit ihrer Formalisierung verbundenen Schwierigkeiten explizit als Untersuchungsgegenstand aus-
geklammert, so daß im Vergleich zu anderen Fragetypen sehr wenige Arbeiten
über 'Warum'-Fragen vorliegen (vgl. die Bibliographien von EGLI/SCHLEICHERT
1976 und FICHT 1978). Die einzigen ernsthaften Formalisierungsversuche[1] stammen
von BROMBERGER 1966, dessen Ansatz von TELLER 1974 kritisiert wird, von TONDL
1969 und von WAHLSTER 1979. Der Vorschlag von Tondl wurde dann von CONRAD 1978
aufgegriffen und in seine Darstellungsweise übertragen (vgl. CONRAD 1978, S.
118f.).

1.4.1. ANSÄTZE ZU EINER FORMALEN SEMANTIK VON 'WARUM'-FRAGEN

Da in Kapitel 4.1. dieser Arbeit ein formales Modell vorgelegt wird, das ausgehend von dem Grundgedanken in WAHLSTER 1979 u.a. auch dort nicht berücksichtigte semantisch-pragmatische Faktoren wie das Vorwissen des Fragenden und den
bisherigen Verlauf einer argumentativen Dialogsequenz einbezieht und die Vorschläge von Tondl und Bromberger als Spezialfälle erfaßt, soll im folgenden
nur kurz auf die Grundprinzipien der Ansätze von Tondl und Bromberger eingegangen werden.

TONDL 1969 formalisiert Fragen der Form *Warum S?* mithilfe eines speziellen
Frageoperators (?⊢) als (1), wobei er S als die Konklusion in einer Inferenz-

$$(1) \quad (? \vdash) \quad (\vdash S)$$

kette auffaßt. Eine Antwort auf die Frage *Warum S?* besteht aus einer endlichen
Menge von konjunktiv verknüpften anderen Sätzen S_i, S_j...S_n und deren Relationen

---

[1] Sowohl AQUIST 1975, der Fragen vom Typ *Warum S?* ausgehend von der Para-
phrase *Was ist eine Erklärung dafür, daß S?* formalisiert, als auch TODT/
SCHMIDT-RADEFELDT 1974, die spezielle Sorten CAUS und INT für Gründe und
Ursachen bzw. Zwecke und Absichten einführen, weisen lediglich auf die
Schwierigkeiten hin, solche Sorten wie die der 'Erklärung' oder der 'Absichten' semantisch zu präzisieren (vgl. AQUIST 1975, S. 110f., TODT/
SCHMIDT-RADEFELDT 1979, S. 22f.). Als Rechtfertigung für die Einführung
solcher Sorten wird das Auftreten von Kennzeichnungstermen wie *der Grund
für...* angeführt.

zu S, die Tondl in seinem Modell auf prädikatenlogische Ableitbarkeitsrelationen beschränkt (vgl. TONDL 1969, S. 33). Tondl behandelt zwei Beispiele für 'Warum'-Fragen, deren Antworten Ableitungen mithilfe des Modus ponens (vgl. (1.1)-(1.2)) bzw. der Substitutionsregel (vgl. (2.1.)-(2.2.)) zugrundeliegen, und formalisiert z.B. (1.1.)-(1.2.) durch (1.1.')-(1.2.').

(1.1.) Frage: *Warum gibt es heute Matsch?*

(1.2.) Antw.: *Weil es heute geregnet hat, und weil es immer, wenn es regnet, Matsch gibt.*

(2.1.) Frage: *Warum schwimmt Holz auf Wasser?*

(2.2.) Antw.: *Weil für alle Substanzen, die ein spezifisches Gewicht kleiner 1 haben, gilt, daß sie auf Wasser schwimmen, und weil Holz eine Substanz ist, deren spezifisches Gewicht kleiner 1 ist.*

(1.1.') $(? \vdash) \quad (\vdash S_i)$

(1.2.') $\vdash S_j \wedge \vdash (S_j \Rightarrow S_i)$

Im Gegensatz zu der in Kapitel 4.1. der vorliegenden Arbeit vorgeschlagenen Formalisierung können 'Warum'-Fragen, die auf mehrschrittigen Ableitungen und Mehrfachableitungen beruhen, in dem einfachen Modell von Tondl nicht erfaßt werden. CONRAD 1978 weist zwar darauf hin, daß es sich bei (1.2.) lediglich um die Vollform der Antwort handelt, und daß in Dialogen oft nur mit einer reduzierten Form wie (1.2.'') geantwortet wird. Er kann aber im Rahmen seiner auf

(1.2.'') Antw.: *Weil es heute geregnet hat.*

auf Tondls Modell basierenden Formalisierung nicht erklären, wann (1.2.) und in welchen Situationen dagegen (1.2.'') als Antwort adäquat ist. In Abschnitt 4.1.3. werde ich mithilfe einer Formalisierung des vom Fragenden beim Partner vermuteten Vorwissens einen Erklärungsvorschlag für die Tilgung in (1.2.'') vorlegen.

Zusammenfassend stellen wir zum Ansatz von Tondl und Conrad fest, daß das Grundprinzip ihrer Formalisierung darin besteht, korrekte Antworten auf die Frage *Warum S?* mit deduktiv-nomologischen Erklärungen (vgl. 1.2.1.) für S zu identifizieren.

Gegen eine solche Gleichsetzung wendet sich BROMBERGER 1966, indem er die Tatsache, daß A Teil einer deduktiv-nomologischen Erklärung[1] für S ist, zwar

[1] Wenn ein Arzt die Frage *Warum glauben Sie, daß der Patient Fieber hat?* mit *Weil er erhöhte Temparatur hat* beantwortet, so kann seine Antwort natürlich nicht als deduktiv-nomologische Kausalerklärung gewertet werden. Bromberger sondert 'Warum'-Fragen, in denen nicht nach Fakten, sondern nach Meinungen und Vermutungen gefragt wird, als Untersuchungsgegenstand aus. Für KI-Anwendungen sind solche Einschränkungen nicht möglich, da es ja gerade zu den Aufgaben einer Erklärungskomponente gehört, auch durch das System ausgesprochene Vermutungen zu rechtfertigen. Die von mir entwickelte Erklärungskomponente bezieht sich daher auch nicht nur auf Kausalrelationen, sondern allgemeiner auf Inferenzrelationen.

ADEQUATE ANSWER

als notwendige nicht aber als hinreichende Bedingung dafür ansieht, daß A eine
korrekte Antwort auf die Frage *Warum S?* ist. Da TELLER 1974 bereits gezeigt hat,
daß Brombergers Darstellung der exakten Bedingungen für die Korrektheit einer
Antwort auf eine 'Warum'-Frage mehrere formale Mängel enthält, soll hier nur
der Ausgangspunkt der Argumentation von Bromberger dargestellt und diskutiert
werden.

Bromberger unterscheidet zunächst ähnlich wie Toulmin (vgl. 1.3.2.) zwischen
allgemeinen Regeln (z.B. 'Jeder Vogel kann fliegen') und Ausnahmeregeln (z.B.
'ein Pinguin ist ein Vogel, aber er kann nicht fliegen'). Beide Regeltypen integriert er dann in sog. 'abnormic laws' (Abk. AL, z.B. 'Jeder Vogel kann fliegen,
es sei denn, es ist ein Pinguin').

Brombergers Bedingungen für eine korrekte Antwort auf eine 'Warum'-Frage
sollen anhand von folgendem Beispiel eingeführt werden. Die Regel AL₁ 'Ein
alter Wagen ist nur dann nicht billig, wenn er ein Liebhaberobjekt ist' bildet
ein 'abnormic law', in dem die allgemeine Regel 'Ein alter Wagen ist billig'
und die Ausnahmeregel 'Wenn ein alter Wagen ein Liebhaberobjekt ist, so ist
er nicht billig' integriert sind.
Eine korrekte Antwort A auf die Frage *Warum S?* (im Beispiel S = 'der alte Wagen a ist nicht billig')muß nach Bromberger u.a. folgenden Bedingungen genügen:

- Es gibt ein AL, für das S die Instantiierung des negierten Prädikats in
  AL ist (im Beispiel: AL₁ mit ¬ billig(x) als negiertem Prädikat) und
- A ist die Instantiierung einer der Prämissen, die zusammen mit AL eine
  deduktiv-nomologische Erklärung bilden, deren Konklusion S ist (im Beispiel:
  Liebhaberobjekt(x)) und
- die übrigen Prämissen bilden zusammen mit der allgemeinen Regel, die AL
  zugrundeliegt, eine deduktiv-nomologische Erklärung für ¬ S (im Beispiel:
  alt(a) ⇒ billig(a))

Bromberger bindet den Begriff 'korrekte Antwort auf eine 'Warum'-Frage' also an
den von ihm eingeführten Regeltyp 'abnormic law'. Für die Einschränkung argumentativer Antworten auf deduktiv-nomologische Erklärungen, in denen 'abnormic laws'
verwendet werden, führt Bromberger folgende Argumente an:

(a) Auf Fragen wie *Warum kann ein Rabe fliegen?*, in denen nach einer allge-
    meinen Regel gefragt wird, gibt es keine korrekten Antworten, sondern
    nur Erwiderungen wie *Das ist eben so!*.
(b) In einer Frage *Warum S?* widerspricht S einer allgemeinen Regel und wird
    dadurch zu einem 'überraschenden Sachverhalt', der durch die Angabe eines
    AL erklärt werden muß.

Gegen diese Argumentation lassen sich folgende Einwände vorbringen:

ad (a) Gerade in der Wissenschaft werden meist 'Warum'-Fragen gestellt, in
denen erstmals nach einer allgemeinen Regel gefragt wird. Die Begriffe
'allgemeine Regel' und 'Ausnahmeregel' sind außerdem nur in solchen
Modellen sinnvoll zu definieren, in denen zwischen dem beim Fragenden
vermuteten Vorwissen und dem Wissen des Antwortenden unterschieden
wird, wie es in meinem Vorschlag in Kapitel 4.1. geschieht. Denn eine
allgemeine Regel des Fragenden (z.B. wenn wir annehmen, er kennt als
Vögel nur Pinguine, so daß er die allgemeine Regel 'Vögel fliegen nicht'
hat) kann für den Befragten gerade die Ausnahmeregel sein.

ad (b) Die Behauptung, daß S einer allgemeinen Regel widersprechen muß, ist
für die oben bereits angeführten wissenschaftlichen Fragen aber z.B.
auch für Prüfungsfragen nicht haltbar. Die Tatsache, daß die Motivation
zur Äußerung einer 'Warum'-Frage oft darin besteht, daß eine vom Dialogpartner aufgestellte Behauptung von S unerwartet für den Fragenden
ist, kann in einem Modell, welches das beim Fragenden vermutete Vorwissen explizit erfaßt, angemessener berücksichtigt werden (vgl. 4.1.).

In (a) und (b) geht es darum, was bei einer Äußerung einer 'Warum'-Frage vorausgesetzt werden kann, womit das allgemeine Problem der Präsupposition von 'Warum'-
Fragen, auf das wir im folgenden eingehen werden, angesprochen ist.

1.4.2. PRÄSUPPOSITIONEN UND ZURÜCKWEISUNGEN VON 'WARUM'-FRAGEN

Die minimale Voraussetzung, die ein Sprecher mit der Äußerung der Frage *Warum
S?* macht, besteht darin, daß er die Existenz der in der Frage genannten Objekte
annimmt. Beispielsweise besteht die *existentielle Präsupposition* der Frage (1)

(1) *Warum überholt der grüne Golf den Laster falsch?*

darin, daß es in der dem Dialog zugrundegelegten Diskurswelt einen grünen Golf
und einen Laster gibt. Wenn der Befragte feststellt, daß existentielle Präsuppositionen verletzt sind, kann er die Frage zurückweisen oder versuchen,
die Präsupposition zu korrigieren (wie z.B. in *Du meinst wohl den grünen Opel.
Der überholt falsch, weil er rechts am Laster vorbeifährt.*). Durch die Integration der in dieser Arbeit beschriebenen Erklärungskomponente in das natürlichsprachliche Dialogsystem HAM-RPM werden Verletzungen von existentiellen
Präsuppositionen durch die Nominalphrasenreferenzanalyse (vgl. V. HAHN et al.
1980) erkannt und mit Formulierungen wie *Ich sehe hier keinen grünen Golf* zurückgewiesen.

Neben der Existenz der in der Frage *Warum S?* genannten Objekte, wird nach BROMBERGER 1966, TONDL 1969 und HERINGER 1974 auch die Wahrheit von S präsupponiert. Wenn die *Fragepräsupposition* verletzt ist, so kann der Befragte z.B. (1) durch (2) zurückweisen[1].

(2) *Der grüne Golf überholt den Laster doch gar nicht.*

Eine noch weiter gehende Definition der Präsupposition einer 'Warum'-Frage besteht darin, daß nicht nur die Wahrheit von S sondern auch die Existenz einer Erklärung für die Wahrheit von S vorausgesetzt wird (vgl. KATZ/POSTAL 1964, S. 117[2], CONRAD 1978, S. 119). Danach kann eine 'Warum'-Frage wie (3) als unsinnig zurückgewiesen werden[3].

(3) *Warum ist 3 mal 3 gleich 9?*

Schwierigkeiten bei der Bestimmung der Fragepräsupposition ergeben sich, wenn in einer 'Warum'-Frage unklar bleibt, ob sich die Frage auf Fakten oder auf Meinungen/Vermutungen bezieht. Es ist zwar offensichtlich, daß in (4) nicht S

(4) *Warum vermutest du, daß S?*

sondern höchstens die Vermutung des Befragten, daß S und die Existenz einer Erklärung für diese Vermutung präsupponiert wird. Dagegen kann für (7) nur mithilfe des Dialogkontextes (5) und (6) erkannt werden, daß A die Behauptung von B nur zitierend aufgreift, ohne deren Wahrheit unbedingt vorauszusetzen.

(5) A: *Warum fährt niemand auf der Schlüterstraße?*

(6) B: *Weil sie gesperrt ist.*

(7) A: *Warum ist die Schlüterstraße gesperrt?*

Sollen in der Erklärungskomponente eines KI-Systems die Präsuppositionen von 'Warum'-Fragen berücksichtigt werden, so ergeben sich aus den angeführten Beobachtungen folgende von der Erklärungskomponente durchzuführende Arbeitsschritte:

---

[1] Heringer weist darauf hin, daß ein Sprecher eine 'Warum'-Frage in einigen Situationen (wie Interview oder Verhör) nur stellt, um sich durch eine Antwort die in der Frage enthaltene Voraussetzung bestätigen zu lassen (vgl. HERINGER 1974, S. 168). Beispieldialog: Rechtsanwalt: *Warum sind sie dann in die Wohnung eingedrungen?* Angeklagter: *Ich wollte ja gar nichts klauen.* Rechtsanwalt: *Damit haben Sie ja erst mal gestanden, daß sie eingebrochen sind.*

[2] Nach Katz und Postal ist *Peter ging aus einem bestimmten Grund nach Hause* die Präsupposition von *Warum ging Peter nach Hause?*

[3] Es braucht hier nicht der Frage nachgegangen zu werden, ob es sich bei einer Erwiderung auf (3) wie *Das ist eben so*, um eine Antwort im Sinne einer Letztbegründung (vgl. 2.3.1.1.) oder um eine Zurückweisung der Fragepräsuppostion handelt, da dies für den Aufbau einer Erklärungskomponente irrelevant ist.

(a) Das System muß die existentiellen Präsuppositionen einer Frage *Warum S?* überprüfen und bei festgestellten Verletzungen muß es die Frage zurückweisen können.

(b) Falls das System aufgrund seiner Wissensbasis ¬ S ableiten kann, muß es die Frage ebenfalls zurückweisen.

(c) Falls das System weder S noch ¬ S ableiten kann, muß es die Frage mit *Weiß ich nicht* beantworten und kann die Wissensbasis um die Fragepräsupposition S ergänzen.

(d) Falls S zwar in der Wissensbasis gespeichert ist, aber keine weitere Erklärung für S generiert werden kann, erwidert das System die Frage mit Formulierungen wie *Das sieht man doch/Das ist eben so* (bei Fragen nach extensionalem Wissen) oder *Das ist bekanntlich immer so* (bei Fragen nach allgemeinem oder begrifflichem Wissen und Inferenzregeln).

(e) Nur falls das System im vorangegangenen Dialog S behauptet hat, darf es im Partnermodell bei der Anfrage *Warum S?* S nicht als vom Partner als wahr vorausgesetzt abspeichern (vgl. Sätze (5)-(7)).

Die Fähigkeit, Präsuppositionsverletzungen in einer möglichst frühen Phase der Verarbeitung von natürlichsprachlichen Benutzereingaben zu erkennen, ist für die Erklärungskomponente eines KI-Systems aus zwei Gründen wichtig: Einerseits soll in anwendungsorientierten Systemen unnötiger Verarbeitungsaufwand vermieden werden und andererseits gehört es zur Simulation von kooperativem Sprachverhalten, daß der Dialogpartner frühzeitig auf Schwierigkeiten bei der Verarbeitung seiner Fragen hingewiesen wird.

Zurückweisungen von 'Warum'-Fragen wegen Präsuppositionsverletzungen gehören zu einer Klasse verbaler Reaktionen, die nach den in 1.4.1. angegebenen Definitionen keine Antworten auf 'Warum'-Fragen sind. Zu dieser Klasse von Erwiderungen gehört auch die Verbalisierung von Antwortverweigerungen, die zumindest bei den bisher absehbaren Anwendungen von KI-Systemen nicht berücksichtigt zu werden braucht, da diese Systeme ausschließlich auf erfolgsorientiertes und kooperatives Kommunizieren hin angelegt sind. Typische Formen der Antwortverweigerung, wie sie in natürlichen Dialogen vorkommen, sind:

- Zurückweisungen wie *Frag mich nicht, Das geht Sie nichts an!*
- Gegenfragen wie *Das wissen/verstehen Sie nicht?*
- Erwiderungen, die zwar die Form einer Erklärung aber keinen Erklärungswert haben wie *Die Schlüterstraße ist gesperrt, weil sie halt gesperrt ist.*

1.4.3. PRAGMATISCHE FUNKTIONEN VON 'WARUM'-FRAGEN

Nachdem wir die von einer Erklärungskomponente zu erzeugenden Ausgaben auf
die korrekte, argumentative Beantwortung und ggf. die Zurückweisung wegen Präsuppositionsverletzungen eingeschränkt haben, soll auch die Menge der von einer
Erklärungskomponente zu aktzeptierenden Eingaben noch weiter eingeschränkt werden. Dabei gehen wir von dem Grundsatz der linguistischen Pragmatik aus, daß nicht
jede Äußerung eines *Fragesatzes*, der das Fragewort *Warum* enthält, eine *Fragehand-*
lung darstellt (vgl. WUNDERLICH 1976). Fragesätze sind nicht nur ein verbales
Schema, mit dem Fragehandlungen ausgeführt werden können, sondern sie können
auch zur Realisation von Aufforderungen, Ratschlägen und Kommentaren dienen.
Durch die Äußerung von Fragesätzen, die das Fragewort *Warum* enthalten, können
neben Fragehandlungen auch folgende andere Sprechhandlungen ausgeführt werden:

- Aufforderungen wie in (1) A: *Warum kannst du nicht endlich mal das Radio*
  leiser stellen?

  (2) B: *Mach ich ja schon.*

- Einladungen wie in (3) A: *Warum kommst du heute abend nicht mal zum*
  Essen vorbei?

  (4) B: *Vielen Dank für die Einladung.*

- Vorschläge (vgl. FREEMAN 1976) wie in:

  (5) A: *Warum rechnest du das nicht einfach mit dem*
  Taschenrechner aus?

  (6) B: *Das ist eine gute Idee.*

In der vorliegenden Arbeit wird der Begriff 'Warum'-Frage auf Fragesätze beschränkt, durch deren Äußerung Fragehandlungen vollzogen werden. Bisher ist
in der Literatur kein allgemeines Verfahren bekannt, um die verschiedenen
Sprecherintentionen in den Fragesätzen (1), (3) und (5) zu erkennen. Daher
versucht auch die von mir entwickelte Erklärungskomponente, als Antwort auf
die oben angegebenen Fragesätze (1), (3) und (5) einen natürlichsprachlichen Erklärungstext zu generieren.

Obwohl man in den Hauptanwendungsbereichen von Erklärungskomponenten (wie
Frage-Antwort-Systeme, Experten- und Beratungssysteme, natürlichsprachliche
Schnittstellen, vgl. 1.1.2.) davon ausgehen kann, daß durch die eingeschränkte
Dialogsituation die genannten Sprechhandlungen in (1), (3) und (5) kaum auf-
treten werden, kann dieser Fall nie völlig ausgeschlossen werden. Daher ist
es wichtig, sich Klarheit darüber zu verschaffen, wo die Beschränkungen von
Erklärungskomponenten beim derzeitigen Forschungsstand liegen.

1.5. ERKLÄRUNGSKOMPONENTEN IN KI-SYSTEMEN: DER STAND DER FORSCHUNG

1.5.1. EINFACHE VERFAHREN ZUR BEGRÜNDUNG VON HANDLUNGSSCHRITTEN

1.5.1.1. SHRDLU: das erste KI-System mit argumentativen Fähigkeiten

Das natürlichsprachliche System SHRDLU (WINOGRAD 1972) kann als das früheste
mit einer Erklärungskomponente ausgestattete KI-System angesehen werden. Allerdings sind die argumentativen Fähigkeiten von SHRDLU äußerst beschränkt[1]. Von
SHRDLU können nur 'Warum'-Fragen des Benutzers beantwortet werden, die sich
auf simulierte nicht-verbale Handlungen des Systems in der dem Dialog als
Diskursbereich zugrundeliegenden Blockwelt (vgl. WINOGRAD 1972, S. 8f) beziehen. Die Erklärungskomponente von SHRDLU generiert als Antwort auf 'Warum'-
Fragen 'teleologische Erklärungen'[2] (vgl. 1.2.2.), d.h. es wird das jeweils
übergeordnete Handlungsziel als Zweck einer bestimmten Teilhandlung verbalisiert (vgl. Fig. 6, die einen Dialogausschnitt[3] aus WINOGRAD 1972, S. 13 enthält). Da Aktionen des simulierten Roboters SHRDLU letzlich immer aufgrund
einer Aufforderung des Benutzers ausgeführt werden, ist bei iterierten
'Warum'-Fragen als Letztbegründung (vgl. 2.3.1.1.) die Standardantwort *Because
you asked me to* vorgesehen (vgl. (12) in Fig. 6).

Obwohl die Erklärungskomponente von SHRDLU, wie wir noch zeigen werden, eine
Vielzahl von Beschränkungen aufweist, wird sie im folgenden doch genauer analysiert[4], weil sie als Ausgangspunkt für die Forschung auf diesem Gebiet grund-
legend ist und gerade wegen ihrer Einfachheit[5] einen guten Zugang zu der in
der vorliegenden Arbeit behandelten Problemstellung bietet.

Die Erklärungskomponente von SHRDLU, die in MICRO-PLANNER implementiert
ist, greift bei der Generierung der Antwort auf eine 'Warum'-Frage auf zwei

[1] Winograd widmet dem Aufbau der Erklärungskomponente in SHRDLU als einem
Nebenaspekt seines Systems insgesamt nur eine Seite (WINOGRAD 1972, S.
123/124, S. 165).
[2] Da das Verhalten des Systems durch die Eingabe des Benutzers und das zugrundeliegende Programm eindeutig bestimmt ist, gibt es für solche simulierten 'teleologischen Erklärungen' natürlich immer eine Kausalerklärung.
[3] Aus dem Dialogkontext ergibt sich als Bezug für *it* in (1) *the green pyramid*.
[4] Da es keine Detailbeschreibung der Erklärungskomponente in SHRDLU gibt,
habe ich die folgende Beschreibung aufgrund des mir vorliegenden Programmtextes rekonstruiert.
[5] In der LISP-Einführung von Winston und Horn wird die Programmierung des
in SHRDLU verwendeten Verfahrens daher als Übungsaufgabe gestellt (vgl.
WINSTON/HORN 1981, S. 203).

BEN: (1) *When did you pick it up?*

SYS: (2) *While I was stacking up the red cube, a large red block and a large green cube.*

BEN: (3) *Why?*

SYS: (4) *To get rid of it.*

BEN: (5) *Why did you do that?*

SYS: (6) *To clear off the red cube.*

BEN: (7) *Why did you clear off that cube?*

SYS: (8) *To put it on a large green cube.*

BEN: (9) *Why did you do that?*

SYS: (11) *To stack up the red cube, a large red block and a large green cube.*

BEN: (12) *Why did you do that?*

SYS: (13) *Because you asked me to.*

Fig. 6: Argumentative Dialogsequenz mit SHRDLU

Wissensquellen zu: A: eine Menge von Beschreibungen einzelner Teilhandlungsziele, die bei der Durchführung von Aktionen während
des vorausgegangenen Dialogs verfolgt wurden.
B: Angaben über eine finale Relation zwischen einzelnen
in A beschriebenen Teilhandlungszielen.

Die unter A angeführte Wissensquelle wird in SHRDLU mithilfe von Einträgen
in die assoziative Datenbasis von MICRO-PLANNER realisiert (vgl. Fig. 7).
Zwischen den in A eingeführten Ereignisnamen wird mithilfe von Eigenschafts-

	<Aktion>	<Ereignisname>	<Handlungsobjekt>	
(1)	(#PICKUP	E23	:B5	)
(2)	(#GRASP	E24	:B5	)

Fig. 7: Ereignisbeschreibungen in der assoziativen Datenbasis

listen eine Relation WHY aufgebaut (vgl. Fig. 8 für die Ereignisse in Fig.
7). Die direkt vom Benutzer vorgegebenen Handlungsziele werden innerhalb
dieser Relation durch das spezielle Symbol COMMAND markiert.

Bei der Beantwortung der Frage *Why did you grasp the red block* werden
folgende Verarbeitungsphasen durchlaufen:

(a) Finde die Ereignisbeschreibungen der durch die 'Warum'-Frage angesprochenen Teilhandlung. Dabei wird bezogen auf Fig. 7 E24 als

Ereignisname gefunden[1].

(b) Suche zu dem in (a) gefundenen Ereignisnamen denjenigen, der dazu in der Relation WHY steht. Bezogen auf Fig. 8 wird dabei E23 gefunden.

(c) Suche die Ereignisbeschreibung zu dem in (b) gefundenen Ereignisnamen und verbalisiere das Ereignis.

Nach Schritt (c) wird in dem angegebenen Beispiel *To pick it up* generiert. Eine sich anschließende 'Warum'-Frage des Benutzers wird nach Ablauf des oben skizzierten Verfahrens wegen der Markierung von E23 durch COMMAND (vgl. Fig. 8) mit

(3) $E24 \xrightarrow{\text{WHY}} E23$ [2]

(4) $E23 \xrightarrow{\text{WHY}} COMMAND$

Fig. 8: Die WHY-Relation zwischen Ereignisnamen

Because you asked me to beantwortet.

Die von der Erklärungskomponente benutzten Wissenquellen A und B werden während der Verarbeitung einzelner Teilhandlungsziele aufgebaut. Innerhalb der prozeduralen Definition möglicher Aktionen von SHRDLU, die in Form von MICRO-PLANNER CONSEQUENT-Theoremen repräsentiert sind (vgl. Fig. 9), wird durch die Anweisung MEMORY dafür gesorgt, daß die durch das CONSEQUENT-Theorem definierte Handlung innerhalb der Relation WHY als Grund für im Rumpf der Prozedur angesprochenen Teilhandlungen fungiert. Durch die Anweisung MEMOREND wird eine Beschreibung der entsprechenden Handlung als Eintrag in die assoziative Datenbasis erzeugt.

Um zu erreichen, daß primitive Aktionen wie #MOVEHAND und #RAISEHAND nicht als Zweck einer Teilhandlung angesehen werden können, fehlen in den

```
(DEFTHEOREM TC-PICKUP
  (THCONSE (X (WHY (EV)) EV)
    ( #PICKUP $?X)              ;charakteristisches Pattern der Prozedur
    (MEMORY)                    ;deklariert die Handlung PICKUP als Zweck
                                 der folgenden Teilhandlungen
    (THGOAL ( #GRASP $?X) (THUSE TC-GRASP))
    (THGOAL ( #RAISEHAND (THNODB) (THUSE TC-RAISEHAND)))
    (MEMOREND ( #PICKUP $?EV $?X))))
                                ;bewirkt Ereignisbeschreibung als Eintrag
                                 in die assoziative Datenbasis
```

Fig. 9: MEMORY und MEMOREND zum Aufbau der Wissensquellen für die Erklärungskomponente

[1] Durch die Komponente zur referenzsemantischen Analyse von Nominalphrasen wird *the red block* auf den internen Bezeichner :B5 abgebildet.

[2] Realisiert durch (PUTPROP 'E24 'E23 'WHY).

prozeduralen Definitionen solcher Aktionen die Anweisungen MEMORY und MEMOREND.
Damit ist in SHRDLU bereits eine in der derzeitigen Forschung als wichtig erkannte Aufgabenstellung, nämlich die Generierung von kommunikativ adäquaten und
nicht nur logisch korrekten Erklärungen (vgl. 1.3.1., 4.1.3.), beim Entwurf
der Erklärungskomponente ansatzweise berücksichtigt worden.

1.5.1.2. Die Beantwortung von 'Warum'-Fragen in LUIGI

Ein ähnliches Verfahren, um zu vermeiden, daß zu detaillierte Erklärungen
generiert werden, verwendet Scragg in dem natürlichsprachlichen KI-System
LUIGI (SCRAGG 1974), das einfache Fragen über die Zubereitung von Mahlzeiten
beantworten kann. Innerhalb der in der Wissensbasis gespeicherten Kochrezepte,
die in Form von Prozeduren der Programmiersprache SOL repräsentiert werden,
sind einige der für das Erreichen des vorgegebenen Zielzustandes notwendigen
Handlungsschritte als 'unbewußt' (vgl. SCRAGG 1975, S. 436) markiert.
   Als Basis für die Beantwortung einer 'Warum'-Frage dient in LUIGI die von
der Systemprozedur TRACE bereitgestellte Aufruffolge derjenigen Prozeduren,
durch die nicht als 'unbewußt' markierte Handlungsschritte simuliert werden.
Trotz struktureller Ähnlichkeit unterscheiden sich die Ansätze einer Erklärungskomponente im System LUIGI von denen in SHRDLU dadurch, daß nicht wie
in SHRDLU nur eine Methode zur Beantwortung von 'Warum'-Fragen implementiert
ist, sondern daß in LUIGI mehrere Verfahren zur Traversierung der Aufrufhierarchie vorgesehen sind.
   Die argumentative Antwort (2) in Fig. 10 wird wie in SHRDLU dadurch gewonnen, daß in der Aufrufhierarchie nach dem Handlungsziel gesucht wird, das
der in der 'Warum'-Frage (1) angesprochenen Handlung übergeordnet ist.

> BEN: (1) *Why did Julie spread butter on toast?*
> SYS: (2) *Julie toast bread.*
> BEN: (3) *Why did Julie toast bread?*
> SYS: (4) *Because she felt like it.*
> BEN: (5) *Why did John take the frying pan out of the cupboard?*
> SYS: (6) *He fried some eggs.*
>
> Fig. 10: Beispiele für die Beantwortung von 'Warum'-
> Fragen im System LUIGI

Wird bei der Traversierung der Aufrufhierarchie von oben nach unten kein
übergeordnetes Handlungsziel gefunden, so wird als Letztbegründung *Because*

x felt like it (vgl. (4) in Fig. 10) ausgegeben. Ein anderes in LUIGI implementiertes Verfahren zur Beantwortung von 'Warum'-Fragen besteht darin, denjenigen Prozeduraufruf zu verbalisieren, der auf der gleichen Ebene der Aufrufhierarchie unmittelbar nach dem Aufruf der in der 'Warum'-Frage angesprochenen Teilhandlung erfolgt. Wenn das Kochrezept für 'Omlett' die Anweisungsfolge *take the frying pan out of the cupboard, fry some eggs* enthält, so ergibt sich nach dem zuletzt skizzierten Verfahren die Antwort (6) auf die 'Warum'-Frage (5) in Fig. 10.

Ungelöst in LUIGI ist allerdings das Problem, aufgrund welcher Merkmale einer 'Warum'-Frage eines der möglichen Beantwortungsverfahren selektiert werden soll (vgl. SCRAGG 1975, S. 438). Daher werden in LUIGI die verschiedenen Beantwortungsverfahren nacheinander solange angewendet, bis durch eines der Verfahren eine Antwort gefunden wird.

Die Ansätze von Winograd und Scragg, zu detaillierte und somit kommunikativ nicht adäquate Antworten zu vermeiden, indem nur ausgewählte Teile des Zielbaums gespeichert werden, bieten keine allgemeine Lösung des Problems, da sie es u.a. nicht erlauben, den Grad der Detailliertheit partnerspezfisch und kontextabhängig zu variieren.

1.5.1.3. Die Erklärungskomponente des Planungssystems NOAH

Mit der Erklärungskomponente des automatischen Planungssystems NOAH (SACERDOTI 1977, Akronym für: Nets Of Action Hierarchies), das innerhalb des Expertensystems Computer-Based Consultant angewendet wurde, betrachten wir im folgenden ein hauptsächlich hinsichtlich der Unterscheidung mehrerer Detailebenen gegenüber dem Ansatz Winograds erweitertes Konzept. Für eine ihm vorgelegte Aufgabe aus dem Bereich der Reparatur und Montage elektromechanischer Geräte erstellt das Planungssystem NOAH, das in SOUP (Akronym für: Semantics Of User's Problem, eine Erweiterung der KI-Programmiersprache QLISP) implementiert ist, aufgrund von Wissen über den speziellen Aufgabenbereich und über allgemeine Problemlösungs- und Planungsmethoden zunächst einen Plan zur Durchführung der Aufgabe.

Anschließend wird der in Form eines sog. *prozeduralen Netzes* (vgl. SACERDOTI 1977, S. 7f.) gespeicherte Plan von NOAH dazu benutzt, einen Auszubildenden in einem Dialog, der in einer stark eingeschränkten Form natürlicher Sprache geführt wird, bei der Durchführung der Montage- oder Reparaturaufgabe anzuleiten. Dabei ist es die Aufgabe der in NOAH implementierten Erklärungskomponente, 'Warum'-Fragen des Auszubildenden zu beantworten, die sich auf den

Zweck von Handlungen beziehen, zu denen er durch das System aufgefordert wurde (vgl. SACERDOTI 1977, S. 71). Im Gegensatz zu argumentativen Dialogen mit SHRDLU, in denen das System erklären soll, warum es bestimmte Handlungen durchgeführt hat, soll das System NOAH also erklären, warum der Benutzer bestimmte Handlungen durchführen soll.

Das vom System erzeugte prozedurale Netz[1] ist die Wissensquelle, auf der die Beantwortung von 'Warum'-Fragen basiert. Jeder Knoten des Netzes repräsentiert eine Handlung auf einer bestimmten Detailstufe, wobei eine natürlichsprachliche Beschreibung der Handlung unter der Eigenschaft QUERY auf der Eigenschaftsliste des Knotens gespeichert ist.

Die einzelnen Detailebenen bilden eine hierarchische Struktur innerhalb des prozeduralen Netzes. Nur zwei der zahlreichen Relationen, durch die ein Knoten des prozeduralen Netzes charakterisiert wird, sind für die Erklärungskomponente von Bedeutung:

(a) auf der Eigenschaftsliste eines Knotens K_{ni} findet sich unter der Eigenschaft PARENT ein Verweis auf den Knoten, der K_{ni} in der Hierarchie der Detailebenen dominiert.

(b) unter der Eigenschaft SUCCESSOR ist ein Verweis auf diejenigen Handlungsbeschreibungen der gleichen Detailstufe wie K_{ni} gespeichert, die zeitlich direkt nach der durch K_{ni} repräsentierten Handlung durchzuführen sind.

Auf jeder Ebene der durch PARENT eingeführten Hierarchie von Detailebenen für einen Handlungsplan gibt es also eine durch SUCCESSOR eingeführte partielle Ordnung in der Zeit.

Stellt der Auszubildende eine 'Warum'-Frage, nachdem das System ihn zu einer Handlung, die Knoten K_{ni} des prozeduralen Netzes entspricht, aufgefordert hat, so setzt das System die Handlung in Bezug zur geplanten Gesamthandlung, indem es die jeweils unter der Eigenschaft QUERY gespeicherten Handlungsbeschreibungen für alle Knoten ausgibt, die von K_{ni} aus über die Nachfolger-Relation erreichbar sind und von dem gleichen Knoten wie K_{ni} dominiert werden. Erfolgt nach einer solchen Erklärung erneut eine 'Warum'-Frage, so wird die Handlungsbeschreibung des Knotens, der K_{ni} dominiert, ausgegeben. Iterierte 'Warum'-Fragen (vgl. 2.3.1.1.) beantwortet das System, indem es sukzessive auf niedrigere Detailstufen (mit weniger Details) zurückgeht, um dort die jeweils als nächstes geplanten Handlungsschritte zu verbalisieren.

---

[1] Die Bezeichnung 'prozedurales Netz' ist dadurch motiviert, daß mit jedem Knoten auch prozedurales Wissen darüber assoziiert ist, wie eine durch den Knoten repräsentierte Handlung in eine Folge elementarer Handlungen zerlegt werden kann.

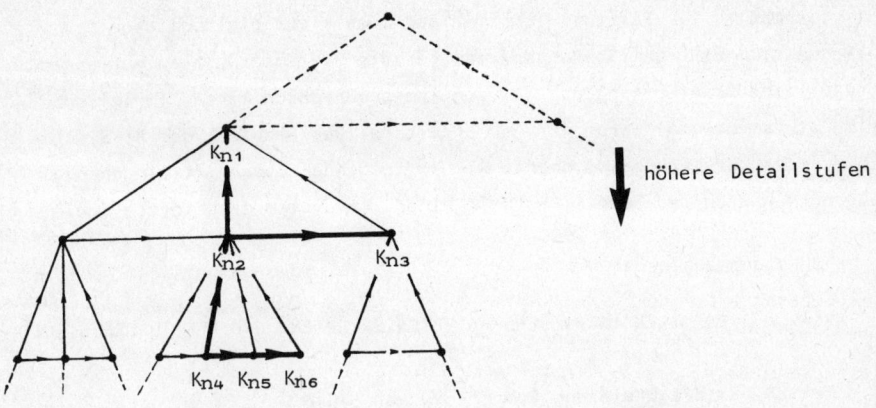

Fig. 11: Ausschnitt aus einem prozeduralen Netz

Wenn wir die mit jedem Knoten Kn_i in Fig. 11[1] assoziierte Handlung mit $H(Kn_i)$ abkürzen und annehmen, daß der Auszubildende vom System zur Ausführung von $H(Kn_4)$ aufgefordert wurde, so ergibt sich bei der in Fig. 11 durch stärkere Linien gekennzeichneten Traversierung des prozeduralen Netzes ein argumentativer Dialog nach dem in Fig. 12 angegebenen Schema.

BEN: (1) *Why?*
SYS: (2) $H(Kn_5)$, $H(Kn_6)$.
BEN: (3) *Why?*
SYS: (4) $H(Kn_2)$.
BEN: (5) *Why?*
SYS: (6) $H(Kn_3)$.
BEN: (7) *Why?*
SYS: (8) $H(Kn_1)$.

Fig. 12: Schema eines argumentativen Dialogs mit NOAH

Obwohl der Erklärungskomponente von NOAH durch die hierarchische Gliederung des prozeduralen Netzes im Gegensatz zu SHRDLU Information auf verschiedenen Detailstufen zur Verfügung steht, ist eine partnerspezifische Auswahl eines Detailniveaus (z.B. sollte bei einer Erklärung für einen Anfänger eine höhere Detailstufe gewählt werden als für einen fortgeschrittenen Auszubildenden) unmöglich, da NOAH keine Wissensquelle mit Information über den Dialogpartner

[1] Die Pfeile in der Horizontalen symbolisieren die Nachfolger-Relation (SUCCESSOR); alle anderen Pfeile entsprechen der Dominanz-Relation (PARENT).

(vgl. 4.1.) enthält. Der Benutzer von NOAH hat auch nicht die Möglichkeit, gleich ein bestimmtes Detaillierungsniveau für die Systemantwort zu verlangen, sondern kann eine Beantwortung auf dem von ihm gewünschten Niveau lediglich durch eine Iteration von 'Warum'-Fragen erreichen. Der Benutzer des KI-Systems MYCIN, auf dessen Erklärungskomponente wir im folgenden Abschnitt eingehen, kann dagegen den Grad der Detailliertheit einer vom System generierten Erklärung steuern.

1.5.2. ERKLÄRUNGSTECHNIKEN IN WISSENSBASIERTEN EXPERTEN- UND BERATUNGSSYSTEMEN

1.5.2.1. TEIRESIAS: die Erklärungskomponente von MYCIN

Das medizinische Beratungssystem MYCIN (SHORTLIFFE 1976), das einen Arzt in einem Beratungsdialog bei der Auswahl eines geeigneten Antibiotikums für einen Patienten mit einer bakteriellen Infektion unterstützt, kann als das erste KI-System angesehen werden, bei dessen Entwicklung die Integration einer Erklärungskomponente nicht wie in den oben analysierten Systemen SHRDLU, LUIGI und NOAH ein Nebenaspekt, sondern eines der wesentlichen Entwurfsziele war (vgl. SHORT-LIFFE et al. 1975). Obwohl der Erklärungsbegriff in MYCIN so weit gefaßt ist (vgl. 1.2.1.), daß auch die Beantwortung von 'Wie'-Fragen und beliebigen Wissensfragen aus dem Gebiet der Medizin zur Aufgabe der Erklärungskomponente gehören, werden wir uns im folgenden gemäß der Definition einer Erklärungskomponente in Abschnitt 1.2.1. auf die Analyse der in MYCIN implementierten Verfahren zur Beantwortung von 'Warum'-Fragen beschränken.

Das System hat die Aufgabe, ausgehend von einigen vom Arzt vorgegebenen Patientendaten aufgrund medizinischer Zusammenhänge, die in der Wissensbasis des Systems in Form von Produktionenregeln (vgl. 3.2.2.4.) gespeichert sind, eine Schlußkette aufzubauen, die schließlich zu einem Therapievorschlag führt. Während dieses Inferenzvorgangs, der als Rückwärtsverkettung ausgeführt wird, stößt der Interpreter[1] häufig auf Inferenzregeln mit Prämissen, deren Wahrheitswert dem System nicht bekannt ist. In diesem Fall generiert MYCIN eine Anfrage an den Benutzer, um die für den weiteren Inferenzgang benötigte Information zu erhalten. Die Beantwortung metakommunikativer 'Warum'-Fragen des Benutzers (vgl. 2.3.2.), die sich auf solche Anfragen des Systems beziehen, ist eine der Hauptfunktionen des Systems TEIRESIAS (DAVIS 1976), das

[1] Ein ausführlicher Vergleich des von mir entwickelten Interpreteters mit dem von MYCIN findet man in Abschnitt 3.2.2.4.

als Subsystem von MYCIN die Erklärungskomponente umfaßt.

Wie alle bisher in der KI entwickelten Algorithmen zur Beantwortung von 'Warum'-Fragen, so kann auch das in MYCIN vorgesehene Verfahren als Suche in einem Graphen[1] (vgl. Fig. 13) beschrieben werden, durch den der Ablauf eines Inferenzprozesses in MYCIN dargestellt wird. Im Gegensatz zu den bisher betrachteten Systemen SHRDLU, LUIGI und NOAH werden die Knoten des in Fig. 13 dargestellten Graphen nicht als Handlungsanweisungen sondern als Aussagen interpretiert, deren Wahrheitswert zu bestimmen ist.

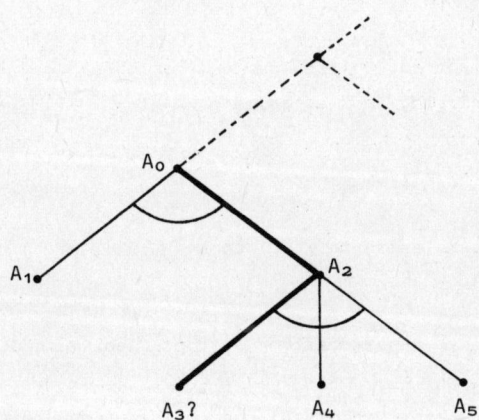

Fig. 13: Pfad in einem Zielbaum

Da die Verarbeitungsverfahren von MYCIN unabhängig von einem speziellen Anwendungsbereich sind , ist es sinnvoll, die vom System erzeugten Antworten wie in Fig. 14 ohne Bezug auf spezielle Inferenzregeln schematisch zu betrachten.

Als Begründung für eine Anfrage wie (1) in Fig. 14 gibt MYCIN zunächst das im jeweiligen Zustand des Ableitungsprozesses angestrebte Teilziel an (vgl. (3.1.) in Fig. 14 und A_2 in Fig. 13). Zusätzlich wird in einer Begründung die Instantiierung derjenigen Inferenzregel angegeben, die vom System zur Ableitung des angestrebten Teilziels vorgesehen ist (vgl. (3.2.) - (3.7.) und (5.2.) - (5.6.) in Fig. 14). Dazu wird die intern in INTERLISP codierte

---

[1] Im allgemeinen Fall handelt es sich dabei in MYCIN um multiple AND/OR-Graphen (vgl. 3.2.2.5.). Da die Beantwortungsverfahren für 'Warum'-Fragen keine besondere Behandlung für multiple Knoten und OR-Knoten vorsehen, können wir uns hier auf die Betrachtung von AND-Graphen wie in Fig. 13 beschränken.

SYS: (1) $<A_3>$?

BEN: (2)   *Why?*

SYS: (3.1) *It is important to find out whether $<A_2>$.*

    (3.2) *It has already been established that:*

    (3.3) $<A_4>$ and

    (3.4) $<A_5>$

    (3.5) *Therefore, if:*

    (3.6) $<A_3>$

    (3.7) *Then: there is suggestive evidence (0.9) that $<A_2>$*

    (3.8) [RULEni]

BEN: (4)   *Why?*

SYS: (5.1) *It is important to find out whether $<A_0>$*

    (5.2) *It has already been established that:*

    (5.3) $<A_1>$

    (5.4) *Therefore, if:*

    (5.5) $<A_2>$

    (5.6) *Then: it is definite (1.0) that $<A_0>$*

    (5.7) [RULEnj]

Fig. 14: Schema einer argumentativen Dialogsequenz mit MYCIN

Produktionenregel in eine natürlichsprachliche Formulierung übersetzt. Ausgegeben werden dabei zunächst die Prämissen, deren Wahrheitswert dem System
bereits bekannt ist (vgl. (3.3) und (3.4) in Fig. 14), und die Prämisse, deren
unbekannter Wahrheitswert Anlaß zu der vom Benutzer hinterfragten Systemanfrage (vgl. (1) in Fig. 14) war. Dann wird die angestrebte Konklusion nochmals verbalisiert (vgl. (3.7) und (5.6) in Fig. 14) und die interne Bezeichnung der verwendeten Produktionenregel wird ausgedruckt (vgl. (3.8) und (5.7)
in Fig. 14). Durch iterierte 'Warum'-Fragen wie (4), die von der Erklärungskomponente immer auf das in der vorangegangenen Erklärung angeführte übergeordnete Teilziel (z.B. A_2 als Bezug für Frage (4) in Fig. 14) bezogen werden,
kann sich der Benutzer nacheinander die gesamte Inferenzkette ausgeben lassen.

Über ein optionales Argument des 'WHY-Kommandos' kann der Benutzer das
Detaillierungsniveau der vom System generierten Antworten steuern. Als Argumente sind natürliche Zahlen mit $0 \leq n \leq 10$ vorgesehen, wobei $n = 0$ zu Erklärungen mit einem Höchstmaß an Detailliertheit führt, in denen wie in Fig. 14
jeder einzelne Inferenzschritt im Zielbaum angegeben wird, und $n = 10$ argumentative Antworten mit dem geringsten möglichen Detaillierungsgrad auslöst, in
denen nur die Wurzel des gesamten Zielbaums verbalisiert wird. Allgemein

basiert die Interpretation von n auf dem Konzept der Informativität I eines Inferenzschrittes, die durch MYCIN in Abhängigkeit von der Implikationsstärke α_i der dabei verwendeten Inferenzregel r_i als $-(\log_2 \alpha_i)$ berechnet wird (vgl. DAVIS 1976, S. 50f.).

Nach der Eingabe von WHY n wird ein Knoten A_j des Zielbaums als Erklärung verwendet, der nach folgendem Verfahren bestimmt wird: Zunächst wird ausgehend von dem Knoten A_i, bei dessen Bearbeitung die vom Benutzer hinterfragte Anfrage gestellt wurde, die Informativität I_G der gesamten, zur Wurzel des Zielbaums führenden Inferenzkette als Summe der Informativitätswerte ihrer Glieder bestimmt. A_j ist dann der Knoten, für den ausgehend von A_i als Teilsumme ein Informativitätswert von $n/10 \cdot I_G$ erreicht wird.

Fig. 15 enthält als alternative Fortsetzung von (1) in Fig. 14 eine Dialogsequenz, die aufgrund des skizzierten Verfahrens entstand. Abweichend von dem in Fig. 14 angegebenen Schema für den Aufbau von Erklärungen in MYCIN wird in argumentativen Antworten mit geringerem Detaillierungsgrad wie (3') in Fig. 15 auf die Angabe der instantiierten Inferenzregel verzichtet und nur das entsprechende übergeordnete Teilziel (A_0 aus Fig. 13 in (3')) verbalisiert.

> BEN: (2') *Why* 4
> SYS: (3') *We are trying to find out whether* $\langle A_3 \rangle$*, in order to determine whether* $\langle A_0 \rangle$*.*

Fig. 15: Aufbau einer Erklärung mit geringerem Detaillierungsgrad

Falls der Benutzer eine nach dem genannten Verfahren generierte Erklärung nicht versteht, weil zu viele dazwischenliegende Inferenzschritte übersprungen worden sind, kann er sich mit einer Anweisung der Form EXPLAIN n für dieselbe Frage nochmals eine Erklärung mit höherem Detaillierungsgrad generieren lassen. Es kann als eine Besonderheit der Erklärungskomponente von MYCIN angesehen werden, daß Antworten auf metakommunikative 'Warum'-Fragen des Benutzers auch aus Verweisen auf *Metainferenzregeln* (vgl. DAVIS 1976, DAVIS/BUCHANAN 1977), in denen Strategien zur Steuerung des Inferenzprozesses codiert sind, bestehen können.

In MYCIN nehmen Metainferenzregeln, die heuristisches Wissen eines Antibiotika-Experten über Problemlösungsstrategien enthalten, in ihren Prämissen oder der Konklusion Bezug auf die eigentlichen Inferenzregeln, in denen das Wissen über die medizinischen Zusammenhänge erfaßt ist. Metainferenzregeln induzieren eine partielle Ordnung auf der Menge alternativ verwendbarer Inferenzregeln oder enthalten Angaben über die voraussichtliche Nützlichkeit einer Inferenzregel im Verlauf eines Inferenzprozesses. Da Metainferenzregeln systemintern in demselben Formalismus (vgl. auch 4.2.) dargestellt werden wie die Regeln, auf die sie sich beziehen, ist das oben beschriebene Verfahren zur Beantwortung von metakommunikativen 'Warum'-Fragen auch auf Metainferenz-prozesse übertragbar. Fig. 16 enthält ein Schema einer argumentativen Dialog-sequenz, in der vom Benutzer eine Anfrage des Systems, die sich auf eine Prä-misse einer Metainferenzregel bezieht (vgl. (3)), hinterfragt wird und das System in seiner nachfolgenden Erklärung explizit auf die Strategie verweist, die letztlich zu der Anfrage führte (vgl. DAVIS 1976, S. 219).

SYS: (1) $< A_6 >$?

BEN: (2)   *Unknown.*

SYS: (3) $< A_7 >$?

BEN: (4)   *Why?*

SYS: (5.1) *This will help determine a strategy for deducing whether* $< A_6 >$.

(5.2) *If:*

(5.3) $< A_7 >$ *and*

$\vdots$

(5.7) [METARULEnk]

Fig. 16: Beispiel für die Verwendung einer Metainferenzregel in
einer Erklärung

Metainferenzprozesse können auch in 'Warum'-Fragen angesprochen werden, die vom Benutzer nach Abschluß des eigentlichen Beratungsdialogs durch einen Therapievorschlag des Systems gestellt werden. Bei der Beantwortung solcher nachgestellter 'Warum'-Fragen greift die Erklärungskomponente auf Information über den Verlauf des Dialogs und der Inferenzprozesse zu, die in einer Baum-struktur gespeichert ist (vgl. SCOTT et al. 1977, S. 24). Mit jedem Knoten des Baumes sind die in Fig. 17 angeführten Relationen assoziiert. Nachgestellte

GOAL: A_i

ASK: $Question_{nj}$

RULES: $Rule_{nk}$ (failed, $clause_{nl}$)...

Fig. 17: In MYCIN gespeicherte Daten über den Verlauf eines
Beratungsdialogs

metakommunikative 'Warum'-Fragen wie *Why did you ask question*$_{nj}$ werden nach dem oben beschriebenen Verfahren u.a. mit dem Verweis auf die zusammen mit dem

Eintrag für die Frage n_j gespeicherten Regeln (ggf. auch Metainferenzregeln)
beantwortet. Da nach dem in Fig. 17 angegebenen Schema auch Verweise auf Inferenzregeln gespeichert werden, deren Auswertung nicht erfolgreich verlief,
können von der Erklärungskomponente auch nachgestellte Fragen wie *Why didn't
you use rule$_{nk}$ to determine whether* $<A_i>$? Verweise auf Metainferenzregeln
enthalten.

Die Formulierungen der zuletzt besprochenen nachgestellten 'Warum'-Fragen,
in denen zurückliegende Anfragen des Systems durch Zahlen und Inferenzregeln
durch interne Bezeichner referenziert werden, zeigen, daß beim Entwurf dieses
Teils der Erklärungskomponente von MYCIN mehr Wert gelegt wurde auf die komfortable Anwendung bei der Korrektur und Ergänzung der Wissensbasis durch
einen mit dem internen Systemaufbau vertrauten Bearbeiter als auf einen argumentativen, natürlichsprachlichen Dialog mit einem Benutzer ohne Systemkennt-
nisse.

In EMYCIN (Abk.: Essential MYCIN, eine Version mit leerer Wissensbasis,
vgl. VAN MELLE 1979), einem aus einer Verallgemeinerung von MYCIN hervorge-
gangenen Rahmensystem zum Aufbau von Expertensystemen für beliebige Wissensgebiete, wurde die Erklärungskomponente von MYCIN unverändert übernommen. Die
Tatsache, daß mithilfe von EMYCIN inzwischen mehrere Beratungssysteme auch
auf Fachgebieten außerhalb der Medizin (z.B. SACON für ein Teilgebiet des
Bauingenieurwesens, vgl. BENNET/ENGELMORE 1979) ohne Veränderung in der Erklärungskomponente aufgebaut werden konnten, bestätigt die Unabhängigkeit der
Erklärungskomponente vom jeweiligen Inhalt der Wissensbasis. Auch beim Entwurf neuerer Experten- und Beratungssysteme (vgl. MICHIE 1979, FEIGENBAUM
1980), die in anderen Komponenten (z.B. Inferenzkomponente) erhebliche Abweichungen von MYCIN aufweisen, hat man sich bzgl. der Erklärungskomponente
meist an MYCIN orientiert.

Beispielsweise wurde auch in das System PROSPECTOR (HART/DUDA 1977), das
einen Geologen bei der Suche nach Erzlagern unterstützen soll, eine Erklärungskomponente integriert, mit deren Hilfe metakommunikative 'Warum'-Fragen
beantwortet werden können (vgl. HART/DUDA 1977, S. 5 u. 8). Obwohl in
PROSPECTOR abweichend von MYCIN approximative Inferenzen als Operationen über
einem sog. *Inferenznetz* (vgl. HART/DUDA 1977, WAHLSTER 1977) rekonstruiert
werden, besteht zwischen den in PROSPECTOR und MYCIN implementierten Verfahren zur Erklärung von Systemanfragen eine so große strukturelle Ähnlichkeit, daß wir im Rahmen dieses Überblicks auf eine Detailanalyse der Erklärungskomponente von PROSPECTOR verzichten können. Auch der Entwurf des
Systems EXPERT (WEISS/KULIKOWSKI 1979, S. 947), das wie EMYCIN als allge-

meiner Rahmen für die Implementierung spezieller Expertensysteme dienen soll,
enthält eine Erklärungskomponente zur Beantwortung von 'Warum'-Fragen, die
sich wie in MYCIN auf Anfragen des Systems oder auf Ergebnisse von Inferenzprozessen beziehen können.

1.5.2.2. Argumentative Fähigkeiten des Beratungssystems DIGITALIS ADVISOR

Auf die Erklärungskomponente des medizinischen Beratungssystems DIGITALIS
ADVISOR (SWARTOUT 1977) gehen wir im folgenden genauer ein, da sie im Gegensatz zu den zuletzt genannten Expertensystemen nicht ausschließlich auf den
in MYCIN implementierten Verfahren basiert, sondern bisher noch nicht betrachtete Techniken wie die Verwendung *vorgefertigter Erklärungstexte* enthält.

Das Expertensystem DIGITALIS ADVISOR soll einen Arzt, der eine Digitalis-
Therapie bei einem herzkranken Patienten durchführen will, bei der Wahl der
korrekten Dosierung unterstützen. Die Suche nach einer korrekten Dosierung
wird nicht, wie in Expertensystemen der KI sonst üblich, durch Produktionensysteme oder durch die in PLANNER-ähnlichen Programmiersprachen enthaltenen
Deduktionsmechanismen sondern durch ein in der Programmiersprache OWL ge-
schriebenes Programm geleistet, das nach dem für die 'strukturierte Programmierung' bekannten Prinzip der schrittweisen Verfeinerung aufgebaut ist.
Wie in LUIGI (vgl. 1.5.1.2.) besteht die Wissensbasis des Systems aus einer
Hierarchie von Prozeduren, wobei im DIGITALIS ADVISOR jede Prozedur eine
konzeptuelle Einheit bildet und genau einem Problemlösungsschritt eines Herz-
spezialisten entsprechen soll.

Wenn der Interpreter bei der Auswertung einer dieser Prozeduren auf eine
Variable stößt, die ungebunden ist, generiert das System eine Frage, um dann
aufgrund der Antwort des Benutzers eine Wertzuweisung vornehmen zu können.
Metakommunikative 'Warum'-Fragen nach dem Zweck von Systemanfragen, wie sie
in dieser Situation vom Benutzer gestellt werden können (vgl. Fig. 18), sind
die einzigen während eines Beratungsdialogs im DIGITALIS ADVISOR vorgesehenen
'Warum'-Fragen. Die als Antwort vom System generierten Erklärungen bestehen
aus zwei Teilen. Der erste Teil entsteht aus einer Verbalisierung der dyna-
mischen Prozedurverschachtelung und der zweite Teil ist ein vorgefertigter
Erklärungstext, der innerhalb der Wissensbasis mit der Variablen assoziiert
ist, auf die sich die Systemanfrage bezieht. Das Schema in Fig. 18 beschreibt
die Performanz der Erklärungskomponente für den Fall, daß eine Prozedur P_i,
welche die Wurzel der Aufrufhierarchie bildet, eine Prozedur P_j und diese
wiederum eine Prozedur P_k aufruft, in der eine Variable v_n ungebunden ist.

SYS: (1)   *What is the value of* $< v_n >$?

BEN: (2)   *Why?*

SYS: (3.1) *My Top Goal is* $< P_i >$

    (3.2) *One step in doing that is* $< P_j >$

    (3.3) *I am now trying to* $< P_k >$

    (3.4) $<$ vorgefertigter Erklärungstext für $v_n >$ [1]

Fig. 18: Schema für die Beantwortung metakommunikativer 'Warum'-
Fragen im DIGITALIS ADVISOR

Wie in MYCIN sieht die Erklärungskomponente des DIGITALIS ADVISOR vor, daß
sich der Benutzer nach dem Dosierungsvorschlag des Systems Einzelheiten der
Verfahren, die zu den Empfehlungen führen, erklären[2] lassen kann. Allerdings
kann der Benutzer in der von SWARTOUT 1977 dokumentierten Version[3] des Programms solche Erklärungen nicht durch natürlichsprachliche Eingaben abfordern,
sondern muß eine der acht dafür vorgesehenen OWL-Prozeduren aufrufen. Für
jede Erklärungsfunktion (z.B. 'Warum wird eine Prozedur P_m aufgerufen?', 'Wie
wird eine Variable v_n benutzt?') gibt es zwei Versionen, wobei für die eine
der Programmtext und für die andere eine Beschreibung des Evaluationsprozesses,
der zu dem vorher ausgegebenen Dosierungsvorschlag führte, als Basis für die
Erklärung dient. Dadurch kann bei der Beantwortung zwischen einer allgemeinen,
aufgrund des Programmtextes möglichen Verwendung einer Prozedur oder Variablen
und der speziellen Verwendung in dem durch Benutzereingaben gesteuerten Ver-
arbeitungsprozeß unterschieden werden.

Bei der Implementierung dieser beiden Möglichkeiten konnten die folgenden
beiden charakteristischen Eigenschaften der Programmiersprache OWL ausgenutzt
werden. Erstens wurde OWL als eine Programmiersprache entworfen, die als Ziel-
sprache für die Übersetzung von in natürlicher Sprache beschriebenen Algorithmen und als Quellsprache für die Generierung natürlichsprachlicher Pro-
zedurbeschreibungen besonders gut geeignet sein soll (vgl. HAWKINSON 1975).
Dadurch wurde der Sprachgenerierungsteil[4] in der Erklärungskomponte des

---

[1] Z.B. ist für *level of serum potassium* der Erklärungstext *If the level of
serum potassium is under 3.70 it will cause the body-stores goal to be
reduced since a low potassium condition will increase digitalis sensi-
tivity* gespeichert (vgl. SWARTOUT 1977, S. 18).

[2] Auch von Swartout wird der Erklärungsbegriff weiter gefaßt als in der vorliegenden Arbeit (vgl. 1.2.1.). Vom DIGITALIS ADVISOR wird z.B. eine Prozedur dadurch 'erklärt', daß ihr Code in natürliche Sprache übersetzt wird.

[3] Die in SWARTOUT 1978 enthaltenen Erweiterungsvorschläge für die Erklärungskomponente des Systems werden hier nicht berücksichtigt.

[4] Die im DIGITALIS ADVISOR enthaltene Sprachgenerierungskomponente ist allerdings wenig leistungsfähig. Es fehlen z.B. Prozesse für die Generierung von
Pronomen und definiten Nominalphrasen (vgl. dagegen 4.3.).

DIGITALIS ADVISOR sehr leicht implementierbar (vgl. SWARTOUT 1977, S. 42f.). Zweitens werden in der Datenbasis von OWL nicht nur sämtliche Kontrollinformationen (z.B. Variablenbindungen, Aufrufkeller) sondern auch eine vollständige Beschreibung aller Auswertungsvorgänge abgelegt und für das Anwendungsprogramm verfügbar gemacht. Bei Prozeduren, für die bei der Transformation von Teilen dieser Beschreibungen in einen natürlichsprachlichen Erklärungstext die bloße Nennung des Prozedurnames als Zusammenfassung für die durch ihre Auswertung gewonnenen Ergebnisse nicht ausreicht, kann unter der Eigenschaft SUMMARY eine Liste von Variablennamen gespeichert werden, die dann zusammen mit ihren Werten im Erklärungstext erscheinen (vgl. SWARTOUT 1977, S. 58f.). So werden in dem Beispiel in Fig. 19 zusätzlich zum Prozedurnamen (vgl. (1)) auch die Bezeichner von zwei als SUMMARY gespeicherten Variablen und ihre Werte nach Anwendung der Prozedur verbalisiert (vgl. (2)).

SYS: (1) *I checked sensitivities.*

(2) *The reasons of reduction were Myxedema and the factor of alteration was 0.69.*

Fig. 19: Beispiel für die Zusammenfassung eines Prozeduraufrufs

Wie schon bei der Beantwortung metakommunikativer 'Warum'-Fragen (vgl. Fig. 18) so wird auch bei der Generierung von Erklärungen, die Prozessbeschreibungen enthalten, auf vorgefertigte Teile eines Erklärungstextes zugegriffen. Falls durch eine Prozedur ein Verfahren (z.B. ein kompliziertes statistisches Modell) implementiert wird, das von dem zu beratenden Arzt voraussichtlich nicht verstanden wird, so kann der Systemkonstrukteur mit den einzelnen Anweisungen dieser Prozedur erklärende Textteile assoziieren. Die erklärenden Texte aller evaluierten[1] Anweisungen dieser Art werden der vom System generierten Erklärung hinzugefügt. So handelt es sich in Fig. 20 bei (1) um einen Satz, der aufgrund von Daten über den Auswertungsprozeß generiert wurde, während (2) ein vorgefertigter Text ist, der dem Benutzer ein Verständnis des programmspezifischen Zahlenwertes in (1) ermöglichen soll.

SYS: (1) *I set the measure of therapeutic improvement to 6.*

(2) *In other words, I note that there has been a reasonable improvement.*

Fig. 20: Beispiel für die Verwendung vorgefertigter Erklärungstexte in Prozeßbeschreibungen

[1] Bedingte Anweisungen führen dazu, daß nur ein Teil der gespeicherten Erklärungstexte berücksichtigt zu werden braucht.

Nachdem wir oben gezeigt haben, daß die KI-Programmiersprache OWL, die
für die Implementation des DIGITALIS ADVISOR verwendet wurde, mehrere Eigenschaften aufweist, die den Aufbau einer Erklärungskomponente vereinfachen,
untersuchen wir im nächsten Abschnitt KI-Programmiersprachen, in denen Teile
einer Erklärungskomponente schon direkt enthalten sind.

1.5.2.3. Die Verwendung der ARS-Anweisungen WHY und EXPLAIN im Expertensystem EL

In der KI wurden auch Systeme entwickelt, die, obwohl sie nicht als natürlichsprachliche Dialogsysteme konzipiert sind, wichtige Voraussetzungen für die
Integration einer Erklärungskomponente im Sinne der Definition in Abschnitt
1.2.1. erfüllen. So werden in dem Expertensystem EL (STALLMAN/SUSSMAN 1977),
durch das der Benutzer bei der Analyse elektronischer Schaltkreise unterstützt werden soll, sämtliche vom System vollzogenen Analyseschritte zusammen
mit den zwischen ihnen bestehenden *logischen Abhängigkeitsrelationen* in einer
speziell dafür vorgesehenen Wissensquelle gespeichert. Mithilfe der Anweisungen
WHY und EXPLAIN kann sich der Benutzer darüber informieren lassen, wie das
System ausgehend von einer ihm vorgegebenen partiellen Beschreibung eines
Schaltnetzes, die in Form einer Menge von Einträgen in die assoziative Datenbasis repräsentiert ist, aufgrund von Expertenwissen zu den ausgegebenen Werten
für vom Benutzer erfragte Netzparameter gekommen ist. Das Expertenwissen des
Systems bezieht sich auf physikalische Zusammenhänge (u.a. Ohm'sches Gesetz,
Kirchhoff'sche Regeln, Helmholtz'sche Gesetze) sowie heuristische Methoden
der Schaltnetzanalyse und ist in Form von Dämon-Prozeduren (vgl. auch 3.2.2.)
repräsentiert.

Sowohl die Speicherungsoperationen, die für vom System zu erzeugende Erklärungen notwendig sind, als auch die Zugriffsoperationen WHY und EXPLAIN
brauchten beim Aufbau von EL nicht zusätzlich programmiert zu werden, sondern
sie stehen als Elementaroperationen bereits in der KI-Programmiersprache ARS[1]
(Abk. für 'Antecedent Reasoning System') zur Verfügung, in der EL als eine
Menge von Dämon-Prozeduren implementiert ist. Ein weiteres Charakteristikum
von ARS, das es von KI-Programmiersprachen wie MICRO-PLANNER, CONNIVER, QLISP
und FUZZY unterscheidet, besteht darin, daß jedem Eintrag in der assoziativen
Datenbasis ein eindeutiger Bezeichner der Form F<n> mit n ∈ IN zugeordnet wird
(vgl. Fig. 21). Durch eine Einführung von Bezeichnern für alle Assertionen in

(1) Der Interpreter für ARS ist in MACLISP implementiert.

< Bezeichner >   < Assertion >

F122   (= (RESISTANCE R4) 1800.0)

Fig. 21: Beispiel für einen Eintrag in die Datenbasis von ARS

der Datenbasis können die logischen Abhängigkeitsrelationen zwischen den Einträgen mithilfe von LISP-Eigenschaftslisten durch das in Fig. 22 angegebene
Schema[1] erfaßt werden.

$$F\langle n\rangle \text{ ———— CONSEQUENCES ———→} (F_{ni} \ldots F_{nk})$$
$$\text{———— ANTECEDENT-LISTS ———→} ((Fn_{11} \ldots Fn_{1n}) \ldots (Fn_{mi} \ldots Fn_{mk}))$$

Fig. 22: Repräsentation der Dependenzrelationen in ARS

Auf der Eigenschaftsliste jedes Bezeichners $F\langle n\rangle$ für eine Assertion sind unter
der Eigenschaft CONSEQUENCES die Bezeichner aller Assertionen gespeichert, die
mithilfe von Dämon-Prozeduren aus der entsprechenden Assertion abgeleitet wurden. Die unter der Eigenschaft ANTECEDENT-LISTS gespeicherten Listen enthalten
jeweils die Bezeichner aller Assertionen, die in einer möglichen Ableitung von
$F\langle n\rangle$ verwendet wurden. Wie der Name der Programmiersprache schon andeutet,
arbeit ARS im Gegensatz zu der Inferenzkomponente, die der von mir erarbeiteten
Erklärungskomponente zugrundeliegt, nach dem Prinzip der Vorwärtsverkettung.
Dabei werden ausgehend von den in der Datenbasis gespeicherten Prämissen jeweils
alle daraus ableitbaren Konklusionen bestimmt.

 Nach einer Anweisung der Form (WHY $F\langle n\rangle$) druckt das System die auf der
Eigenschaftsliste von $F\langle n\rangle$ als Antezedensdaten gekennzeichneten Assertionen
aus (vgl. Fig. 23). Reicht dem Benutzer die dabei gewonnene Information nicht
aus, so kann er sich durch (EXPLAIN $F\langle n\rangle$) die vollständige Beschreibung[2] einer
Ableitung für $F\langle n\rangle$ ausgeben lassen (vgl. Fig. 24). Zusätzlich zu den logischen

BEN: (1) (WHY 'F543)
SYS: (2) ANTECEDENTS OF F543 (VALUE X495 3.3915055)
     F542 (CHECKED CHECK541 D4 R9)
     F533 (VALUE X506 (ε+ 0.52242011 (ε* 0.87179488 X495)))

Fig. 23: Beispiel für das WHY-Kommando in ARS

[1] Im Gegensatz zu der in Fig. 8 dargestellten Organisation der Eigenschaftsliste in SHRDLU wird durch die in Fig. 22 angegebene Datenstruktur in ARS
  das gleiche Zugriffsverhalten für die Antezedens- und Konsequenzdaten gewährleistet.
[2] Dabei werden die Assertionen bezogen auf ihre Bezeichner $F\langle n\rangle$ nach absteigendem $n \in \mathbb{N}$ sortiert.

Abhängigkeitsrelationen wird dabei für jeden Ableitungsschritt angegeben, aufgrund welcher Inferenzregel er durchgeführt wurde (z.B. INC-2T-R und INC-KCL in Fig. 24). Eine einzelne Zeile der Ableitungsbeschreibung hat den

```
BEN: (1) (EXPLAIN 'F543)
SYS: (2) F543   (VALUE X495 3.3915055) (F542 F533)
         F542   (CHECKED CHECK541 D4 R9) (F545 F511 INC-2T-R)
         F540   (= (INC-AMPS ( #2 R9)
                 (ε+ 8.66950E-3 (ε* -2.582205E-3 X495)))
                 (F539 F504 F440 INC-KCL)

           ⋮

         F106   (= (RESISTANCE R3) 1000.0)) (GIVEN)
         F1     (ALTERNATIVES (MODE BJT)
                 (BETA-INFINITE CUTOFF SATURATED)) (GIVEN)

         QED
```

Fig. 24: Beispiel für das EXPLAIN-Kommando in ARS

in Fig. 25 angegebenen Aufbau. Durch GIVEN sind alle Assertionen gekennzeichnet, die dem System als Axiome vorgegeben wurden (z.B. F106, F1 in Fig. 24).

<Bezeichner>	<Assertion>	Bez. für <Prämissen>		<Dämon-Prozeduren>
F542	(CHECKED CHECK541 D4 R9)	(F545	F511	INC-2T-R)

Fig. 25: Aufbau einer Zeile in der Ableitungsbeschreibung

Die von ARS erzeugten Ableitungsbeschreibungen, die vergleichbar sind mit den Ergebnissen einer Spurrückverfolgung (engl.: backtrace) in LISP, entsprechen allerdings nicht ganz den Anforderungen an die Ausgaben einer Erklärungskomponente, da sie nur einen geringen Grad an Strukturiertheit aufweisen und keine Unterscheidung von Detailstufen zulassen (vgl. auch 1.1.4.).

Durch die in Fig. 22 angegebene Darstellungsform für logische Abhängigkeitsrelationen können auch Mehrfachableitungen (vgl. 3.1.3.) erfaßt werden, die im Gegensatz zu dem in der vorliegenden Arbeit vorgestellten Verfahren allerdings nicht zum Zwecke der Evidenzverstärkung (vgl. 3.2.) verwendet werden.

In EL wurde u.a. die in der Schaltnetzanalyse bekannte Heuristik implementiert, für Elemente des Schaltnetzes, deren Zustand nicht bekannt ist (z.B. ob eine Diode gesperrt ist) zunächst einen der möglichen Zustände hypothetisch anzunehmen, um dann im Verlauf der Analyse wegen sich ergebender Inkonsistenzen einen anderen Zustand zu postulieren oder den vermuteten Zustand bestä-

tigt zu sehen. Bei einem solchen Verfahren, das im Rahmen einer nicht-mono-
tonen Logik (vgl. z.B. REITER 1980) formal rekonstruiert werden kann, bietet
sich die Speicherung alternativer Ableitungswege an. Wenn sich die Prämissen
einer der Ableitungen für eine Aussage A, die Ausgangspunkt weiterer Ableitungen ist, als falsch erweisen, so kann unter der gespeicherten Mehrfachableitung oft noch eine andere, korrekte Ableitung gefunden werden[1].

In ARS werden mit dem Aufbau und der Speicherung sämtlicher Abhängigkeitsrelationen neben der Bereitstellung einer Wissensquelle für die Erklärungskomponente zwei weitere Ziele verfolgt:

    (a) die Rekonstruktion hypothetischer Inferenzprozesse

    (b) die Implementation von dependenz-gesteuertem Backtracking.

Damit unterscheidet sich ARS und die nach dem gleichen Prinzip aufgebaute
Programmiersprache AMORD (DE KLEER et al. 1977) von Systemen wie SHRDLU,
MYCIN, PROSPECTOR und HAM-RPM dadurch, daß die gespeicherten Abhängigkeitsrelationen nicht nur zur Erzeugung von Erklärungen sondern auch zur Realisation von Kontrollstrukturen benutzt werden.

1.5.3. VERFAHREN ZUR STRUKTURIERUNG NATÜRLICHSPRACHLICHER ERKLÄRUNGEN

1.5.3.1. Die Strukturierung umgangssprachlicher Erklärungstexte in BLAH

AMORD ist auch die Implementationssprache des Systems BLAH (WEINER 1979,
WEINER 1980), das aus einer Inferenz- und einer Erklärungskomponente besteht
und anhand einer kleinen Wissensbasis über einen Teil der amerikanischen Ein-
kommenssteuergesetze getestet wurde. In BLAH führt eine Anweisung[2] der Form
(EXPLAIN < Assertion >) zur Generierung einer natürlichsprachlichen Erklärung
für die in der Wissensbasis gespeicherte Assertion (vgl. Fig. 26).

    BEN: (1) (EXPLAIN (*John is a dependent*))

    SYS: (2) *Well, John is under 19, and John makes less than 750*
            dollars, so John is a dependent.

    Fig. 26: Beispiel für die Generierung einer natürlichsprachlichen
            Erklärung in BLAH

---

[1] Obwohl unter der Voraussetzung der Vollständigkeit des benutzten Kalküls
solche zusätzlichen Ableitungen jederzeit auch nachträglich konstruiert
werden können, führt die Speicherung von Mehrfachableitungen aus verfah-
renstechnischen Gründen (vgl. STALLMAN/SUSSMAN 1977, S. 151) im Mittel
zur Effizienzsteigerung.

[2] BLAH gehört zusammen mit dem DIGITALIS ADVISOR und EL zur Klasse derjenigen
Systeme, die keine Komponente zur Verarbeitung natürlichsprachlicher Eingaben des Benutzers enthalten.

Hauptentwurfsziel bei BLAH war es, möglichst natürliche Erklärungen (vgl.
1.2.1.) zu erzeugen, die sich in ihrer syntaktischen und semantischen Struktur an den von einem menschlichen Dialogpartner in einer vergleichbaren All-
tagssituation geäußerten Erklärungen orientieren. Dadurch soll die Allgemein-
verständlichkeit der argumentativen Antworten von BLAH gegenüber MYCIN und
DIGITALIS ADVISOR, deren Erklärungen eher der schriftlichen Fachsprache entsprechen, weiter erhöht werden.

Im Gegensatz zu den oben betrachteten Systemen gingen dem Entwurf von
BLAH umfangreiche linguistische Untersuchungen über die sprachliche Struktur
von Erklärungen voraus, die auf der Grundlage einer Sammlung von transkri-
bierten Gesprächen u.a. über das Ausfüllen von Einkommenssteuererklärungen
durchgeführt wurden (vgl. WEINER 1979, S. 19-81).

Als Ausgangspunkt für den Aufbau einer Erklärung wie (2) in Fig. 26 dienen
in BLAH Daten über logische Abhängigkeitsrelationen[1], die analog zu ARS für
jede in der Wissensbasis enthaltene Assertion gespeichert sind. Aufgrund von
logischen Abhängigkeitsrelationen, wie sie in Fig. 27[2] für das Beispiel in
Fig. 26 enthalten sind, erzeugt BLAH einen Baumgraphen (vgl. Fig. 28), dessen
nicht-terminale Knoten mit Bezeichnern für Erklärungstypen wie 'Statement/
Reason'(Abk.: STMT/RSN) oder mit logischen Konnektoren wie AND und OR eti-
kettiert sind und dessen terminale Knoten den in der Wissensbasis enthaltenen
Assertionen entsprechen.

```
F-1 ((AND ((:X < 19) (:X MAKES LESS THAN $ 750)))
     → (:X IS A DEPENDENT)) (PREMISE)
F-2 (JOHN < 19) (PREMISE)
F-3 (JOHN MAKES LESS THAN $ 750) (PREMISE)
F-4 (AND ((JOHN < 19) (JOHN MAKES LESS THAN $ 750)))
        (AND F-2 F-3)
F-5 (JOHN IS A DEPENDENT) (STMT/RSN F-4)
```

Fig. 27: Assertionen mit logischen Abhängigkeitsrelationen in
AMORD

[1] Der Aufbau und die Verwaltung dieser logischen Abhängigkeitsrelationen
sind nicht Aufgabe von BLAH, sondern werden von dem in AMORD integrierten
System TMS (Abk.: Truth Maintenance System, vgl. DOYLE 1978) geleistet.
[2] Variablen werden in AMORD mit ':' präfigiert. Implikationsbeziehungen werden in BLAH durch Assertionen der Form (A→B) dargestellt (vgl. auch
WEINER 1980, S. 5).

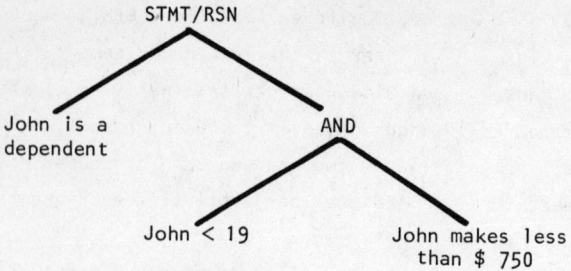

Fig. 28: Darstellung der Erklärungsstruktur als Baumgraph
(nach WEINER 1980, S. 7)

Im einfachsten Fall, der auch dem Beispiel in Fig. 26 zugrundeliegt, wird der
von der Erklärungskomponente zunächst generierte Baumgraph unverändert an die
Prozedur ENUNCIATE übergeben, die daraus einen natürlichsprachlichen Text erzeugt. Dabei wird allerdings vorausgesetzt, daß mit jedem Bezeichner F-<n> für
eine Assertion in der Datenbasis ein Satzmuster assoziiert ist, das nach einer
Instantiierung der darin enthaltenen Variablen eine natürlichsprachliche Formulierung der durch F-<n> bezeichneten Assertion ergibt (vgl. (1) für F-1 in
Fig. 27). ENUNCIATE ersetzt die terminalen Knoten des eingegebenen Baumgraphen

(1) F-1———TEMPLATE——►((:X *is under 19, and* :X *makes less than 750 dollars)*
(:X *is a dependent*))

durch die instantiierten Satzmuster und bildet die im Baumgraph enthaltenen
Beziehungen zwischen den Erklärungsteilen auf eine entsprechende syntaktische
Struktur des Erklärungstextes ab. Die Sprachgenerierungskomponente von BLAH
beschränkt sich also darauf, zu vorgefertigten Textteilen strukturelle Information[1] z.B. in Form von Partikeln wie *Well* und *So* (vgl. das Beispiel in Fig.
26) hinzuzufügen.

Hingegen ist in BLAH die der eigentlichen Sprachgenierung vorgelagerte
Verarbeitungsphase zur Selektion und Strukturierung von Argumentationsteilen,
die eine wichtige Voraussetzung für die Erzeugung kohärenter Erklärungstexte
darstellt, im Vergleich zu den übrigen in diesem Kapitel betrachteten Systemen
am stärksten ausgebaut. Um möglichst konzise Erklärungen zu generieren, werden
durch BLAH im Baumgraphen alle Assertionen getilgt, von denen das System an-

[1] *Well* wird in BLAH zur Einleitung von Erklärungstexten verwendet, in denen
die Benutzerfrage nicht als Anfang der Antwort wiederholt wird (vgl. WEINER
1979, S. 116f.). In Abhängigkeit von der Struktur des Baumgraphen wählt
ENUNCIATE zwischen Formulierungen vom Typ *A because B* und *B so A* aus.

nimmt, daß sie dem Dialogpartner bereits bekannt sind. Für diesen Zweck verfügt BLAH über eine zusätzliche Wissensquelle, die ein einfaches Modell vom
Wissen des Benutzers in Form einer Menge von Assertionen enthält. Die Prozedur DELETE-PRESUPPOSITION traversiert den Baumgraphen von links nach rechts
und von unten nach oben und löscht alle terminalen Knoten, deren Assertion
aus dem Modell des Benutzerwissens mithilfe der in BLAH implementierten Inferenzmechanismen abgeleitet werden kann. Wenn z.B. im Modell des Benutzerwissens gespeichert ist, daß John 17 Jahre alt ist, und aufgrund einer ebenfalls gespeicherten Inferenzregel daraus abgeleitet werden kann, daß John
weniger als 19 Jahre alt ist, so wird der dieser Assertion entsprechende
Knoten getilgt. Anschließend wird der AND-Knoten in Fig. 28 durch den Knoten,
den er sonst als einzigen dominieren würde, ersetzt (vgl. Fig. 29).

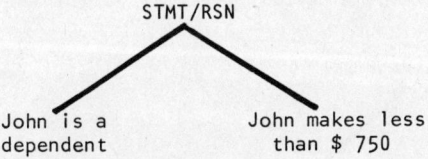

Fig. 29: Baumgraph nach Tilgung einer beim Partner als bekannt
vorausgesetzten Assertion

Nach diesen Tilgungstransformationen sorgen weitere Transformationen für die
lineare Anordnung der terminalen Knoten und die sprachliche Markierung eingebetteter Erklärungen. Beispielsweise fügt BLAH in die durch Fig. 30 erfaßte
Erklärungsstruktur die Wendungen *first of all* und *second of all* ein (vgl.
(2) in Fig. 31). Fehlinterpretationen, wie sie sich für Satz (2') in Fig.

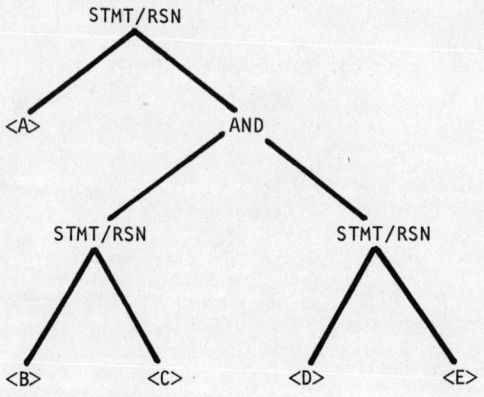

Fig. 30: Baumgraph mit eingebetteten Erklärungen

31 bzgl. der Konjunktion AND ergeben können (z.B. ($<$B$>$ because ($<$C$>$ and ($<$D$>$ because $<$E$>$)))) werden auf diese Weise ausgeschlossen. Wenn ein OR- oder AND-Knoten mehr als zwei eingebettete Erklärungen dominiert, wird von

BEN: (1) (EXPLAIN $<$A$>$)

SYS: (2) $<$A$>$ *because, first of all* $<$B$>$ *because* $<$C$>$, *and second of all beause* $<$D$>$ *because* $<$E$>$.

   (2') $<$A$>$ *because* $<$B$>$ *because* $<$C$>$ *and* $<$D$>$ *because* $<$E$>$.

Fig. 31: Sprachliche Strukturierung eingebetteter Erklärungen

BLAH eine andere Strukturierungsmethode verwendet. Die Prozedur BREAK-UP transformiert einen solchen Graphen (vgl. Fig. 32) so in Teilgraphen (vgl. Fig. 33), daß die OR- und AND-Knoten keine eingebetteten Erklärungen mehr dominieren.

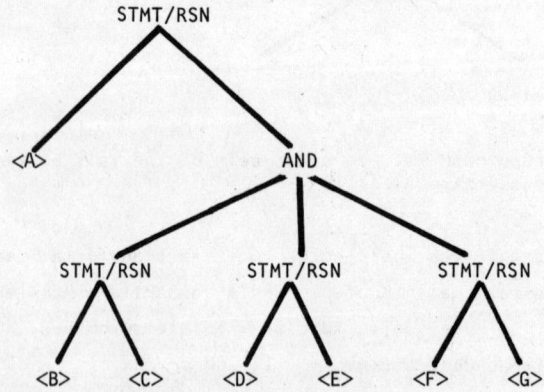

Fig. 32: AND-Knoten mit mehr als zwei eingebetteten Erklärungen

Zur Kohärenz des ausgehend von Fig. 33 durch ENUNCIATE generierten Erklärungstextes (2) trägt die Wiederholung der Assertionen $<$B$>$, $<$D$>$ und $<$F$>$ wesentlich bei.

   (2) *Well,* $<$B$>$ *and* $<$D$>$ *and* $<$F$>$ *so* $<$A$>$. *Ah* $<$B$>$ *because* $<$C$>$ *and* $<$D$>$ *because* $<$E$>$ *and* $<$F$>$ *because* $<$G$>$.

Neben einigen speziellen Transformationen für die Generierung von argumentativen Texten, in denen alternative Antworten und Entscheidungen erklärt werden (vgl. WEINER 1979, S. 117f. und S. 122-126), sind in BLAH auch die folgenden beiden Dialogstrategien implementiert.

Wenn eine Anweisung des Benutzers, A abzuleiten, nicht erfolgreich ausgewertet werden kann, so versucht BLAH, (NOT A) abzuleiten. Zusätzlich versucht

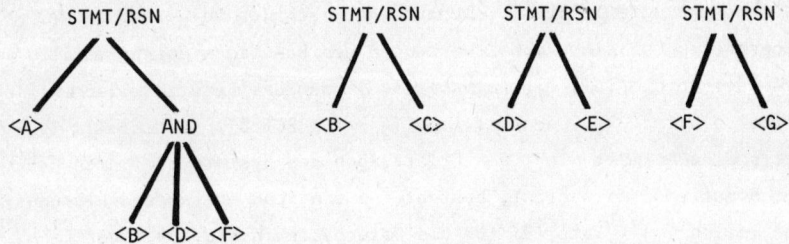

Fig. 33: Teilgraphen ohne eingebettete Erklärungen nach der
Zerlegung durch BREAK-UP

BLAH durch hypothetische Inferenzen[1] die Voraussetzungen zu bestimmen, unter
denen A abgeleitet werden könnte. Anstatt dem Benutzer lediglich den Mißer-
folg bei der Ableitung von A zu melden, ist es eine Dialogstrategie von BLAH,
in einem solchen Fall argumentative Antworten zu erzeugen, die neben den in
der formalen Logik bekannten 'kontrafaktischen Konditionalen' (z.B. 'Wenn A
wahr wäre, wäre B wahr') ggf. auch eine Erklärung für die erfolgreiche Ableitung von (NOT A) enthalten (vgl. WEINER 1979, S. 119-121).

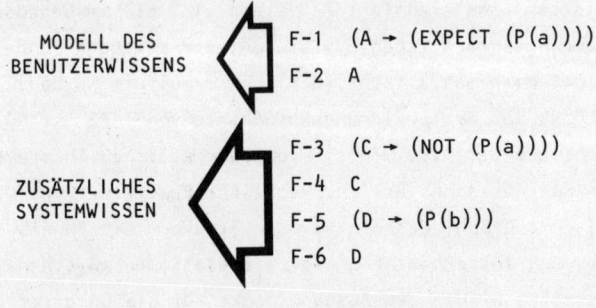

MODELL DES
BENUTZERWISSENS

F-1 (A → (EXPECT (P(a))))
F-2 A

ZUSÄTZLICHES
SYSTEMWISSEN

F-3 (C → (NOT (P(a))))
F-4 C
F-5 (D → (P(b)))
F-6 D

BEN: (SHOW (P(:X)))

Fig. 34: Datenbasis mit Widerspruch zwischen vermuteter Benutzer-
erwartung und Systemwissen

[1] Hypothetische Inferenzen bauen in BLAH auf dem in AMORD/TMS integrierten
Verfahren auf, daß Verweise auf alle Assertionen, die für das Scheitern
einer Ableitung 'verantwortlich' sind, gespeichert werden. Das System nimmt
dann hypothetisch an, daß die Negation dieser Assertion wahr ist, und versucht erneut eine Ableitung zu finden, wobei durch die bereits gespeicherten logischen Abhängigkeitsrelationen der Rechenaufwand im Mittel weitaus
geringer ist als beim ersten Ableitungsversuch.

Die zweite Dialogstrategie in BLAH besteht darin, nach der Ableitung einer Antwort zu überprüfen, ob diese den Erwartungen des Benutzers entspricht. Erwartungen werden in dem Teil der Datenbasis, in dem das Benutzerwissen modelliert wird, als Implikationen der Form (A → (EXPECT B)) dargestellt (vgl. Fig. 34). Falls eine Antwort nicht den Erwartungen des Systems bzgl. den Erwartungen des Benutzers[1] entspricht, besteht der von BLAH erzeugte Erklärungstext aus drei Teilen (vgl. Satz (3) für die Datenbasis in Fig. 34): der Erwartung, der Erklärung, warum sich eine Erwartung nicht erfüllt hat, und der eigentlichen Antwort.

(3) $<A>$ so I^2 would expect $<P(a)>$, but $<C>$ so $<NOT(P(a))>$. $<P(b)>$ because $<D>$.

1.5.3.2. Die Strukturierung von Beweistexten durch EXPOUND und TKP2

Wie bei BLAH so lag auch bei der Entwicklung der Erklärungskomponenten EXPOUND (vgl. CHESTER 1976) und TKP2 (vgl. NAKANISHI et al. 1979) der Forschungsschwerpunkt auf dem Gebiet der sprachlichen Strukturierung von Erklärungstexten.

Bevor wir dieses Kapitel mit einem zusammenfassenden Vergleich aller bisher implementierten Erklärungskomponenten abschließen, gehen wir im folgenden auf diese beiden in LISP implementierten Systeme ein, die im Gegensatz zu BLAH allerdings keine umgangssprachlichen Erklärungstexte erzeugen sondern Beweistexte, wie sie in der Mathematik fachsprachlich formuliert werden.

Aufgabe von EXPOUND und der Erklärungskomponente von TKP2 ist es, ausführliche prädikatenlogische Beweise, wie sie von automatischen Theorembeweisern erzeugt werden, in weitgehend natürlichsprachliche Beweistexte zu überführen (vgl. auch 2.2.1.). Ein Graph, der die formale Struktur des Beweises repräsentiert, die sich aus den logischen Abhängigkeitsrelationen zwischen den einzelnen Beweiszeilen ergibt, bildet den Ausgangspunkt für die Generierung des Beweistextes in diesen beiden KI-Systemen.

In EXPOUND laufen auf diesem Graphen Operationen ab, die Beweiszeilen aufgrund ihrer Position im Graphen zu Beweisabschnitten zusammenfassen. Anschließend werden die Beweisabschnitte linear angeordnet und zwischen einigen Beweisabschnitten werden unter Verwendung vorgefertigter Satzmuster wie (1)

[1] In der Linguistik und Kommunikationswissenschaft spricht man in diesem Zusammenhang von *Erwartenserwartungen*.
[2] Die Verwendung von *I* halte ich hier für unangebracht; besser wäre *One* (vgl. aber WEINER 1979, S. 129).

einführende Zwischentexte eingefügt (vgl. CHESTER 1976, S. 269, 272), in denen
die Beziehungen zwischen den einzelnen Beweisabschnitten deutlich gemacht wer-

(1) *We want to show < X >. This we shall do by considering the*
following < k > cases.

den. Zum Schluß werden für alle Beweiszeilen, die nicht trivial[1] sind, mithilfe einer einfachen Kasusgrammatik und eines syntaktischen Lexikons natürlichsprachliche Formulierungen wie (2) erzeugt, die der syntaktischen Struktur
der zugrundeliegenden Formeln entsprechen.

(2) *Since some woman is a parent of x, let c denote such a*
woman who is a parent of him.

Während EXPOUND natürlichsprachliche Beweistexte erzeugt, die wie in elemen-
taren Schulbüchern oder Auflösungen von Denksportaufgaben völlig frei von
mathematischen Symbolen und Formeln sind, entspricht das Ausgabeformat von TKP2
dem von mathematischen Fachveröffentlichungen, in denen nur wenige natürlichsprachliche Formulierungen wie (3) die wichtigsten Beweiszeilen, die in for-

(3) *Now let's prove < A >, By definition < n > ...*

maler Notation wiedergegeben werden, verbinden. Nach einer Verarbeitungsphase,
in der versucht wird, die mit den Knoten des Graphen assoziierten Formeln zu
vereinfachen und den Graphen zu reduzieren, traversiert TKP2 den transfor-
mierten Graphen und versucht dabei, Teilgraphmuster zu instantiieren, die in
der Wissensbasis als Schemata für Typen von Beweisabschnitten gespeichert
sind. Mit jedem solchen Schema sind in der Wissensbasis vorgefertigte Textteile assoziiert, so daß zum Schluß der Beweistext als die Folge der Textteile aufgebaut werden kann, die zu den nacheinander instantiierten Teilgraphen gehören.

1.5.4. ZUSAMMENFASSENDER VERGLEICH ALLER BISHER IMPLEMENTIERTEN ERKLÄRUNGS-
KOMPONENTEN

Zum Schluß dieses Kapitels wird in Fig. 35 ein zusammenfassender Vergleich
aller in dieser Arbeit analysierter Erklärungskomponenten angegeben. Die
Systeme sind in der Tabelle nach der Reihenfolge ihrer Nennung in den vorangegangenen Abschnitten angeordnet. Es werden in diesem Vergleich nur vollständig implementierte Systeme berücksichtigt. In der Tabelle sind durch das
Zeichen '-' alle Systeme markiert, auf die keine der in der zugehörigen Spalte
spezifizierten Eigenschaften anwendbar ist.

[1] Z.B. gilt eine Zeile, in der A aus A ∧ B in der vorangegangenen Zeile abgeleitet wird, in EXPOUND als trivial.

| | ALLGEMEINE SYSTEMCHARAKTERISTIKA | | | ERKLÄRUNGSKOMPONENTE | | | | | | |
| | | | | SPRACHLICHE FÄHIGKEITEN | | | KOMMUNIKATIVE FÄHIGKEITEN | | KOGNITIVE FÄHIGKEITEN | |
Name des Systems	Implementations-sprache	Diskurs-/Anwendungsbereich	Codierung der Inferenzregeln	Natürlichsprachliche Eingabe von "Warum"-Fragen?	Generierung natürlichsprachlicher Erklärungen aufgrund von	Fachsprachliche (FAC)/ Umgangssprachliche (UMG) Erklärungen	Selektion aufgrund von Benutzermodell (MOD)/ Dialogstrategien (DIA)	Variable Strukturierung (STR)/ Detailliebenen (DET) von Erklärungen	Erklärung von approx. (FUZ) hypothetischen (HYP) Inferenzen	Explananda
SHRDLU	MICRO-PLANNER	Blockwelt	CONSEQUENT Theoreme	Ja	spezielle Generierungsprozeduren	UMG	-	-	-	simulierte nicht-verbale Handlung des Systems
LUIGI	SOL	Kochrezepte	SOL Prozeduren	Ja	spezielle Generierungsprozeduren	UMG	-	-	-	simulierte nicht-verbale Handlung des Systems
NOAH	SOUP	Montage elektromechan. Geräte	SOUP Prozeduren	Nein	-	-	-	-	-	Handlungsanweisungen des Systems an den Benutzer
MYCIN	LISP	Medizin: Antibiotika	Produktionenregeln	Ja	Schemata	FAC	DIA	DET	FUZ	Anfragen des Systems, Inferenzergebnis, Deduktionsverlauf, Metainferenz
PROSPECTOR	LISP	Geologie: Erzsuche	Einträge im Inferenznetz	Nein	Schemata	FAC	-	-	FUZ	Anfragen des Systems
DIGITALIS ADVISOR	OWL	Medizin: Digitalis Therapie	OWL Prozeduren	Nein	Schemata & vorgefertigte Texte	FAC	DIA	DET	-	Anfragen des Systems, Deduktionsverlauf
EL	ARS	elektronische Schaltkreise	ARS Regeln	Nein	-	-	-	-	HYP	Inferenzergebnisse
BLAH	AMORD	amerikanische Steuergesetze	AMORD Regeln	Nein	Schemata	UMG	MOD & DIA	STR & DET	HYP	Inferenzergebnisse Auswahl einer Alternative, Entscheidungen
EXPOUND	LISP	prädikaten logische Beweise	logische Formeln	Nein	Kasusgrammatik	FAC	-	STR	-	Inferenzergebnisse
TKP2	LISP	prädikaten logische Beweise	logische Formeln	Nein	Schemata	FAC	-	STR	-	Inferenzergebnisse
HAM-RPM	FUZZY	Verkehrsszene, Interieur, Hotelreservierung	DEDUCE-Prozeduren	Ja	ATN-basierte Generierungsgramm. & Schemata	UMG	MOD & DIA	DET & STR	FUZ	Anfragen des Systems, Mehrfachableitung, Inferenzergebnisse, Zurückweisungen

Fig. 35: Vergleich aller bisher implementierten Erklärungskomponenten

2. ALGORITHMISCHE ANALYSE UND GENERIERUNG SPRACHLICHER STRUKTUREN IN ARGUMENTATIVEN DIALOGEN

2.1. FORMALE KRITERIEN FÜR DAS AUSLÖSEN EINER ARGUMENTATIVEN BEANTWORTUNG VON BENUTZERFRAGEN

Bevor wir die verschiedenen alltagssprachlichen Oberfächenrealisierungen für argumentative Antworten untersuchen, zeigen wir, wodurch die Generierung einer Begründung oder Erklärung ausgelöst werden kann. Es geht uns dabei nicht darum, alle für diesen Zweck verwendbaren sprachlichen Formulierungen vollständig zu erfassen, sondern die wichtigsten Faktoren, durch die innerhalb einer Erklärungskomponente ein Sprachgenerierungsprozeß ausgelöst werden kann, zu bestimmen. Wenn dabei im folgenden eine Kategorisierung möglicher Formulierungen vorgenommen wird, so soll damit nicht behauptet werden, daß alle in einer Kategorie zusammengefaßten Ausdrücke völlig bedeutungsgleich sind.

2.1.1. DAS AUSLÖSEN ARGUMENTATIVER ANTWORTEN DURCH SPRACHLICHE FORMULIERUNGEN DES BENUTZERS

Der für eine algorithmische Erkennung einfachste Fall besteht darin, daß das System durch eine direkte Frage explizit zu einer argumentativen Antwort aufgefordert wird. Obwohl die Erkennung von *Fragewörtern* wie in (a) häufig als Signal, eine argumentative Antwort zu erzeugen, interpretiert werden kann, führt ein solches an Schlüsselwörtern orientiertes Verfahren wegen der Bedeutungsvarianten, die sich bei der Verwendung dieser Wörter in verschiedenen Dialogkontexten ergeben, nicht immer zu korrekten Ergebnissen[1]. Wie in Abschnitt

    (a) *Warum, Weshalb, Wieso, Weswegen, Wozu*

1.4.3. gezeigt, können solche Fragewörter auch völlig andere Sprechhandlungen wie Vorschläge, Ratschläge und Kommentare einleiten. Trotz dieser Ambiguität ist die Verwendung von Fragewörtern wie in (a) in den meisten KI-Systemen mit Erklärungskomponente die einzige Möglichkeit, eine argumentative Antwort auszulösen.

[1] In Systemen wie TEIRESIAS (vgl. 1.5.2.1.) wird eine eingegebene 'Warum'-Frage vor der Beantwortung jeweils vom System in eine eindeutige Formulierung übersetzt (vgl. SCOTT et al. 1977, DAVIS 1976) und zur Verständnissicherung (in Klammern) ausgegeben: SYS: (1) *Gilt A?* BEN: (2) *Warum?* SYS: (3) [*Warum ist es wichtig, A zu wissen?*] *Das hilft mir zu zeigen, daß B gilt.* Allerdings wirkt die ständige Rückübersetzung unnatürlich und ist schon deshalb von geringem Wert, weil der Benutzer keine Möglichkeit hat, dem System mitzuteilen, daß er eine andere Interpretation intendiert hat.

Die gleiche Funktion wie die von den in (a) aufgelisteten Fragewörtern kann durch *spezielle Wendungen* wie in (b) übernommen werden. Eine Erkennung solcher

(b) *Aus welchem Grund, Was ist der Grund/Beweis/die Erklärung dafür...,*
Woher weißt du..., Wie kommst du darauf...

Wendungen in Systemen wie PARRY (PARKISON et al. 1977) und HAM-RPM beruht auf Pattern-Matching-Operationen während der lexikalischen Analyse (vgl. HOEPPNER/ JAMESON 1979).

Bei *indirekten Fragesätzen* wie in (c) muß das System zusätzlich mit der syntaktischen Fähigkeit ausgestattet sein, den Fragesatz in Matrixsatz und eingebetteten Satz zu gliedern, um letzteren dann analog zu (a) und (b) behandeln zu

(c) *Sag mir, warum..., Ich will wissen, aus welchem Grund...*

können. Eine argumentative Antwort kann weiterhin direkt[1] durch *imperativische Formulierungen* wie in (d) oder *indirekt* wie in (e) ausgelöst werden. Möglichkeiten

(d) *Begründe A, Beweise A, Erkläre A*

(e) *Mich würde eine Erklärung dafür interessieren. Kannst du deine Antwort*
begründen?

zur Erkennung *indirekter Sprechakte*[2] wie in (e) werden in der sprachorientierten KI-Forschung z.Z. intensiv untersucht (vgl. z.B. HAYES/REDDY 1979, MANN 1980); bevor ein allgemeines Verfahren zur formalen Erkennung indirekter Sprechakte gefunden ist, muß man sich wie in HAM-RPM damit begnügen, die Effekte, die beim Hörer erzielt werden sollen, für die entsprechenden Muster indirekter Formulierungen explizit zu spezifizieren.

Die in (a), (b) und (d) angeführten sprachlichen Mittel müssen nicht unbedingt wie in (1)-(3) zusammen mit der zu begründenden oder zu erklärenden Aussage in einem Ausdruck auftreten sondern können innerhalb einer Sprechaktse-

BEN: (1) *Warum ist die Schlüterstraße gesperrt?*

BEN: (2) *Was ist der Grund dafür, daß die Schlüterstraße gesperrt ist?*

BEN: (3) *Begründe bitte die Sperrung der Schlüterstraße!*

quenz auch dazu benutzt werden, das System, nachdem es eine Benutzerfrage beantwortet hat (vgl. (4)-(5)), nachträglich zu einer argumentativen Absicherung aufzufordern (vgl. (6)). Andererseits können Wendungen wie in (d) und (e) auch

---

[1] Obwohl sich die Verwendung von Verben im Imperativ z.B. im EXPLAIN-Kommando in MYCIN wegen der Nähe zu programmiersprachlichen Anweisungen hier anbietet, ist diese für die meisten kooperativen Dialogformen weniger typisch.

[2] Klassische Arbeiten zu diesem Gebiet stammen von Austin und Searle. Das System sollte z.B. die Frage *Kannst du deine Antwort begründen?* nicht aufgrund ihrer Form als Entscheidungsfrage interpretieren und einfach mit *Ja* antworten, sondern eine Begründung angeben.

dazu benutzt werden, in Umkehrung von (4)-(6) schon eine argumentative Beantwortung zu verlangen, bevor die vom System zu beantwortende Frage gestellt

BEN: (4) *Ist die Schlüterstraße gesperrt?*

SYS: (5) *Ja.*

BEN: (6) *Warum?/ Was ist der Grund dafür?/ Begründe das bitte!*

wird[1] (vgl. (7)). Wie die Fortsetzung von (4) und (5) durch (8) und (9) verdeutlicht, sichert ein Sprecher oft eine gegebene Antwort argumentativ ab, sobald der Hörer *Zweifel am Wahrheitsgehalt* der gegebenen Antwort in Wendungen[2]

BEN: (7) *Begründe jetzt bitte deine Antworten. ... Hälst du die Spielwaren-
abteilung für rentabel?*

wie (f) erkennen läßt. Noch deutlicher kann die argumentative Absicherung

(f) *Stimmt das wirklich?, Tatsächlich?, Das wundert mich aber, Das ist ja
unglaublich...*

BEN: (8) *Tatsächlich?*

SYS: (9) *Ja, denn sie wird neu geteert.*

einer Behauptung durch *widerspruchsindizierende* oder *problematisierende Äußerungen* (vgl. SCHWITALLA 1976) wie in (g) ausgelöst werden. In einem KI-System
können für diejenigen feststehenden Wendungen aus (f) und (g), die unabhängig
vom Gesprächskontext immer einen gewissen Zweifel oder Widerspruch des Dialog-

(g) *Das bestreite ich, Das folgt nicht, Das sehe ich nicht, Seit wann
denn das,...*

partners anzeigen, die auszulösenden Effekte innerhalb der Wissensquelle 'Idio-
menlexikon' (vgl. V. HAHN et al. 1980) beschrieben werden.

Ein weiteres Mittel, um indirekt eine 'Warum'-Frage zu stellen, ist die
tentative Angabe einer argumentativen Absicherung der Behauptung eines Gesprächspartners, die mit der Bitte um Bestätigung verbunden ist. Beispielsweise sollte nach Satz (5) der Benutzer durch (10), die Generierung einer Begründung wie (11) in der Erklärungskomponente des Systems auslösen können.

BEN: (10) *Weil sich ein Verkehrsunfall ereignet hat?*

SYS: (11) *Nein, weil sie neu geteert wird.*

Wenn wir dieses Verhalten in einem Dialogsystem rekonstruieren wollen, so muß

[1] In HAM-RPM habe ich solche Aufforderungen, argumentativ zu antworten, mithilfe der Idiomenbehandlung für Mehrsatzeingaben implementiert.

[2] Die bei der mündlichen 'face-to-face'-Kommunikation zur Verfügung stehenden mimischen oder gestischen Mittel zum Ausdruck von Zweifel (z.B. Stirn-
runzeln) können hier wegen der Beschränkung auf schriftliche Kommunikation
über ein Sichtgerät natürlich nicht berücksichtigt werden.

das System (10) als eine mögliche Begründung erkennen können. Hier werden dann
die für die Systeme ACE (SLEEMAN/HENDLEY 1979) und WHY (STEVENS et al. 1979),
die für den computergestützten Unterricht konzipiert wurden, sowie für die
textverstehenden Systeme SAM und PAM (vgl. SCHANK/ABELSON 1977) entwickelten
Algorithmen zur Erkennung von Erklärungen und Begründungen relevant[1]. In der
vorliegenden Arbeit werden Algorithmen zur Erzeugung, nicht aber zur Erkennung
von Begründungen entwickelt (vgl. Kapitel 4).

Suggestivfragen und *rhetorische Fragen*, die dem Gesprächspartner eine posi-
tive Beantwortung nahelegen, enthalten die indirekte Aufforderung, eine negative
Beantwortung argumentativ abzusichern. Wenn (12) statt durch (13) lediglich mit
Doch beantwortet wird, so entspricht das nicht dem für natürlichsprachliche
Dialogsysteme geforderten kooperativen Verhalten.

BEN: (12) *Ich werde heute doch nicht schon wieder auf 40k beschränkt.?*
SYS: (13) *Doch, es sind zur Zeit nämlich mehr als 47 jobs eingelogged.*

Genauso ungelöst wie die Behandlung der beiden zuletzt genannten Sprechakttypen ist die Erzeugung von Dialogsequenzen nach dem Schema *Vorwurf-Rechtfer-
tigung* (vgl. (14),(15)) im Rahmen der derzeitigen Möglichkeiten von KI-Systemen.

BEN: (14) *Gestern wurde einfach meine Datei COLING.TMP gelöscht!*
SYS: (15) *Ja, weil die log-out quota überschritten war.*

2.1.2. DAS AUSLÖSEN ARGUMENTATIVER ANTWORTEN AUFGRUND KOMMUNIKATIVER UND KOGNITIVER BEDINGUNGEN

Abschließend soll auf zwei weitere Möglichkeiten des Auslösens argumentativer
Antworten hingewiesen werden, die im Gegensatz zu den drei zuletzt diskutierten
Sprechakttypen durchaus in bestehende KI-Systeme integriert werden können und
daher von mir beim Entwurf einer Erklärungskomponente auch vorgesehen wurden.
Es handelt sich dabei um die in der Fragelogik als *überbeantwortung* (vgl.
HERINGER 1974) bezeichneten Reaktionen, bei denen, ohne daß in der zu beantwortenden Frage direkt oder indirekt eine Aufforderung zu einer argumentativen Beantwortung enthalten ist, der Antwort eine Begründung oder Erklärung
hinzugefügt wird.

Eine Möglichkeit, die schon in WAHLSTER/V. HAHN 1976 vorgesehen wurde, besteht darin, daß das System seine Antwort aufgrund partnertaktischer Erwägungen
soweit möglich immer argumentativ absichert, wenn es zuvor beim Benutzer eine

[1] Die Tatsache, daß (10) durch *Verkehrsunfall?* ersetzt werden kann, macht
deutlich, daß die Erkennung von Erklärungen und Begründungen nicht rein
syntaktisch z.B. aufgrund des Auftretens einer Konjunktion durchgeführt
werden kann, sondern umfangreiches Wissen über mögliche Ursachen, Gründe
und Motive für Ereignisse bzw. Handlungen voraussetzt.

Tendenz zum Hinterfragen der Systemantworten erkannt hat. Eine einfache
dellierung einer solchen Anpassung an den Gesprächspartner ist in HAM-RPM
dadurch vorgesehen, daß die Variable BEGRUENDUNGSFORDERUNG jedesmal erhöht
wird, wenn im Verlauf des Dialogs vom Benutzer eine 'Warum'-Frage gestellt
wird. Sobald der Wert von BEGRUENDUNGSFORDERUNG einen Schwellwert überschrei-
tet, versucht das System, die Benutzerfragen stets zusätzlich argumentativ zu
beantworten (vgl. (16), (17)). Eine Verfeinerung dieser Strategie besteht darin,
bei negativer Beantwortung einen kleineren Schwellwert als bei positiver Beantwortung zu wählen.

BEN: (16) *Ist die Schlüterstraße gesperrt?*

SYS: (17) *Ja, denn sie wird neu geteert.*

Eine Überbeantwortung kann auch angemessen sein, wenn eine Antwort auf *unsicherem
Wissen* und *approximativen* oder *hypothetischen Inferenzen* beruht, so daß der Benutzer
von einem kooperativen System eine argumentative Antwort erwarten kann. Eine Modellierung solcher Erwartenserwartungen wird - wenn auch in sehr begrenztem
Umfang - in der von mir entwickelten Erklärungskomponente dadurch vorgenommen,
daß das System versucht, eine argumentative Antwort zu erzeugen, sobald die Evidenz für eine gewisse Antwort z.B. aufgrund der geringen Implikationsstärke einer
verwendeten Inferenzregel (vgl. 3.2.1.3.) einen Schwellwert unterschreitet (vgl.
(18), (19)). Diese Art der Auslösung argumentativer Antworten führt über den

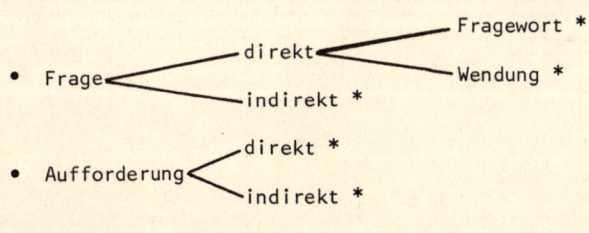

- Frage —— direkt —— Fragewort *
                      Wendung *
            —— indirekt *

- Aufforderung —— direkt *
                —— indirekt *

- Erkennen von Zweifel *

- Erkennen von Widerspruch *

- Falscher Vorschlag zur argumentativen Absicherung

- Negative Beantwortung von Suggestiv- und rhetorischen Fragen

- Erkennen eines Vorwurfs

- Überbeantwortung —— Partnertaktik: Tendenz zum Hinterfragen erkannt *
                   —— Unsicherheit bei der Beantwortung *

Fig. 36: Faktoren, die eine argumentative Antwort auslösen können

üblichen Rahmen der linguistischen Betrachtungsweise hinaus und ist typisch
für die sprachorientierte KI-Forschung, da diese Auslösung von einer Bedingung

    BEN: (18) *Ist der angebotene Mercedes billig?*
    SYS: (19) *Ich glaube ja, denn er ist ziemlich alt und rostig.*

abhängt, die sich auf einen kognitiven Prozeß, nämlich auf den für die Beantwortung einer Frage notwendigen Inferenzprozeß, bezieht.

    Fig. 36 zeigt zusammenfassend die in der vorangegangenen Analyse ermittelten
Faktoren, durch die eine argumentative Antwort ausgelöst werden kann. Mit *
sind diejenigen Faktoren gekennzeichnet, die in dieser Arbeit für den Entwurf
einer Erklärungskomponente vorgesehen wurden.

2.2. SPRACHLICHE MÖGLICHKEITEN ZUR FORMULIERUNG ARGUMENTATIVER ANTWORTEN

Es gibt vielfältige sprachliche Möglichkeiten, argumentative Antworten zu formulieren. Wir unterscheiden zunächst in einem groben Modell die folgenden vier Strukturen argumentativer Antworten:

- Die einfachste Struktur besteht darin, daß eine Relation zwischen einer Prämisse X und einer Konklusion Y in Form einer Inferenz angegeben wird. Wir schreiben dann:

$$X \Rightarrow Y$$

  Dabei unterscheiden wir in diesem einfachen Modell nicht zwischen den verschiedenen Typen von Inferenzrelationen, die hier alle durch '$\Rightarrow$' symbolisiert werden.

- Eine argumentative Antwort besteht oft aus einer Argumentationskette, die sich aus einer Folge von Inferenzschritten zusammensetzt. Wir schreiben dann:

$$X \Rightarrow Y_1 \Rightarrow Y_2 \Rightarrow \ldots Y_{n-1} \Rightarrow Y_n$$

- Falls sich aus den einzelnen Argumentationsketten jeweils nur eine gewisse Evidenz (vgl. Kapitel 3) für die Behauptung in der Konklusion ergibt, werden im Verlauf einer Argumentation oft mehrere voneinander unabhängige Argumentationsketten ausgegeben. Wir schreiben dann:

$$X_1 \Rightarrow Y_{11} \Rightarrow Y_{12} \Rightarrow \ldots Y_{1i-1} \Rightarrow Y_{1i}$$
$$X_2 \Rightarrow Y_{21} \Rightarrow Y_{22} \Rightarrow \ldots Y_{2j-1} \Rightarrow Y_{2j} \Rightarrow \quad Z$$
$$\vdots \qquad\qquad\qquad\qquad\qquad\qquad \vdots$$
$$X_n \Rightarrow Y_{n1} \Rightarrow Y_{n2} \Rightarrow \ldots Y_{nk-1} \Rightarrow Y_{nk}$$

- Wenn wir zusätzlich noch berücksichtigen, daß die einzelnen Prämissen in einer Argumentationskette zusammengesetzte Aussagen sind, die jeweils einzeln argumentativ abgesichert werden müssen, so ergibt sich im kompliziertesten Fall eine Struktur, für die in Abschnitt 3.2.2.5. eine formale Darstellung in Form von multiplen AND/OR-Graphen entwickelt wird.

2.2.1. SPRACHMITTEL ZUR FORMULIERUNG EINES EINZELNEN ARGUMENTATIONSSCHRITTES

Wir betrachten zunächst die einfachste Struktur und untersuchen, welche Sprachmittel zur Formulierung eines einzelnen Inferenzschrittes zur Verfügung stehen. Zur Verbalisierung eines Inferenzschrittes $X \Rightarrow Y$ können Konjunktion innerhalb

von Formulierungen der Form (1) und (2) verwendet werden. Dabei sind die in
(3) und (4) angegebenen Mengen von Konjunktionen zu unterscheiden.

    (1) X < Kennzeichnung als Konklusion > Y

    (2) Y < Kennzeichnung als Prämisse > X

    (3) < Kennzeichnung als Konklusion >[1]::= *Also | daher | darum | demgemäß |*
                                    demnach | deshalb | deswegen
                                      folglich | infolgedessen | mithin
                                      somit | weswegen | wonach

    (4) < Kennzeichnung als Prämisse > ::= *aufgrund | da | denn | falls | in-*
                                      folge | nämlich | sofern | wegen |
                                      weil | wenn

Neben den in (3) und (4) genannten Konjunktionen können auch Konstruktionen
wie *Aus X folgt* Y oder X *ist der Grund für* Y zur Kennzeichnung von Prämisse
und Konklusion eines Inferenzschrittes benutzt werden. Eine syntaktische Variante von (2), bei der allerdings nur eine Teilmenge der in (4) aufgelisteten Konjunktionen verwendet werden kann, ist durch (5) gegeben. (1'),(2') und (5')

    (5) < Kennzeichnung als Prämisse > X Y

sind Beispiele für die Verwendung von Konjunktionen gemäß (1), (2) und (5).
Durch (1), (2) und (5) ist die Vielfalt sprachlicher Möglichkeiten, die in
der Literatur über natürlichsprachliche Argumentation stets betont wird (vgl.

    (1') *Die Schlüterstraße ist frisch geteert. Deshalb ist sie gesperrt.*

    (2') *Die Schlüterstraße ist gesperrt, weil sie frisch geteert ist.*

    (3') *Weil die Schlüterstraße frisch geteert ist, ist sie gesperrt.*

GÖTTERT 1978, VÖLZING 1979) keineswegs vollständig erfaßt. Bei der Verbalisierung eines Inferenzschrittes X ⇒ Y können z.B. auch kopulative Konjunktionen
wie *und* in (6) oder temporale Konjunktionen wie *als* in (7) verwendet werden.

    (6) *Die Schlüterstraße ist frisch geteert und ist jetzt gesperrt.*

    (7) *Fritz fiel hin, als er auf der Banane ausrutschte.*

Diese Multifunktionalität von Konjunktionen macht eine rein syntaktisch ba-
sierte algorithmische Erkennung und Segmentierung argumentativer Strukturen
unmöglich[2].

    Häufig sind die Konklusion und die Prämissen überhaupt nicht durch eine
Konjunktion verknüpft. Die Erkennung von Inferenzrelationen zwischen konjunk-
tionslos aneinandergereihten Sätzen wie in (8) ist eines der Hauptprobleme

[1] Die Auflistung der Konjunktionen erfolgt in alphabetischer Reihenfolge.
    Zwischen den einzelnen Konjunktionen bestehen erhebliche Unterschiede in
    der Gebräuchlichkeit und der Verwendung für bestimmte Inferenztypen.
[2] Sleeman und Hendley berichten, daß die Verwendung von *und* zur Formulierung
    von Kausalrelationen dem von ihnen entwickelten Segmentierungsalgorithmus
    für Erklärungen Schwierigkeiten bereitet (vgl. SLEEMAN/HENDLEY 1979, S. 129)

bei der maschinellen Analyse argumentativer Texte und Dialoge[1]. Im Gegensatz dazu ergeben sich beim Aufbau einer Erklärungskomponente aus der aufgezeigten Vielfalt der Ausdrucksmöglichkeiten keine Schwierigkeiten, da ausgehend von

(8) *Die Schlüterstraße ist jetzt gesperrt. Sie wird frisch geteert.*

einer Argumentationsstruktur, die in einer formalen Repräsentationssprache dargestellt ist, prinzipiell jede der oben aufgeführten Varianten algorithmisch erzeugt werden kann[2].

Wichtig für den Entwurf einer Erklärungskomponente ist aber die Beobachtung, daß Argumentationsketten selten vollständig sind, da gewisse Argumentationsschritte vom Sprecher/Schreiber bewußt ausgelassen werden:

> *People, speaking and writing, consistently leave out information that they feel can easily be inferred by the listener or reader. They try to be concise and therein begins the root of the problem.*
>
> *(SCHANK/ABELSON 1977, S. 22)*

In Satz (9) müsste eine vollständige Argumentationskette zumindest die Zwischenschritte enthalten, daß Peter den Ofen berührt hat und daß der Ofen heiß war,

(9) *Peter verbrannte sich die Finger, weil er vergessen hatte, daß der Ofen an war.*

da er angeschaltet war. Entscheidend ist, daß die Auslassungen nicht willkürlich sind, sondern auf der Strategie beruhen, die wesentlichen Argumentationsschritte herauszuarbeiten, leicht ergänzbare Zwischenschritte nicht zu verbalisieren und das Vorwissen des Hörers/Lesers zu berücksichtigen.

Die Möglichkeit zur unvollständigen Argumentation ist ähnlich der Vagheit (vgl. WAHLSTER 1977) nicht etwa ein Nachteil der natürlichen Sprache gegenüber künstlichen Sprachen, sondern macht sie im Gegenteil in vielen Situationen erst zu einem effizienten Kommunikationsmittel. Dies gilt sogar für die in mathematischen Texten veröffentlichen Beweise. Auch dort werden unwesentliche Schritte ausgelassen. Durch die Konzentration auf das Wesentliche werden die Beweistexte erst lesbar und verständlich. Natürlich muß sich aus jedem Beweistext, dem ein korrekter Beweis zugrundeliegt, immer ein formaler, prädikatenlogischer Beweis, der sämtliche Ableitungsschritte enthält, konstruieren lassen.

---

[1] In der KI wurde dieses Problem besonders von SCHANK/ABELSON 1977, LEHNERT 1977 und WILENSKY 1979 untersucht.

[2] Da es beim gegenwärtigen Entwicklungsstand von KI-Systemen und der beim Aufbau einer Erklärungskomponente zugrundegelegten anwendungsorientierten Zielsetzung nicht sinnvoll zu sein scheint, alle stilistischen Varianten der oben angeführten Konjunktionen zu berücksichtigen, habe ich mich im Generierungsteil der Erklärungskomponente auf die Konjunktionen *wenn, weil* und *denn* beschränkt (vgl. Kapitel 4).

Eine typische Aufgabe für die KI ist in diesem Zusammenhang die Konstruktion von Programmen, die ausführliche prädikatenlogische Beweise, wie sie sich als Ausgabe von Theorembeweisern oder Programmverifikationssystemen ergeben, kompaktifizieren und in einen natürlichsprachlichen Beweistext überführen. Durch KI-Systeme wie EXPOUND und TKP2 (vgl. 1.5.3.2.), die für eine Generierung übersichtlicher Beweistexte entwickelt wurden, kann einem Teil der Kritik an der Verwendung automatischer Programmverifikationssysteme begegnet werden, wie sie z.B. von DE MILLO et al. 1979 geäußert wird:

> *Verifications are long and involved but shallow, that's what's wrong with them. The verification of even a puny program can run into dozens of pages, and there's not a light moment or a spark of wit on any of those pages.*
> *(DE MILLO et al. 1979, S. 276)*

Ein wichtiger Bestandteil einer Erklärungskomponente sind daher Strategien zur Selektion relevanter Argumentationsteile (vgl. 4.1.3.). Unvollständige Argumentationsketten werden in der natürlichen Sprache nur selten sprachlich besonders markiert. Dies kann bei einer sich lediglich an den Konjunktionen orientierenden Interpretation zunächst irreführend wirken, z.B. wenn eine Kausalkonjunktion zur Verknüpfung von Aussagen verwendet wird, zwischen denen gar keine direkte Kausalrelation besteht (vgl. (9)).

Eine andere Form der Unvollständigkeit, die in Dialogen häufig zu beobachten ist, liegt bei Antworten auf 'Warum'-Fragen vor, die nicht wie in den bisherigen Beispielen die Form von einem oder mehreren Haupt- oder Nebensätzen haben, sondern nur aus Präpositionalgruppen z.B. mit *wegen* oder *aus X Gründen* bestehen (vgl. (11) und (13)). Solche Präpositionalgruppen können mithilfe des

(10) *Warum ist der angebotene Mercedes billig?*

(11) *Wegen der Roststellen.*

(12) *Warum hat Karl die Einladung nicht angenommen.*

(13) *Aus gesundheitlichen Gründen.*

Kontextes als *elliptische Satzantworten* aufgefaßt werden (z.B. (11) als Ellipse für *Weil der angebotene Mercedes Roststellen aufweist*), oder sie sind als Antworten zu werten, welche die in der Frage enthaltene Informationsforderung nicht voll erfüllen (vgl. CONRAD 1978, S. 121). Durch (13) wird ohne entsprechenden situativen Kontext lediglich die Menge möglicher argumentativer Antworten dadurch eingeschränkt, daß sie sich auf Sachverhalte aus dem Bereich der Gesundheit beziehen müssen. Sollen in einem KI-System auch solche Präpositionalgruppen als argumentative Antworten erzeugt werden, so muß es mit der Fähigkeit, Ellipsen zu erzeugen, ausgestattet sein und über Metawissen zur Klassifikation von Erklärungen verfügen. Ebenfalls nur Verweise auf eine Klasse von Erklärungen stellen verkürzte argumentative Antworten dar, die aus Adverbialen wie *Sicherheitshalber*, *Vollständigkeitshalber*, *Vorsichtshalber* bestehen (z.B. in (15)).

(14) *Warum ist der Fahrstuhl nachts abgestellt?*

(15) *Sicherheitshalber.*

Durch eine Klassifikation von Erklärungen in Formulierungen wie *Formal betrachtet, weil..., Allgemein gesprochen, weil..., Subjektiv gesehen, weil...* können aber auch Argumentationsebenen unterschieden werden, um eine mehrsträngige Argumentation besser zu strukturieren[1].

2.2.2. DIE SPRACHLICHE STRUKTURIERUNG EINSTRÄNGIGER, MEHRSTRÄNGIGER UND EINGEBETTETER ARGUMENTATIONSKETTEN

SEE P 19

Wenn wir einmal von der möglichen Auslassung von Inferenzschritten absehen und nur vollständige Argumentationsketten betrachten, so ergeben sich aus (1) und (2) für die einsträngige Argumentation die in (16) und (17) dargestellten Schemata. (16) entspricht einem Vorgehen beim Problemlösen, das man in der KI als

(16) X < Kennzeichnung als Konklusion $>_1$ Y_1 < Kennzeichnung als Konklusion $>_2$ Y_2 ... < Kennzeichnung als Konklusion $>_{n-1}$ Y_{n-1} < Kennzeichnung als Konklusion $>_n$ Y_n

(17) Y_n < Kennzeichnung als Prämisse $>_1$ Y_{n-1} < Kennzeichnung als Prämisse $>_2$ Y_{n-2} ... < Kennzeichnung als Prämisse $>_{n-1}$ Y_1 < Kennzeichnung als Prämisse $>_n$ X

Vorwärtsverkettung bezeichnet (vgl. z.B. NILSSON 1980). Bei (17) handelt es sich dagegen um eine *Rückwärtsverkettung*. In beiden Fällen bestehen die Strukturen aus einer Folge *eingebetteter Inferenzschritte*.

Komplexe Argumentationen bestehen meist aus mehreren *Argumentationssträngen*. Diese entstehen aber nur selten dadurch, daß von einem Argumentationspartner mehrere alternative Kausalerklärungen angeführt werden. Nach SCHANK/ABELSON 1977 weisen psychologische Untersuchungen darauf hin, daß Argumentationspartner

---

[1] Wenn unter dem Indikator ZVAL: einer Inferenzregel r (vgl. 3.2.2.) als Metawissen Angaben über den Erklärungstyp oder den Typ der Stütze (vgl. 1.3.3.) gespeichert sind, so können nach einer erfolgreichen Anwendung von r Adverbiale als unvollständige Antworten oder Angaben über die Argumentationsebene erzeugt werden, indem das entsprechende mit r assoziierte Metawissen verbalisiert wird. Allerdings ist dies keine Simulation des Falles, in dem ein Sprecher durch (15) ausweichend antwortet, weil er lediglich über das Wissen verfügt, daß es einen Grund innerhalb des Sicherheitsbereichs gibt. Ansätze zu einer maschinellen Simulation eines solchen Verhaltens sind mir nicht bekannt.

versuchen, Mehrfacherklärungen zu vermeiden. Mehrere Argumentationsstränge können aber immer dann nicht vermieden werden, wenn sich die Evidenz für eine Konklusion erst aus der Kombination mehrerer voneinander unabhängiger Evidenzquellen ergibt (vgl. 3.2.2.7.). In (18) sind einige typische Formulierungen für die Einführung eines zusätzlichen Argumentationsstranges aufgelistet. Beim Entwurf von Erklärungskomponenten in der KI wurden solche mehr-

(18) *Dazu kommt noch, Zusätzlich gilt noch, Außerdem spricht auch ... dafür*

strängigen Argumentationen, die meist mit approximativem Schlußfolgern verbunden sind (vgl. 3.2.2.), bisher noch nicht berücksichtigt. Daher beschäftigen wir uns in den Kapiteln 3 und 4 ausführlich mit einer formalen Rekonstruktion solcher Argumentationsstrukturen und verzichten hier zunächst auf eine genauere Analyse und die Angabe von Beispielen.

Schon für die einsträngige Argumentation ergibt sich eine noch kompliziertere Struktur, wenn man berücksichtigt, daß die Prämissen sich meist aus mehreren z.B. konjunktiv verknüpften Aussagen zusammensetzen, die ihrerseits argumentativ abgesichert werden müssen. Bei der Einbettung von Teilargumentationen hängt die Verständlichkeit hauptsächlich davon ab, inwieweit das Ende einer Einbettung sprachlich markiert ist und dabei spezifiziert wird, wo die Einbettung anfing, so daß der unterbrochene Argumentationsstrang weiterverfolgt werden kann. Der Vergleich von (19) mit der Paraphrase (20) zeigt, daß (20) besser verständlich ist als (19), weil in (20) der Argumentationsgang sprachlich besser strukturiert ist. In (20) werden die konjunktiv verknüpften Prämissen zunächst ohne

(19) *Der Kühler meines Autos ist heute nacht geplatzt, weil das Kühlwasser gefroren ist und weil der Kühlerdeckel fest verschlossen war und weil der Kühler bis zum Rand voll mit Wasser war, weil er gerade neu gefüllt war, weil der Wagen gestern gewartet wurde und weil ich dabei eine Neufüllung des Kühlers verlangt habe, und weil kein Antifrostmittel im Kühler war, weil ich nicht mit Frost gerechnet hatte.*

(20) *Der Kühler meines Autos ist heute nacht geplatzt, weil das Kühlwasser gefroren ist, der Kühlerdeckel fest verschlossen war und weil der Kühler bis zum Rand voll Wasser war und weil kein Antifrostmittel im Kühler war. Der Kühler war bis zum Rand voll Wasser, weil er gerade neu gefüllt war, weil der Wagen gestern gewartet wurde und weil ich dabei eine Neufüllung des Kühlers verlangt habe. Es war kein Antifrostmittel im Kühler, weil ich nicht mit Frost gerechnet hatte.*

argumentative Absicherung genannt. Nach einer Wiederaufnahme (gesperrt in (20)) werden dann Argumentationsketten für die einzelnen Prämissen angeführt[1].

_____

[1] Als Analogon zu dieser Strukturierung kann die in mathematischen Texten verwendete Methode betrachtet werden, Teile eines Beweises in Lemmata zusammenzufassen, die getrennt bewiesen werden, und auf die mithilfe von Bezeichnungen wie 'Lemma 3.4.' z.B. beim Beweis eines Theorems rekurriert wird.

Für den Bereich alltagssprachlicher Argumentation wurden von WEINER 1979 beim
Entwurf der Erklärungskomponente BLAH (vgl. 1.5.3.1.) Algorithmen entwickelt,
die eine vorgegebene Argumentationsstruktur in eine möglichst gut verständliche
natürlichsprachliche Argumentation transformieren. Dabei steht bei Weiner das
Problem im Vordergrund, wie durch sprachliche Markierungen die Aufmerksamkeit
(engl.: focus of attention) des Argumentationspartners von einer eingebetteten
Argumentation zurück zum unterbrochenen Argumentationsstrang geführt werden
kann. Wir gehen in Kapitel 4 über Weiners Problemstellung hinaus, indem wir
nicht nur Algorithmen zur sprachlichen Strukturierung einsträngiger Argumentationen angeben, sondern auch für mehrsträngige Argumentationen mit Einbettungen.

Es zeigt sich dabei, daß die Verständlichkeit dieser kompliziertesten Form
der Argumentation wesentlich erhöht wird, wenn die Argumentation in einen Dialog eingebettet ist. Dann kann zunächst eine einsträngige Argumentation aufgebaut werden und danach kann der Dialogpartner vom System eine argumentative
Absicherung der dabei verwendeten Prämissen verlangen. Ist der Dialogpartner
durch eine angegebene Argumentationskette noch nicht von der Gültigkeit der
Konklusion überzeugt, so kann in einer mehrsträngigen Argumentation eine weitere Argumentationskette aufgebaut werden.

Wenn Erklärungskomponenten als Teile von Dialogsystemen konzipiert werden,
liegt es nahe, nicht nur wie bei Weiner die Erzeugung eines argumentativen Textes
zu betrachten, sondern die Argumentation selbst dialogisch zu gestalten. Wenn,
wie im BLAH-System, diese Möglichkeit nicht besteht, so ergeben sich verglichen
mit dem alltäglichen Sprachgebrauch relativ unnatürlich wirkende Texte wie (19)
und (20).

Im nächsten Kapitel untersuchen wir daher Sprechaktsequenzen, die sich bei
einer in einen Dialog eingebetteten Argumentation ergeben können.

2.3. SPRECHAKTSCHEMATA FÜR ARGUMENTATIVE DIALOGSEQUENZEN

2.3.1. AUF ANTWORTEN DES SYSTEMS BEZOGENE 'WARUM'-FRAGEN DES BENUTZERS

Als Ausgangspunkt unserer Untersuchung argumentativer Dialogsequenzen und ihrer
Rekonstruktion in KI-Systemen wählen wir das in Fig. 37 dargestellte Schema
einer Sprechaktsequenz. Wie das nach dem Schema in Fig. 37 aufgebaute Beispiel

BEN: (1) < Entscheidungsfrage > A?
SYS: (2) < Positive Antwort (mit einschränkender Hecke) >
BEN: (3) *Warum?*
SYS: (4) < Argumentative Antwort >

Interpretation von (3) durch SYS: *Auf was stützt sich die Behauptung (Vermutung in (2), daß A*

Fig. 37: Schema einer argumentativen Dialogsequenz

einer Dialogsequenz zeigt (vgl. Fig. 38), steht *Warum* in Fig. 37 stellver-
tretend für alle in Abschnitt 2.1.1. genannten Formulierungen, durch die argumentative Antworten ausgelöst werden können. Wenn sich statt (2) in Fig. 37

BEN: (1) *Ist der angebotene Mercedes billig?*
SYS: (2) *Ich glaube ja.*
BEN: (3) *Wie kommst du darauf?*

Fig. 38: Beispiel einer argumentativen Dialogsequenz

eine negative Antwort des Systems ergibt, kann der Benutzer in Variation des
in Fig. 37 dargestellten Schemas eine 'Warum-nicht'-Frage stellen.

2.3.1.1. Iterierte 'Warum'-Fragen und Letztbegründungen

Dialogsequenzen wie in Fig. 37 können u.a. durch Sprechaktsequenzen wie sie
in Fig. 39 schematisiert sind, fortgesetzt werden. Die Möglichkeit zur Iteration
von 'Warum'-Fragen entsteht dadurch, daß das Schema in Fig. 39 mehrmals hinter-

SYS: (4) < Argumentative Antwort >
BEN: (5) *Warum?*

Fig. 39: Iteration einer 'Warum'-Frage

einander angewendet wird. Das Beispiel in Fig. 40 ist eine Fortsetzung der Dialogsequenz in Fig. 38 mit einer zweifachen Iteration von 'Warum'-Fragen. Satz
(8) in Fig. 40 ist ein Beispiel für eine in der Argumentationstheorie (vgl.

SYS: (4) *Er ist reparaturbedürftig.*

BEN: (5) *Wieso?*

SYS: (6) *Er ist reparaturbedürftig, weil ein Radlager von ihm reparaturbedürftig ist.*

BEN: (7) *Wieso denn das?*

SYS: (8) *Das ist eben so.*

Fig. 40: Beispiel für iterierte 'Warum'-Fragen

z.B. VÖLZING 1979, S. 76f) als *Letztbegründung* bezeichnete Antwort. In der
sozialwissenschaftlichen, besonders aber in der philosophischen Literatur wird
oft bezweifelt, daß es wissenschaftliche Letztbegründungen z.B. für Handlungen
überhaupt geben kann und Völzing spricht sogar von der 'Unmöglichkeit einer
Letztbegründung' (vgl. VÖLZING 1979, S. 82).

Für eine Theorie der Alltagsargumentation kann man dagegen davon ausgehen,
daß es unmittelbare Evidenzen gibt, die sich nicht durch andere Evidenzen begründen lassen (vgl. WUNDERLICH 1974, S. 61). In der Alltagsargumentation bestehen Letztbegründungen daher meist aus einem Verweis auf primäre, d.h. nicht
mehr hinterfragbare Evidenzen in Formulierungen wie (a). Nicht jedes Wissen

(a) *Das ist eben so. Das habe ich so gelernt. Das sieht/hört/fühlt... man doch.*

kann in der Alltagsargumentation noch argumentativ abgesichert werden und auch
in der von mir entwickelten Erklärungskomponente wird auf 'Warum'-Fragen des
Benutzers, die sich auf Letztbegründungen wie (8) in Fig. 40 beziehen, dann
nur noch durch Rückverweis auf bereits gegebene Letztbegründungen reagiert.

Beim Aufbau natürlichsprachlicher KI-Systeme läßt sich das Problem der
Letztbegründungen auf den Fall reduzieren, daß das System eine Assertion,
die nicht in einem Inferenzprozeß abgeleitet wurde und die in der Wissensbasis
ohne einen Verweis auf eine Erklärung oder Begründung gespeichert ist, nicht
argumentativ absichern kann. Zusätzlich zu (a) können in einer Erklärungskomponente daher als Erwiderungen auf Fragen wie (7) in Fig. 40 auch Formulierungen
wie in (b) vorgesehen werden:

(b) *Das steht so in Datei X, Das wurde so von X in die Wissensbasis ein-
gegeben, Weiß ich nicht*

2.3.1.2. Die Mehrdeutigkeit iterierter 'Warum'-Fragen

Neben dem Problem der Letztbegründungen entsteht bei der Iteration von 'Warum'-
Fragen ab dem zweiten Glied der Kette folgende Mehrdeutigkeit bei der Inter-

pretation der 'Warum'-Frage (vgl. Fig. 41 und HERINGER 1974):

(11) die 'Warum'-Frage kann sich auf die Gültigkeit der im Explanans
eingeführten Aussagen beziehen oder

(12) die 'Warum'-Frage kann sich auf die Inferenzrelation zwischen Explanans und Explanandum beziehen.

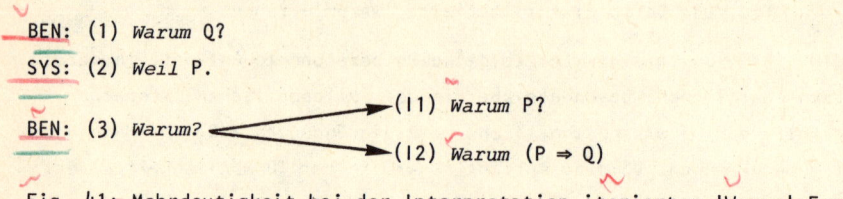

BEN: (1) *Warum Q?*

SYS: (2) *Weil P.*

BEN: (3) *Warum?* → (11) *Warum P?*

→ (12) *Warum (P ⇒ Q)*

Fig. 41: Mehrdeutigkeit bei der Interpretation iterierter 'Warum'-Fragen

Bei einer Interpretaion gemäß (12) kann (7) in Fig. 40 statt (8) durch (8')
beantwortet werden. Natürlich gibt es sprachliche Möglichkeiten, eine der beiden

(8') *Ein Gebrauchtwagen ist reparaturbedürftig, wenn er ein reparaturbedürftiges Funktionsteil hat.*

Interpretationen auszuschließen. Beispielsweise ist nach Formulierungen wie
in (5'), die spezielle Ersetzungen von (5) in Fig. 39 sind, Interpretation
(11) nicht möglich.

(5') *Das ist mir bekannt. Aber wie kommst du dadurch darauf, daß P?,
Was hat das mit meiner Frage zu tun?*

Obwohl in Alltagsgesprächen meist Interpretation (11) gegenüber (12) präferiert
wird, zeigen mögliche Benutzerfragen wie (5'), daß es durchaus sinnvoll ist,
ein KI-System mit der Fähigkeit auszustatten, sowohl gemäß Interpretation (11)
als auch (12) reagieren zu können. Eine Voraussetzung für eine argumentative
Absicherung gemäß (12) ist es, daß die Erklärungskomponente Algorithmen zur
Verbalisierung von Inferenzregeln enthält (vgl. 4.3.2.).

Wenn nach der argumentativen Antwort in (8') der Benutzer wiederum eine
'Warum'-Frage stellt, so ergibt sich neben der Verwendung von Faktenwissen
und der Verbalisierung von Inferenzregeln ein dritter Argumentationstyp: die
Nennung einer Stütze (vgl. 1.3.2.). Eine Stütze dient zur argumentativen Absicherung einer Inferenzregel und kann aus einem Verweis auf Konventionen
(z.B. *Das steht so im Bürgerlichen Gesetzbuch*), auf Theorien (z.B. *Das ist
doch ein bekannter Satz der Quantenmechanik*) oder auf Beobachtungen (z.B.
Das habe ich schon oft so erlebt) bestehen. Voraussetzung für die Verwendung
von Stützen durch eine Erklärungskomponente ist, daß die Wissensbasis des KI-
Systems entsprechendes Metawissen über Inferenzregeln enthält.

2.3.1.3. Sprachliche Indizien für kohärente argumentative Dialoge

Durch eine weitere Variation des in Fig. 39 angegebenen Schemas einer argumentativen Dialogsequenz kann auch der sukzessive Aufbau einer mehrsträngigen
Argumentation (vgl. 2.2.2.) erfaßt werden. Wenn wir (5) in Fig. 39 durch (5'')
ersetzen, erhalten wir als Fortsetzung des durch Fig. 37 und 39 erfaßten Dia-
logverlaufs das in Fig. 42 dargestellte Schema.

BEN: (5'') < Frage nach einer zusätzlichen Evidenzquelle>
SYS: (6) < Zusätzliche argumentative Absicherung von (2)>

Fig. 42: Dialogischer Aufbau einer mehrsträngigen Argumentation

Mithilfe von Formulierungen wie in (c) kann der Argumentationspartner aufgefordert werden, eine weitere argumentative Absicherung einer gegebenen Antwort vorzunehmen.

(c) *Nur deshalb?, Und weiter?, Sind das alle Gründe?, Ist das alles?*
   Gibt es noch weitere Gründe?

Wie das Beispiel in Fig. 43 zeigt, kann das Schema in Fig. 42 in einem Dialog
mehrmals nacheinander angewendet werden. Eine solche dialogische Gestaltung
einer mehrsträngigen Argumentation erweist sich im Vergleich zu einer Formu-

BEN: (5) *Nur deshalb?*
SYS: (6) *Er ist außerdem ziemlich alt und gebraucht.*
BEN: (7) *Gibt es noch einen Grund?*
SYS: (8) *Er ist etwas rostig.*

Fig. 43: Beispiel für die dialogische Gestaltung einer mehrsträngigen
         Argumentation

lierung als Text aufgrund ihrer einfacheren Struktur als wesentlich verständlicher.

In den vorangegangenen Beispielen argumentativer Dialogsequenzen wurden
'Warum'-Fragen vom Benutzer zumeist elliptisch formuliert (vgl. (2) in Fig. 39,
(5) und (7) in Fig. 40, (5) und (7) in Fig. 43). Diese für natürliche Dialoge
typische Form der Formulierung wirft für die maschinelle Verarbeitung das Problem der Vervollständigung elliptischer Fragen durch Zugriff auf den Dialogkontext auf. Falls sich eine elliptische 'Warum'-Frage auf einen zusammenge-
setzten Satz bezieht, ist zu entscheiden, ob sich die Ellipse auf den gesamten
Satz bezieht oder auf einen bestimmten Teilsatz. Daß Kriterien für diese Entscheidung oft schwer zu finden sind und oft eine Mehrdeutigkeit bestehen bleibt,
mögen die Beispiele in (d) und (e) verdeutlichen. Bei der Vervollständigung

einer auf (d) folgenden elliptischen 'Warum'-Frage wird man als Bezugspunkt
eher Teilsatz A auswählen, während man für (e) als Expansion den gesamten

(d) *Ich weiß, daß* A

(e) *Ich wünsche, daß* A

Satz und somit *Warum wünschst du, daß* A ansetzen wird.

Bei iterierten 'Warum'-Fragen wächst die Zahl der möglichen Bezugssätze
stark an, wenn sich eine elliptische 'Warum'-Frage auf eine argumentative
Antwort bezieht, die aus einer Konjunktion von Prämissen besteht (vgl. (1)
in Fig. 44). Eine eindeutige Beziehung läßt sich allerdings immer durch das
sprachliche Mittel der Wiederaufnahme herstellen (vgl. Fig. 44).

SYS: (1) *Weil* A_1, A_2, A_3 *und* A_4.

BEN: (2) *Warum* A_2?

Fig. 44: Beispiel für die Wiederaufnahme eines Konjunkts des Explanans

Eine allgemeine Lösung der anhand von (d) und (e) aufgezeigten Probleme bei
der maschinellen Auflösung elliptischer 'Warum'-Fragen kann nur im Rahmen einer
Ellipsenkomponente gefunden werden, die sich auf alle einem Dialogsystem zur
Verfügung stehenden Wissensquellen bezieht. Da der Aufbau einer solchen Komponente nicht Gegenstand der vorliegenden Arbeit ist (vgl. aber V. HAHN et al.
1980), wird im Sinne einer heuristischen Auswahl in der von mir entwickelten
Erklärungskomponente immer der am weitesten rechts stehende Teilsatz als Bezug
gewählt, es sei denn, durch eine Wiederaufnahme ist eine eindeutige Beziehung
hergestellt worden. Die Verwendung elliptischer 'Warum'-Fragen und die Wiederaufnahme von Argumentationsteilen durch den Benutzer sind sprachliche Indizien
für einen kohärenten argumentativen Dialog.

Bei den hier betrachteten Schemata für argumentative Dialogsequenzen bietet
sich die Implementation von *Reduktionen* (vgl. V. HAHN 1979) wie (8) in Fig. 45 an,
um auch durch das System Kohärenzmerkmale erzeugen zu lassen.

BEN: (1) *Hat die Bank heute eigentlich geschlossen?*
SYS: (2) *Ja.*
BEN: (3) *Warum?*
SYS: (4) *Weil Sonntag ist.*
BEN: (5) *Hat die Post auch zu?*
SYS: (6) *Ja.*
BEN: (7) *Warum?*
SYS: (8) *Aus demselben Grund.*

Fig. 45: Beispiel für eine Reduktion innerhalb argumentativer Antworten

Diese Möglichkeit zur Reduktion führt zu der in Fig. 46 schematisierten Variante derjenigen argumentativen Dialogsequenzen, die aus einer Iteration des in
Fig. 37 angeführten Grundschemas bestehen.

BEN: (3) *Warum?*

SYS: (4) < Argumentative Antwort >

⋮

BEN: (3') *Warum?*

SYS: (4') < Reduktion >

Fig. 46: Reduktion bei Iteration argumentativer Dialogsequenzen

2.3.1.4. 'Warum'-Fragen nach Antworten auf W-Fragen

Wie das Beispiel in Fig. 47 zeigt, können 'Warum'-Fragen nicht nur nach Ant-
worten auf Entscheidungsfragen (vgl. Fig. 37), sondern auch nach Antworten auf
W-Fragen (Fragen, die ein mit dem Buchstaben 'W' beginnendes Fragewort wie *Wer,
Was, Wo, Wie, Wann, Warum* enthalten) gestellt werden.
Dadurch ergibt sich als eine Variante von Fig. 37 das in Fig. 48 dargestellte

BEN: (1) *Wieviele Räder hat ein Auto mindestens?*

SYS: (2) *Drei.*

BEN: (3) *Warum?*

SYS: (4) *Damit es nicht umkippt.*

Fig. 47: Beispiel für 'Warum'-Fragen nach einer Antwort auf eine W-Frage

Dialogschema[1], das analog zu Fig. 37 durch die oben angeführten Dialogsequenzen
(vgl. Fig. 39, 42, 46) fortgesetzt werden kann.

BEN: (1) < W-Frage > $?v\ P(v)$

SYS: (2) < Antwort > a (elliptisch für $P(a)$)

BEN: (3) *Warum?*

SYS: (4) < Argumentative Antwort >

Interpretation von (3) durch SYS: *Auf was stützt sich die Behauptung (Vermutung) in (2), daß* $P(a)$

Fig. 48: Dialogsequenz mit einer 'Warum'-Frage nach Beantwortung einer
W-Frage

[1] Wie schon in Fig. 37 so lehnt sich auch die Darstellung in Fig. 48 an
die formale Schreibweise der Fragelogik LA[?] (TODT/SCHMIDT-RADEFELDT 1979)
an, wobei v als Variablensymbol, P als Prädikatensymbol, ? als Frageoperator
und a als Individuenkonstante zu deuten sind.

2.3.2. DIALOGSCHEMATA MIT METAKOMMUNIKATIVEN 'WARUM'-FRAGEN

Nachdem wir bisher ausschließlich Dialogschemata betrachtet haben, in denen eine 'Warum'-Frage des Benutzers einer Antwort auf eine Frage folgte, führen wir im folgenden eine andere Kategorie von argumentativen Dialogsequenzen ein, in denen sich 'Warum'-Fragen auf Sprechhandlungen wie Fragen, Aufforderungen oder Bitten beziehen. Obwohl prinzipiell jede Sprechhandlung eines Gesprächspartners hinterfragbar ist, beschränken wir uns hier auf die angegebenen Typen von Sprechhandlungen, weil nur diese im Gegensatz z.B. zur Beleidigung oder Drohung für die z.Z. absehbaren Anwendungen natürlichsprachlicher Dialogsysteme relevant sind.

Als Ausgangspunkt unserer Untersuchung wählen wir das Schema in Fig. 49. Typische Ausprägungen dieses Schemas finden sich mit der Sprechhandlung 'Frage' als Bezugspunkt der 'Warum'-Frage in KI-Systemen wie TEIRESIAS, PROSPEC-

SYS: (1) < Frage > | < Aufforderung > | < Bitte >

BEN: (2) *Warum?*

SYS: (3) < Argumentative Antwort >

BEN: (4) < Reaktion auf (1) >

Interpretation von (2) durch SYS: *Mit welcher Intention hat der Gesprächs-*
partner die Sprechhandlung in (1) voll-
zogen.

Fig. 49: Dialogsequenz mit einer 'Warum'-Frage, die sich auf eine Sprechhandlung bezieht

TOR und DIGITALIS ADVISOR (vgl. 1.5.). Durch die einfache Erklärungskomponente des Systems NOAH können außerdem 'Warum'-Fragen beantwortet werden, die sich auf Bitten oder Aufforderungen des Systems beziehen (vgl. 1.5.1.3.).

SYS: (1) *Nennen Sie bitte Ihren Familiennamen!*

BEN: (2) *Wieso?*

SYS: (3) *Ich muß den Familiennamen wissen, um Ihre Zugriffsrechte*
überprüfen zu können.

BEN: (4) *Hanser.*

Fig. 50: Beispiel für eine metakommunikative 'Warum'-Frage

Da elliptische 'Warum'-Fragen wie in Fig. 50 oft unterspezifiziert sind, gibt es auch Gesprächskontexte, in denen die durch das Schema in Fig. 50 erfaßte Interpretation der 'Warum'-Frage ersetzt werden muß durch die für Bedeutungsvarianten, wie sie sich in den Paraphrasen *Warum fragst du das gerade jetzt?* oder *Warum hast du deine Bitte gerade auf diese Weise formuliert?* widerspiegeln.

2.3.2.1. Metakommunikative 'Warum'-Fragen in Klärungsdialogen

Das oben angegebene Dialogschema ist nur in Sequenzen zu realisieren, in denen die Initiative beim System liegt, d.h. daß das System aufgrund eines überge-ordneten Ziels (in MYCIN die Erhebung der Patientendaten im ersten Gesprächs-abschnitt) den Benutzer z.B. befragt und daß der Benutzer auf die Aufforderung des Systems reagiert (vgl. 1.5.2.1.). Die duale Situation, in der die Initiative allein beim Benutzer liegt, ist in bestehenden KI-Systemen häufiger realisiert worden. Auf Dialoge mit solchen Systemen, in denen die Initiative für die Er-öffnung einer Dialogsequenz stets beim Benutzer liegt, läßt sich das in Fig. 49 dargestellte Schema in der in Fig. 51 angegebenen Abwandlung anwenden.

BEN: (1) < Frage >
SYS: (2) < Rückfrage zur Verständnissicherung von (1) > |
         < Aufforderung, (1) zu paraphrasieren >
BEN: (3) *Warum?*
SYS: (4) < Argumentative Antwort >
BEN: (5) < Antwort auf (2) >
SYS: (6) < Antwort auf (1) >

Fig. 51: Metakommunikative 'Warum'-Frage innerhalb eines Klärungsdialogs

Typische Ausprägungen des Schemas in Fig. 51 finden sich in Dialogen mit HAM-RPM. Dialogteile, die diesem Schema entsprechen, gehören zur Ebene der Metakommunika-tion, die als typisches Merkmal natürlichsprachlichen Dialogverhaltens bei der Rekonstruktion kommunikativer Fähigkeiten in einem KI-System erfaßt werden muß und darüber hinaus auch zur Effizienzsteigerung (im Hinblick auf eine schnellere Dialogabwicklung) von in ihren sprachlichen Fähigkeiten sonst eher beschränkten Frage-Antwort-Systemen beitragen kann (vgl. 1.1.3.).

Schwierigkeiten für eine algorithmische Analyse von Varianten des Schemas in Fig. 51 ergeben sich dadurch, daß metakommunikative 'Warum'-Fragen nicht immer unmittelbar auf die Sprechhandlung folgen, die sie hinterfragen. In dem durch Fig. 52 wiedergegebenen Beispiel erfolgt die Sprechhandlung (5) aus Fig. 51 vor den Dialogschritten (3) und (4) in Fig. 51. Wie die mögliche Fortsetzung von (1)-(3) in Fig. 52 durch (4')-(6') in Fig. 52 zeigt, kann eine nachgestellte metakommunikative 'Warum'-Frage sogar vollkommen außerhalb des Klärungsdialogs stehen. Diese Beobachtungen zeigen, daß das bisher u.a. in HAM-RPM verwendete Verfahren, im Programm unmittelbar nach einer Rückfrage des Systems die Mög-lichkeit einer metakommunikativen 'Warum'-Frage des Benutzers vorzusehen, nicht allgemein genug ist. Vielmehr müßte das System allgemein die Fähigkeit besitzen,

BEN: (1) *Wo steht der Stuhl?*

SYS: (2) *Welchen Stuhl meinst du?*

BEN: (3) *Den braunen.*

BEN: (4) *Warum fragst du?*

SYS: (5) *Weil es drei davon gibt.*

SYS: (6) *Der braune Stuhl steht neben dem Fernsehgerät.*

Fig. 52: Nachgestellte metakommunikative 'Warum'-Frage

sich seine eigenen Ziele[1] bei der Planung einer Sprechhandlung zu merken oder
diese später zu rekonstruieren. Da die genannten Fälle im Vergleich zu dem in

SYS: (4') *Neben dem Fernsehgerät.*

BEN: (5') *Warum fragtest du eben, welchen Stuhl ich meine?*

SYS: (6') *Weil es drei davon gibt.*

Fig. 53: Metakommunikative 'Warum'-Frage außerhalb eines Klärungsdialogs

Fig. 51 angegebenen Schema aber relativ selten vorkommen und die hier skizzierte
Lösungsrichtung uns in ein anderes Gebiet der aktuellen KI-Forschung, nämlich
der expliziten Planung von Sprechhandlungen (vgl. z.B. COHEN 1978), führen
würde, verfolgen wir die aufgeworfene Fragestellung im folgenden nicht weiter.

2.3.2.2. Auf Zurückweisungen von Benutzerfragen bezogene 'Warum'-Fragen

Es gibt noch eine weitere, in den bisher angegebenen Dialogschemata noch nicht
erfaßte Verwendung metakommunikativer 'Warum'-Fragen, bei der sich die 'Warum'-
Frage auf die Zurückweisung einer Benutzerfrage bezieht (vgl. Fig. 54). Der

BEN: (1) < Frage >

SYS: (2) < Zurückweisung >

BEN: (3) *Warum?*

SYS: (4) < Argumentative Antwort >

Interpretation von (3) durch SYS: *Aus welchem Grund wurde (1) in (2) zurückgewiesen?*

Fig. 54: Auf eine Zurückweisung bezogene 'Warum'-Frage

Grund für die Zurückweisung einer Benutzerfrage kann z.B. darin bestehen, daß
eine in der Frage enthaltene Präsupposition nicht erfüllt ist (vgl. Fig. 55

[1] Um Mißverständnisse auszuschließen, sei bemerkt, daß natürlich jedes Ziel
des Systems letztlich auf eine von den Systemkonstrukteuren vorgegebene
Spezifikation zurückführbar ist.

als Ausprägung des Schemas in Fig. 54). Bei der referenzsemantischen Analyse, der in (1) von Fig. 55 enthaltenen definiten Nominalphrase *der Mann, der hinter dem gelben Auto steht* findet das System kein Objekt in der ihm vorgegebenen Szene, das dieser Beschreibung entspricht[1].

BEN: (1) *Ist der Mann, der hinter dem gelben Auto steht, der Täter?*

SYS: (2) *Die Frage kann ich nicht beantworten.*

BEN: (3) *Wieso?*

SYS: (4) *Hinter dem gelben Auto sehe ich keinen Mann.*

Fig. 55: Angabe einer Präsuppositionsverletzung als Antwort auf eine 'Warum'-Frage

Auch unsinnige semantische Relationen (vgl. das Beispiel in Fig. 56 und HOEPPNER 1979, S. 28f.), verletzte Selektionsbeschränkungen (vgl. WAHLSTER 1979a, S. 10) und Widersprüche in der Benutzereingabe können zu Zurückweisungen führen und müssen daher nach einer metakommunikativen 'Warum'-Frage verbalisiert werden.

BEN: (1) *Wieviele Tische hat ein Bein?*

SYS: (2) *Unsinnige Frage!*

BEN: (3) *Wieso?*

SYS: (4) *Tisch ist kein Teil von Bein sondern umgekehrt.*

Fig. 56: Begründung einer semantisch motivierten Zurückweisung einer Frage

Neben diesen semantisch motivierten Zurückweisungen kann in natürlichsprachlichen Systemen mit geringem Sprachumfang eine Benutzerfrage oft deshalb nicht verarbeitet werden, weil die Eingabe bezogen auf die begrenzte Grammatik des Systems nicht wohlgeformt ist. Auch in diesem Fall, der in natürlichen Dialogen allerdings nicht vorkommt, kann die Antwort des Systems auf eine metakommunikative 'Warum'-Frage des Benutzers oder Bearbeiters wertvolle Hinweise für eine Paraphrasierung der Frage bzw. für eine Ergänzung der Grammatik des Systems liefern. Schließlich gibt es neben den syntaktisch und semantisch motivierten noch eine Vielzahl pragmatisch motivierter Zurückweisungen. In einem Datenbanksystem mit natürlichsprachlicher Schnittstelle kann z.B. eine pragmatisch motivierte Zurückweisung wie in (f) zweckmäßig sein. Da ein allgemeines Verfahren zur Beantwortung

(f) *Die Frage darf ich nicht beantworten.*

von 'Warum'-Fragen, die sich auf solche pragmatisch motivierten Zurückweisungen beziehen, auf explizitem Wissen über den Planungsprozeß der Sprechhandlung 'Zurückweisung' beruhen muß und die Forschung auf dem Gebiet der automatischen

---

[1] In der derzeitigen Implementation von HAM-RPM enthält die Zurückweisung in diesem Fall stets schon die Begründung, d.h. (4) in Fig. 55 folgt direkt auf (1) (vgl. V. HAHN et al. 1980)

Sprechaktplanung nicht zu den Aufgaben der vorliegenden Arbeit gehört, werden solche 'Warum'-Fragen im folgenden nicht weiter untersucht.

In speziellen Ausprägungen des Schemas in Fig. 54 kann (1) auch eine 'Warum'-Frage sein, d.h. es gibt auch Zurückweisungen von 'Warum'-Fragen. Möglichkeiten zur Zurückweisung von 'Warum'-Fragen durch die Erklärungskomponente wurden bereits in Abschnitt 1.4.2. behandelt.

2.3.2.3. 'Warum'-Fragen des Systems

In Dialogsituationen, in denen die Initiative beim Benutzer liegt, können metakommunikative 'Warum'-Fragen anders als im Schema in Fig. 51 auch dadurch eingeführt werden, daß das System selbst eine Eingabe des Benutzers hinterfragt. Das entsprechende Dialogschema in Fig. 57 ergibt sich durch Vertauschung von SYS und BEN in Fig. 49. Die Rekonstruktion solcher Dialogsequenzen ist deshalb

BEN: (1) < Frage > | < Aufforderung > | < Bitte >
SYS: (2) *Warum?*
BEN: (3) < Argumentative Antwort >
SYS: (4) < Reaktion auf (1) >

Fig. 57: 'Warum'-Frage des Systems

zweckmäßig, weil die Antworten auf solche 'Warum'-Fragen oft wichtige Hinweise auf die Intention des Fragestellers enthalten. Diese Information kann dann die vom System bei der Antwortsuche verfolgte Strategie beeinflußen (vgl. auch BERRY-ROGGHE/ZIFONUN 1978) oder als Entscheidungshilfe bei der Auswahl einer kommunikativ adäquaten Antwort dienen.

Antworten des Benutzers auf metakommunikative 'Warum'-Fragen des Systems werden bisher in keinem KI-System dazu benutzt, treffendere Antworten auf Anfragen des Benutzers zu finden. Eine Auswertung solcher Antworten setzt allerdings die Möglichkeit zur Analyse argumentativer Antworten durch das System voraus (vgl. z.B. SLEEMAN/HENDLEY 1979), eine Problemstellung, die als Gegenstand der vorliegenden Arbeit bereits ausgeschlossen wurde. Das Beispiel in Fig. 58 bezieht sich auf die Dialogsituation 'Hotelreservierung', die einer der in HAM-RPM vorgesehenen Diskursbereiche entspricht (vgl. JAMESON et al. 1980). Es zeigt sich bei diesem Beispiel, daß Wissen über die Einstellung des Gesprächspartners, das sich aus der Antwort auf eine metakommunikative 'Warum'-Frage des Systems ergibt, die Art der Beantwortung entscheidend beeinflussen kann, wenn wie in der Situation der Hotelreservierung das System das Ziel hat, bei dem Kunden einen möglichst guten Eindruck von dem angebotenen Hotelzimmer

BEN: (1) *Hat das Zimmer einen großen Schreibtisch?*

SYS: (2) *Warum fragen Sie?*

BEN: (3) *Weil ich viel arbeiten will.*

SYS: (4) *Ja, er ist mehr oder weniger groß.*

BEN: (3') *Ich haße Schreibtische in Hotelzimmern.*

SYS: (4') *Er ist relativ klein.*

Fig. 58: Treffendere Beantwortung nach einer metakommunikativen 'Warum'-Frage

zu erzeugen[1]. Die im vorangegangenen und in diesem Abschnitt untersuchten Schemata argumentativer Dialogsequenzen können auch ineinander eingebettet auftreten, wie das Dialogschema in Fig. 59 zeigt. Dabei ist (4) im Gegensatz zu (3) eine metakommunikative 'Warum'-Frage.

BEN: (1) < Entscheidungsfrage > A?

SYS: (2) < Positive Antwort (mit einschränkender Hecke) >

BEN: (3) *Warum?*

SYS: (4) *Warum fragen Sie?*

BEN: (5) < Argumentative Antwort zu (4) >

SYS: (6) < Argumentative Antwort zu (3) >

Fig. 59: Aufeinanderfolgende 'Warum'-Fragen verschiedenen Typs

Oben haben wir Systeme danach unterschieden, ob die Initiative zur Eröffnung von Dialogsequenzen vom Benutzer oder vom System ausgeht. Zusätzlich gibt es natürlich auch den Fall der sog. *gemischten Initiative*, in der die Rollenverteilung im Gespräch insofern symmetrisch ist, als die Initiative während eines Dialoges z.B. vom Benutzer zum System übergehen kann. In solchen Systemen, die, obwohl in der Literatur häufig auf ihre Zweckmäßigkeit z.B. für den computerunterstützten Unterricht hingewiesen wird, in ihrer allgemeinen Form bisher noch nicht implementiert wurden, ist es dann sinnvoll, sowohl die Generierung als auch die Analyse von 'Warum'-Fragen als Wissensfragen oder metakommunikative Fragen vorzusehen.

Zum Schluß dieses Kapitels wird in Fig. 60 eine zusammenfassende Übersicht zu den oben analysierten Sprechaktschemata für argumentative Dialogsequenzen angegeben. Durch die Pfeile zwischen den Rechtecken in Fig. 60 wird eine Nachfolger-

[1] Dabei sind die in (4) und (4') in Fig. 58 verwendeten vagen Formulierungen nützlich, die bei einem Schreibtisch mittlerer Größe beide möglich sind (vgl. auch WAHLSTER 1977, WAHLSTER 1980).

Relation zwischen den betrachteten Sprechakttypen aufgebaut. Sind Rechtecke
durch Pfeile in beiden Richtungen verbunden, so entstehen Schleifen, wie sie
u.a. bei der oben analysierten Iteration von 'Warum'-Fragen auftreten. In den
Rechtecken wird durch doppelte Linien auf der linken Seite die Möglichkeit
der Eröffnung und auf der rechten Seite die Möglichkeit des Abschließens einer
der betrachteten argumentativen Dialogsequenzen markiert. Nicht erfaßt sind in
Fig. 60 die oben angegebenen Kriterien, mit deren Hilfe das System entscheidet,
welcher der als Nachfolger eines Sprechaktes vorgesehenen Sprechakttypen vorliegt oder welchen Sprechakttyp das System seiner nächsten Äußerung zugrundelegt.

Kombiniert man die in Fig. 60 dargestellten Schemata für Sprechaktsequenzen
mit denjenigen, die sich durch Vertauschen der Rollen von System und Benutzer
in Fig. 60 ergeben, so erhält man alle Schemata für argumentative Sprechaktsequenzen, die in Dialogsystemen mit gemischter Initiative für die derzeit absehbaren Anwendungen relevant sind.

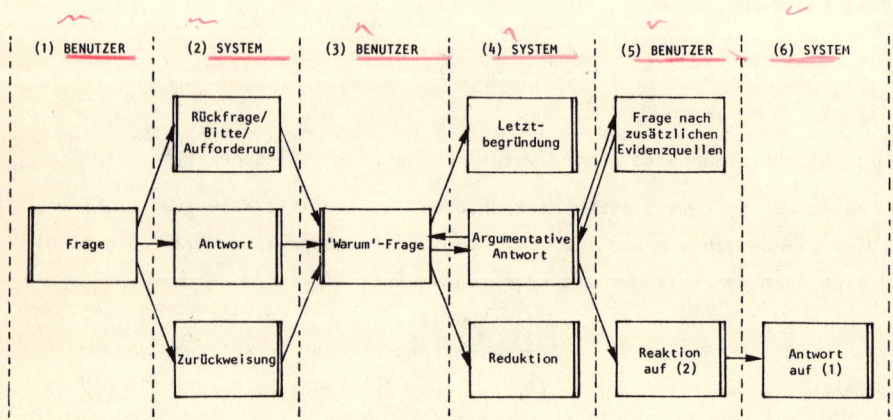

Fig 60.: Schemata für argumentative Dialogsequenzen in KI-Systemen

3. ENTWURF UND REALISATION EINER KOMPONENTE ZUR REKONSTRUKTION APPROXIMATIVER INFERENZPROZESSE

Wie bereits in Abschnitt 1.1.1. vereinbart, ist eines der Ziele der vorliegenden Arbeit der erstmalige Entwurf und die Realisierung einer Erklärungskomponente für komplexe mehrsträngige Argumentationen zusammen mit einer Inferenzkomponente, durch die auch einer mehrsträngigen Argumentation zugrundeliegende approximative Inferenzprozesse erfaßt werden können. Die Formalisierung der Inferenzprozesse, deren Ergebnisse durch die Erklärungskomponente argumentativ abgesichert werden sollen, ist eine Voraussetzung für die Realisierung der Erklärungskomponente.

Wir führen daher in diesem Kapitel ein Inferenzsystem ein, das auf einem von mir entwickelten fuzzy-sortierten Evidenzenkalkül beruht, und zeigen, wie dieses Inferenzsystem mithilfe der KI-Programmiersprache FUZZY implementiert werden kann, bevor wir im nächsten Kapitel auf die Realisierung der Erklärungskomponente eingehen.

3.1. APPROXIMATIVE INFERENZEN IN EINEM FUZZY-SORTIERTEN EVIDENZENKALKÜL

Approximative Inferenzen rekonstruieren wir in einem fuzzy-sortierten Evidenzenkalkül (Abk.: FSE). Zunnächst definieren wir die Syntax von FSE, wobei wir bei Abweichungen neben der an die übliche Schreibweise der Prädikatenlogik angelehnten Notation auch die Schreibweise in der in Kapitel 3.2. als Repräsentationssprache benutzten, um typisierte Variablen erweiterten Programmiersprache FUZZY (vgl. LEFAIVRE 1977, WAHLSTER 1979) anführen.

3.1.1. DEFINITION DER SYNTAX DES FUZZY-SORTIERTEN EVIDENZENKALKÜLS

Besonderheiten der im folgenden definierten Syntax von FSE sind die *fuzzy Sortierung von Individuenkonstanten* und die als neue syntaktische Grundkategorie eingeführte Menge von *Ausdrücken*, die aus Paaren von klassischen prädikatenlogischen Formeln und Evidenzwerten bestehen. Außer diesen beiden Besonderheiten und dem Begriff der *Assertion*, den wir später bei der Realisierung des Inferenzsystems mithilfe von FUZZY benutzen, entspricht die im folgenden angegebene Syntax von FSE den üblichen Definitionen eines *mehrsortigen Prädikatenkalküls* (vgl. z.B. ENDERTON 1972).

Definition:

(1) S sei eine endliche Menge von *Sortenindizes*, die wir auch kurz als Sorten bezeichnen.

Beispiel: S = { MENSCH, STRASSE }

(2) VA sei eine nichtleere, abzählbar unendliche Menge von *Individuenvariablen*.

(a) Für jedes $s \in S$ enthält VA *Individuenvariablen der Sorte* s:

Kurzschreibweise: v_0^s, v_1^s, v_2^s ...

Schreibweise in FUZZY: _>s1, _>s2, _>s3 (wertaufnehmend),

!s1, !s2, !s3 (wertabgebend)

(b) Außerdem gibt es *universelle Individuenvariablen*, deren mögliche Werte Individuen aller Sorten sein können.

Kurzschreibweise: v_0, v_1, v_2 ...

Schreibweise in FUZZY: ?v0, ?v1, ?v2 (wertaufnehmend),

!v0, !v1, !v2 (wertabgebend)

Beispiele: (a) _>MENSCH1, _>STRASSE2, !STRASSE3

(b) ?MENSCH2, ?STRASSE1, !STRASSE3

(3) FS sei eine abzählbar unendliche Menge von *Funktionssymbolen*. Für jedes $n \in \mathbb{N}$, $n \geq 0$ gibt es eine Menge FS_n von n-stelligen Funktionssymbolen. FS_0 ist die Menge der *Individuenkonstanten*. Für jedes $s \in S$ gibt es eine Funktion $\delta_s: FS_0 \rightarrow [0,1] \subset \mathbb{R}$. $FS_0^s = \{ a \in FS_0 \mid \delta_s(a) > 0 \}$ ist die F-Menge[1] (vgl. ZADEH 1965, WAHLSTER 1977) der Individuenkonstanten der Sorte s. Für jedes $n > 0$ und jedes n+1-Tupel von Sorten $< s_1, s_2, ... s_n, s_{n+1} >$ enthält FS_n eine (möglicherweise leere) Menge von n-stelligen Funktionssymbolen, von denen wir dann sagen, sie haben die Sorte $< s_1, s_2, ... s_n, s_{n+1} >$.

Beispiele: VATER als einstelliges Funktionssymbol der Sorte < MENSCH , MENSCH>,

GOLF $\in FS_0$, $\delta_{MITTELKLASSEWAGEN}(GOLF) = 0.7$

(4) PS sei eine abzählbar unendliche Menge von *Prädikatensymbolen*. Für jedes $n \in \mathbb{N}$, $n \geq 0$ gibt es eine Menge PS_n von n-stelligen Prädikatensymbolen. Die Menge PS_0 sei {T, F}. Für jedes $n > 0$ und jedes n-Tupel von Sorten $< s_1, s_2, ... s_n >$ enthält PS_n eine (möglicherweise leere) Menge von n-stelligen Prädikatensymbolen, von denen wir dann sagen, sie haben die Sorte $< s_1, s_2, ..., s_n >$.

Beispiel: PASSIERBAR als einstelliges Prädikatensymbol der Sorte STRASSE.

(5) Als *logische Zeichen* verwenden wir eine Teilmenge der in der Prädikatenlogik üblichen Junktoren '¬','v','∧','⇒' und die Quantoren '∀' und '∃'.

[1] Alle mit 'F-' präfigierten Ausdrücke X stehen im folgenden für 'Fuzzy X'.

Definition:

Die Menge der *Terme* TE sei definiert als:

(1) $(FS_0 \cup VA) \subset T$; $\alpha \in FS_0 \cup VA$ der Sorte s ist ein Term der Sorte s.

(2) wenn $t_1, t_2 \ldots t_n \in TE$ von den Sorten $s_1, s_2, \ldots s_n$ und $f \in FS_n$ der Sorte $\langle s_1, s_2, \ldots s_n, s_{n+1} \rangle$, dann ist auch $f(t_1, t_2, \ldots, t_n) \in TE$ und zwar von der Sorte s_{n+1}.

(3) nur gemäß (1) und (2) gebildete Symbolfolgen sind Terme.

Schreibweise in FUZZY: statt $f(t_1, t_2, \ldots, t_n)$ schreiben wir $\epsilon(f t_1, t_2, \ldots, t_n)$

Beispiele: $\epsilon(\text{VATER !MENSCH1})$, $\epsilon(\text{VATER (VATER !MENSCH1)})$

Definition:

Die Menge der *atomaren Formeln* AF sei definiert durch:

wenn $t_1, t_2, \ldots, t_n \in TE$ von den Sorten $s_1, s_2, \ldots, s_n$ und $p \in PS_n$ von der Sorte $\langle s_1, s_2, \ldots, s_n \rangle$, dann ist $p(t_1, t_2, \ldots, t_n) \in AF$

Schreibweise in FUZZY: statt $p(t_1, t_2, \ldots, t_n)$ schreiben wir $\epsilon(p\, t_1, t_2, \ldots, t_n)$

Beispiele: $\epsilon(\text{PASSIERBAR !STRASSE1})$, $\epsilon(\text{MILLIONÄR } \epsilon(\text{VATER PETER}))$

Definition:

Die Menge der *Formeln* FO sei definiert als:

(1) $AF \subset FO$

(2) wenn $A \in FO$ und $x \in VA$, dann sind auch $\forall x\ A$ und $\exists x\ A$ Formeln.

(3) wenn $A, B \in FO$, dann sind auch $\neg A$, $A \vee B$, $A \wedge B$, $A \Rightarrow B$ Formeln.

(4) nur durch endlich viele Anwendungen von (1)-(3) gebildete Symbolketten sind Formeln.

Zur späteren Definition von 'Substitution' brauchen wir noch den Begriff der freien Variablen.

Definition:

Sei FR: $TE \cup FO \to P(VA)$, $g \in FS_n$, $p \in PS_n$

(1) $FR(x) = \{ x \}$ für alle $x \in VA$

(2) $FR(g(t_1, t_2, \ldots, t_n)) = \bigcup_{j=1}^{n} FR(t_j)$

(3) $FR(p(t_1, t_2, \ldots, t_n)) = \bigcup_{j=1}^{n} TR(t_j)$

(4) $FR(\neg A) = FR(A)$

(5) $FR(A \vee B) = FR(A) \cup FR(B)$

(6) $FR(A \wedge B) = FR(A) \cup FR(B)$

(7) $FR(A \Rightarrow B) = FR(A) \cup FR(B)$

(8) $FR(\forall x\, A) = FR(A) \setminus \{x\}$

(9) $FR(\exists x\, A) = FR(A) \setminus \{x\}$

$y \in FR(A)$ nennen wir *freie Variable* in A.

Definition:

Wenn $A \in AF$, dann nennen wir A und $\neg A$ *Literale*.

Definition:

Wenn $p \in PS_n$, $n > 0$ von der Sorte $< s_1, s_2, \ldots, s_n >$ und $a_1, a_2, \ldots, a_n \in FS_0$ von den Sorten $s_1, s_2, \ldots, s_n$, dann sind $p(a_1, a_2, \ldots, a_n)$ und $\neg\, p(a_1, a_2, \ldots, a_n)$ *Assertionen*.

Kurzschreibweise: $\in (TISCH1, ESSTISCH)$, $\neg\, BRAUN(TISCH1)$
Schreibweise in FUZZY: (ISA TISCH1 ESSTISCH), (NOT (REF TISCH1 BRAUN))

Definition:

Sei $EV \subset IR$. Die Menge AU der *Ausdrücke* sei definiert durch:

$AU = FO \times EV$, d.h. ist $A \in FO$ und $ev \in EV$, so ist $A = (A, ev) \in AU$.

Die Funktion VAL: $AU \to FO$ liefert zu einem Ausdruck A mit $VAL(A) = A$ die in A enthaltende Formel A. Die Funktion EV: $AU \to EV$ liefert zu einem Ausdruck A mit $EV(A) = ev$ den *Evidenzwert* ev von A. Wenn nicht explizit anders vereinbart, sei im folgenden $EV = [0,1] \subset IR$. Wenn negative Evidenzen modelliert werden sollen, kann auch $EV = [-1,1] \subset IR$ gewählt werden.

Beispiel: $(\neg\, BILLIG(MERCEDES123), 0.3)$
Schreibweise in FUZZY: $((NOT\ (REF\ MERCEDES123\ BILLIG)).\ 0.3)$

3.1.2. ABLEITUNGEN IN DEM FUZZY-SORTIERTEN EVIDENZENKALKÜL

Meist wird in der Logik zwischen *logischen* und *nichtlogischen* (auch theorie-spezifischen) *Axiomen* unterschieden. Beispielsweise wird $\{A \vee \neg A \mid A \in FO\}$ oft als Teilmenge der Menge der logischen Axiome eines zweiwertigen Kalküls gewählt und (ISA TISCH1 TISCH) kann als nichtlogisches Axiom einer Theorie erster Stufe fungieren. Wie bei Ableitungen mithilfe der Resolventenregel (vgl. z.B. CHANG/ LEE 1973, BERGMANN/NOLL 1977, LOVELAND 1978) betrachten wir im folgenden aus-schließlich nichtlogische Axiome. Die Menge der nichtlogischen Axiome AX besteht im folgenden aus einer Menge von Ausdrücken $FW = \{A \mid A \in AU \wedge VAL(A)\ \text{ist Assertion}\}$, dem sog. *Faktenwissen* eines Systems und einer Menge IR von *Inferenzregeln*, d.h. AX = FW ∪ IR. Inferenzregeln (vgl. auch 3.2.1. und 3.2.2.) sind Ausdrücke der Form $((A_1 \Rightarrow A_2), ev)$ mit $A_1 \in FO$ und $A_2 \in AF$.

Die Menge der Inferenzregeln IR darf nicht verwechselt werden mit der Menge der *Ableitungsregeln* R. Mithilfe von R kann man aus FW und IR neue Ausdrücke ableiten.

In FSE ist $R = \{ R_1, R_2, R_3 \}$. R_1 nennen wir *Fuzzy Abtrennungsregel* (auch Fuzzy Modus (ponendo) ponens), R_2 nennen wir *Fuzzy Substitutionsregel* und R_3 nennen wir *Evidenzverstärkungsregel*. Zunächst definieren wir R_1 und R_2.

R_1

R_2

R_3

Definition:

R_1: AU × AU × AU → { 1, 0 }

Seien A, B, $C \in FO$ und ev_1, $ev_2 \in EV$.

$R_1(M,N,O) = 1 :\Leftrightarrow M = (A, ev_1) \wedge N = ((A \Rightarrow B), ev_2) \wedge O = (B, ev_1 \cdot ev_2)$

R_1

Definition:

Eine *Substitution* φ ist eine endliche Menge der Form $\{ t_1/v_1^{s_1}, t_2/v_2^{s_2}, \ldots, t_n/v_n^{s_n} \}$ mit $t_1, t_2, \ldots, t_n \in TE$ der Sorten $s_1, s_2, \ldots, s_n$ und $v_1^{s_1}, v_2^{s_2}, \ldots, v_n^{s_n} \in VA$, wobei $v_1^{s_1}, v_2^{s_2}, \ldots, v_n^{s_n}$ paarweise verschieden sind.

Definition:

Sei $A \in FO$, φ eine Substitution $\{ t_1/v_1^{s_1}, t_2/v_2^{s_2}, \ldots, t_n/v_n^{s_n} \}$ und für alle i, $1 \leq i \leq n$ gelte $v_i^{s_i} \in FR(A)$ [1], dann ist φA die Formel, die durch die simultane Ersetzung jedes Vorkommens von $v_i^{s_i}$ in A durch t_i entsteht. Die Anwendung von φ auf A nennen wir *Instantiierung*, die daraus resultierende Formel nennen wir *instantiierte Formel*.

Definition:

R_2: AU × AU → { 1, 0 }

Sei φ eine Substitution $\{ t_1/v_1^{s_1}, t_2/v_2^{s_2}, \ldots, t_n/v_n^{s_n} \}$, $A \in FO$ und $ev \in EV$.

$R_2(M,N) = 1 :\Leftrightarrow M = (A, ev) \wedge N = (\varphi A, ev \cdot MIN(\Upsilon_{s_1}(t_1), \Upsilon_{s_2}(t_2), \ldots, \Upsilon_{s_n}(t_n)))$

R_2

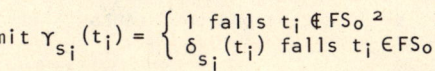

$$\text{mit } \Upsilon_{s_i}(t_i) = \begin{cases} 1 \text{ falls } t_i \notin FS_0 \text{ [2]} \\ \delta_{s_i}(t_i) \text{ falls } t_i \in FS_0 \end{cases}$$

[1] Durch gebundene Umbenennung (vgl. BERGMANN/NOLL 1977, 9.2.1., 9.2.3.) kann man gebundene Variablen von den freien Variablen der einzusetzenden Terme verschieden machen.

[2] Eine Gradierung bei der Substitution von Termen, die keine Individuenvariablen sind, führt zum Konzept des Analogie-Matchings (vgl. MUNYER 1979), das in der vorliegenden Arbeit nicht behandelt werden soll.

Definition:

Für A, B, C ∈ AU mit A = (A,ev₁), B = (B,ev₂), C = (C,ev₃) ist entscheidbar, ob $R_1(A,B,C) = 1$ gilt. Falls $R_1(A,B,C) = 1$ gilt, nennen wir C eine aus A, B *direkt ableitbare Formel*. Außerdem ist entscheidbar, ob $R_2(A,B) = 1$ gilt. Falls $R_2(A,B) = 1$ gilt, nennen wir B eine aus A *direkt ableitbare Formel*.

Definition:

AX sei die Menge der Axiome. B ∈ FO ist eine unter der Voraussetzung V = { V₁, V₂,..., Vₙ } ⊂ AU *ableitbare Formel* :⇔ es gibt eine endliche Folge B₁, B₂,..., Bₙ , n ≥ 1, mit $B_i ∈ FO$ für $1 ≤ i ≤ n$ und $B_n = B$ und für jedes k, $1 ≤ k ≤ n$ ist entweder $B_k = VAL(B)$ mit B ∈ S = AX UV oder B_k ist direkt ableitbar aus $\{B_i,...,B_j\}$ wobei i,j < k. Die endliche Folge B₁, B₂,..., Bₙ nennen wir *Ableitung* von B und schreiben auch S ⊢ B mit S = {VAL(x) | x ∈ S}. Wir sagen dann: B ist aus S ableitbar.

Definition:

Die Menge der Ableitungen von B ∈ FO aus S = AX UV sei AB(S,B) = { D | D ist eine Ableitung von B aus Formeln von S }.

3.1.3. DER BEGRIFF DER MEHRFACHABLEITUNG UND DIE EVIDENZVERSTÄRKUNGSREGEL

Während man in der Prädikatenlogik meist nur an genau einer Ableitung für eine Formel interessiert ist, müssen bei der formalen Rekonstruktion approximativer Inferenzen nichtleere Teilmengen $AB_T(S,B) ⊂ AB(S,B)$ betrachtet werden.

Definition:

Alle Teilmengen $AB_T(S,B) ⊂ AB(S,B)$ nennen wir *Mehrfachableitungen* von B.

Im folgenden sollen die Axiome AX, die Voraussetzungen V (syn. Prämissen) und die Ableitungen stets folgenden Bedingungen genügen:

(1) Die Menge der Axiome und Prämissen sei endlich. Bei einer Anwendung von FSE auf Systeme mit einer extensionalen Datenbasis ist diese Voraussetzung immer erfüllt.

(2) Die Axiome und Prämissen seien voneinander *unabhängig*, d.h. kein Axiom und keine Prämisse kann aus anderen Axiomen oder Prämissen abgeleitet werden. Wenn zwei Fakten in der Wissensbasis des Systems als unabhängige nichtlogische Axiome gespeichert sind, kann theoretisch natürlich nie aus-

geschlossen werden, daß später z.B. eine Kausalrelation zwischen den beiden Fakten aufgedeckt wird, so daß die Axiome nicht mehr unabhängig sind.

(3) Alle im folgenden betrachteten Ableitungsprozeduren seien so konstruiert, daß die *Zyklenfreiheit* der Ableitungen garantiert ist. Zyklische Ableitungen führen dazu, daß Mehrfachableitungen $AB_T(S,B)$ unendliche Mengen sein können.

(4) Analog zur unwesentlichen Verschiedenheit von Ableitungen in kontext-freien Grammatiken führen wir den Begriff der *unwesentlichen Verschiedenheit* von Ableitungen in FSE ein. Wir betrachten alle Ableitungen einer bestimmten Formel als unwesentlich verschieden, die sich nur durch die Reihenfolge der Anwendung der Ableitungsregeln auf die Axiome und Prämissen unterscheiden. Alle unwesentlich verschiedenen Ableitungen einer Formel benutzen die gleichen Axiome und Prämissen. Der Zielgraph, der im Gegensatz zum Zielbaum (vgl. Abschnitt 3.2.2.5. und WINSTON 1977) die Reihenfolge der Regelanwendung nicht wiedergibt, ist für unwesentlich verschiedene Ableitungen gleich.

Definition:

$AB_u(S,B)$ sei eine maximale Menge von Ableitungen von B aus S, die keine unwesentlich verschiedenen Ableitungen enthält. Wir nennen $AB_u(S,B)$ auch *vollständige Mehrfachableitung*.

Durch die Voraussetzungen (1)-(4) und die Tatsache, daß die Menge R der Ableitungsregeln von FSE endlich ist, wird offensichtlich gesichert, daß jede Mehrfachableitung $AB_{Tu}(S,B) \subset AB_u(S,B)$ *endlich* ist.

Im allgemeinen Fall, in dem negative Evidenzen zugelassen sind, müssen bei der Rekonstruktion von approximativen Inferenzen vollständige Mehrfachableitungen betrachtet werden. Daher ist die Endlichkeit der Mehrfachableitungen von Bedeutung.

Ausgehend von dem Begriff der Mehrfachableitung können wir jetzt die Evidenzverstärkungsregel R_3 definieren.

Definition:

R_3: $AU^n \times AU \rightarrow \{1, 0\}$ wobei AU^n das n-fache kartesische Produkt von AU ist. Seien $D_1, D_2, \ldots, D_n \in AB_u(S,A)$ n verschiedene Ableitungen von $A \in FO$, die n Ausdrücke $M_1 = (A, ev_1)$, $M_2 = (A, ev_2), \ldots, M_n = (A, ev_n)$ enthalten.

Der Evidenzverstärker: $EV^n \rightarrow EV$ sei eine Funktion, die erst in Abschnitt 3.2.1.3. exakt spezifiziert wird.

R_3: $(M_1, M_2, \ldots, M_n, N) = 1 :\Leftrightarrow M_1 = (A, ev_1) \wedge M_2 = (A, ev_2) \wedge \ldots \wedge M_n = (A, ev_n) \wedge$
$$N = (A, \text{Evidenzverstärker}(ev_1, ev_2, \ldots, ev_n))$$

Für den Begriff der direkten Ableitbarkeit von Formeln, der oben gemäß den entsprechenden Definitionen der Prädikatenlogik eingeführt wurde, ist R_3 irrelevant, da durch R_3 lediglich Evidenzwerte nicht aber die in den beteiligten Ausdrücken enthaltenen Formeln verändert werden.

Definition:

Seien $A_1, A_2, \ldots, A_n \in AU$. Falls $R_1(A_1, A_2, A_3) = 1$ gilt, nennen wir A_3 einen aus A_1, A_2 *direkt ableitbaren Ausdruck*. Wenn $R_2(A_1, A_2) = 1$ gilt, nennen wir A_2 einen aus A_1 *direkt ableitbaren Ausdruck*. Wenn $R_3(A_1, A_2, \ldots, A_{n-1}, A_n) = 1$ gilt, nennen wir A_n einen aus $A_1, A_2 \ldots, A_{n-1}$ *direkt ableitbaren Ausdruck*.

Genau analog zur Definition des Begriffs der Ableitung für Formeln können über den Begriff der direkten Ableitbarkeit von Ausdrücken auch Ableitungen für Ausdrücke definiert werden. Wir schreiben analog zu $S \vdash B$ mit $B \in FO$ und $S \subset FO$ auch $S \vdash B$ mit $B \in AU$ und $S \subset AU$.

Definition:

Sei Th: $P(AU) \rightarrow P(AU)$, Th$(X) = \{ A \in AU \lceil X \vdash A \}$ nennen wir die Menge aller aus X ableitbaren Ausdrücke.

Ein ausführliches Beispiel für eine Ableitung von Ausdrücken gemäß den angeführten Definitionen enthält der Beweis in Abschnitt 3.2.2.7.

Mit dem in diesem Abschnitt eingeführten Ableitungsbegriff haben wir eine Formalisierung des Begriffs 'approximative Inferenz' vorgelegt, bei dessen bisheriger Verwendung wir von einem intuitiven Vorverständnis des Lesers ausgehen mußten. Als *approximative Inferenzprozesse* oder kurz *approximative Inferenzen* bezeichnen wir Prozesse, in denen aus dem Faktenwissen und den Inferenzregeln mithilfe der definierten Ableitungsregeln Ausdrücke abgeleitet werden, die nicht im Faktenwissen enthalten sind.

Es ist klar, daß die Voraussetzung der Unabhängigkeit bei der Evidenzverstärkung eine gravierende formale Einschränkung des vorgelegten prädikatenlogischen Evidenzenkalküls ist, da die Eigenschaft der Unabhängigkeit für die Prädikatenlogik bekanntlich unentscheidbar ist. Bei der angestrebten formalen Rekonstruktion approximativer Inferenzprozesse, wie sie dem alltäglichen menschlichen Schließen zugrundeliegen, ist diese Forderung aber unumgänglich und keineswegs unrealistisch. Denn bei der Auswertung mehrerer Evidenzquellen geht man zunächst aufgrund seines Wissensstandes von deren Unabhängigkeit aus, obwohl dann wenig später durch neue Beobachtungen, Erfahrungen oder wissenschaftliche Resultate neue Kausalrelationen zwischen vermeintlich unabhängigen Evidenzquellen entdeckt werden können. Nicht nur aus formalen Gründen, sondern auch aus diesen erkenntnistheoretischen Gründen ist es daher unmöglich, daß dem Konstrukteur der Wissensbasis eines KI-Systems die Verantwortung für die Unabhängigkeit der Prämissen und Inferenzregeln von einer Komponente des KI-Systems abgenommen wird (vgl. auch 3.2.2.5.). Wie jeder menschliche Partner so kann natürlich auch ein wissensbasiertes KI-System aufgrund von Evidenzverstärkung zu Schlußfolgerungen kommen, die sich nachträglich wegen neu erkannter Abhängigkeiten als falsch erweisen.

Die *Semantik* von Ausdrücken wie A = (A,ev) in FSE setzt sich aus zwei Komponenten zusammen: der Semantik der Formel A und der Semantik des Evidenzwertes ev. Als Semantik der prädikatenlogischen Formeln, die in Ableitungen von Ausdrücken innerhalb FSE auftreten, wird hier die bewährte *zweiwertige Semantik der Prädikatenlogik* (vgl. z.B. ENDERTON 1972) zugrundegelegt. Damit ist klar, daß zwei Ausdrücke wie $A_1 = (A,0)$ und $A_2 = (\neg A,1)$ keinesfalls als äquivalent angesehen werden können, d.h. es gilt weder $A_1 \vdash A_2$ noch $A_2 \vdash A_1$. Allen in der Wissensbasis eines KI-Systems abgespeicherten Assertionen wird im folgenden stets der Wahrheitswert T zugeordnet.

Der Begriff 'Evidenzwert' (vgl. SHAFER 1976) wurde zunächst als möglichst neutraler Terminus gewählt, der semantisch je nach dem zugrundeliegenden epistemologischen Status (vgl. SCHEFE 1979) eines Ausdrucks A von FSE u.a. als 'measure of belief' (vgl. SHORTLIFFE 1976), Zustimmungswahrscheinlichkeit (vgl. SCHEFE 1980) oder Possibilität (vgl. ZADEH 1978) unterschiedlich interpretiert werden kann. Wichtig ist nur die einheitliche Interpretation innerhalb einer Wissensquelle eines KI-Systems und bei einer Mehrfachableitung (vgl. WAHLSTER 1980).

Im nächsten Kapitel werden wir auf die Verwendung der in diesem Kapitel lediglich formal eingeführten Konzepte der 'Mehrfachableitung', der 'Fuzzy Sortierung' und der 'Evidenzverstärkung' bei der Rekonstruktion approximativer Inferenzen eingehen und zeigen, wie sich ein Inferenzsystem auf der Grundlage von FSE in einem KI-System realisieren läßt.

3.2. ALGORITHMISCHE VERFAHREN ZUR FORMALEN REKONSTRUKTION VON APPROXIMATIVEN INFERENZPROZESSEN

3.2.1. MEHRFACHABLEITUNGEN IN F-IMPLIKATIONSNETZEN

In Abschnitt 3.1.3. wurde der Begriff der Mehrfachableitung in einem fuzzy-sortierten Evidenzenkalkül eingeführt. In den folgenden Abschnitten wird untersucht, wie die Verstärkung voneinander unabhängiger Evidenzen, die sich bei Mehrfachableitungen ergeben kann, in einem formalen Modell erfaßt werden kann. Um die Probleme der Evidenzverstärkung möglichst isoliert betrachten zu können, beschränken wir uns zunächst auf ein möglichst einfaches Inferenzsystem, das zwar nicht so mächtig wie die FSE ist, aber in dem sich dennoch der Begriff der Mehrfachableitung anwenden läßt[1]. Dabei wählen wir als Ausgangspunkt unserer Untersuchungen die im folgenden definierten F-Implikationsnetze, welche einen auf der Aussagenlogik basierenden Evidenzenkalkül darstellen.

3.2.1.1. Zur Definition von F-Implikationsnetzen

A_i und A_k seien atomare Formeln, die wie in einer Aussagenlogik keine Individuen-variablen enthalten sollen. Mit dem speziellen Junktor ' $\overset{\alpha}{\Longrightarrow}$ ' bilden wir Inferenz-regeln als zusammengesetzte Aussagen der Form $(A_i \overset{\alpha_{ik}}{\Longrightarrow} A_k)$. Solche Formeln, die Implikationsrelationen der *Implikationsstärke* α_{ik} darstellen, werden in F-Impli-kationsnetzen als Folge Knoten-Kante-Knoten dargestellt, wobei die Knoten atomare Formeln repräsentieren und die Kanten durch Implikationsstärken α_{ik} bewertet sind. Bei der Definition des Begriffs 'F-Implikationsnetz' greifen wir auf bekannte Konzepte der Graphentheorie zurück.

Definition:

Sei F eine endliche Menge von variablenfreien atomaren Formeln, welche die Knoten des F-Implikationsnetzes bilden. Sei $EV: F \rightarrow [-1,1]$ [2] $\subset$ IR eine partielle Funktion. $EV(A_i)$ interpretieren wir als *Evidenz* von $A_i \in F$. $P \subset F$ sei die Menge der Prä-missenknoten. $E^+ \subset F$ sei die Menge der Knoten mit positiver Evidenz. Für jedes $A_i \in P \cup E^+$ soll es genau ein $EV(A_i) = y \in [0,1] \subset$ IR geben. $E^- \subset F$ sei die Menge der Knoten mit negativer Evidenz. Für jedes $A_i \in E^-$ soll es genau ein $EV(A_i) = y \in [-1,0] \subset$ IR geben. Es gelte $E^+ \cap E^- = \emptyset$. Außerdem gibt es Knoten ohne Evidenzwert, d.h. $P \cup E^+ \cup E^- \neq F$.

[1] In Abschnitt 3.2.2. werden dann die Ergebnisse dieser Untersuchungen auf ein allgemeineres Inferenzsystem übertragen, das dem FSE entspricht.
[2] An späterer Stelle lassen wir auch $y \in [-1,0] \cup IR^+$ zu.

IMPLICATION POWER

Wir betrachten endliche Relationen K mit:

$$K \subset (F \times \{\xrightarrow{\alpha_i} | \alpha_i \in [0,1] \subset IR\} \times F\backslash P)\backslash\{(A, \xrightarrow{\alpha_j}, A) | A \in F \wedge \alpha_j \in [0,1] \subset IR\}$$

Durch K werden endliche, schlingenfreie, bewertete und gerichtete Graphen beschrieben.

Ein 6-Tupel FIN = (F, P, E^+, E^-, K, Ev) nennen wir *F-Implikationsnetz* (Abk.: FIN) wenn gilt: Sei p ein Pfad von A_1 nach A_n, d.h. eine endliche Folge

$(A_1, \xrightarrow{\alpha_{12}}, A_2), (A_2, \xrightarrow{\alpha_{23}}, A_3), \ldots, (A_{n-1}, \xrightarrow{\alpha_{n-1n}}, A_n)$ wobei alle $(A_i, \xrightarrow{\alpha_{i\,i+1}}, A_{i\,i+1}) \in K$ verschieden sind, dann darf es keinen Pfad $p' \neq p$ von A_1 nach A_n geben, falls p' kein $y \in K$ mit p gemeinsam hat. Damit sind zwar gerichtete Zyklen (d.h. Kreise) nicht aber Mehrfachkanten und ungerichtete Zyklen zugelassen.

Fig. 61 (a)-(c) enthält Beispiele für Graphen, die nicht Teilgraphen eines FIN sein können ((a) Schlinge, (b) Mehrfachkante, (c) ungerichteter Zyklus). Inferenzprozesse über einem FIN dienen zur Berechnung von Evidenzwerten für Knoten $A_i \in P \cup E^+ \cup E^-$ und

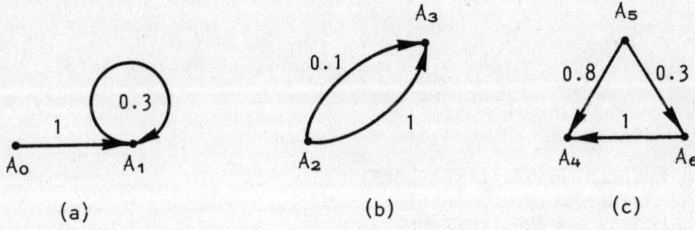

(a)   (b)   (c)

Fig. 61: Beispiele für Graphen, die nicht Teil eines FIN sein können

werden analog zum Fuzzy Modus ponens durchgeführt: Falls $A_1 \in P \cup E^+$ mit $Ev(A_1)=y$ und $(A_1 \xrightarrow{\alpha_{12}} A_2) \in K$ mit $A_2 \notin P \cup E^+ \cup E^-$ gilt, so wird $Ev(A_2)= y \cdot \alpha_{12}$ abgeleitet (vgl. S. 94). Wenn wir solche Inferenzprozesse über den Graphen in Fig. 61 durchführen und dabei annehmen, daß $A_0, A_2, A_5 \in P$ und $A_1, A_3, A_4, A_6 \in F\backslash(P \cup E^+ \cup E^-)$, dann ergeben sich für die einzelnen Knoten der betrachteten Graphen keine eindeutigen Evidenzwerte.

So ergibt sich für A_4, wenn wir in Fig. 61 (c) von $Ev(A_5) = 1$ ausgehen und den multiplikativen Abtrennungsoperator anwenden entweder $Ev(A_4) = 0.8$ oder $Ev(A_4) = 0.3$ je nachdem, welche Kante wir z.B. bei einer Rückwärtsverkettung (vgl. WINSTON 1977) von A_4 aus durchlaufen. Ziel der oben eingeführten Einschränkungen ist es, solche Inkonsistenzen auszuschließen.

Bei der sich anschließenden Betrachtung unterschiedlicher Modelle der Evidenzverstärkung legen wir als einfaches Beispiel das in Fig. 62 dargestellte

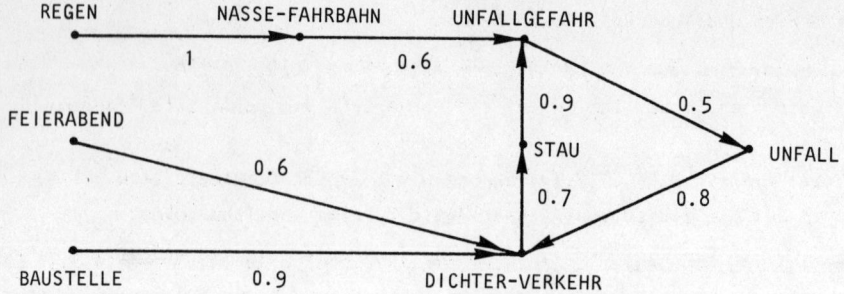

Fig. 62: Beispiel eines F-Implikationsnetzes

F-Implikationsnetz zugrunde. Kantenbezeichnungen wie 'FEIERABEND' und 'STAU'
sind als Abkürzungen für Propositionen wie *Es ist Feierabend* bzw. *Es gibt einen
Stau* zu deuten. Die Menge der Prämissenknoten in Fig. 62 sei P = { REGEN, FEIER-
ABEND, BAUSTELLE } mit Ev(REGEN) = 0.6, Ev(FEIERABEND) = 0.4 und Ev(BAUSTELLE) =
0.3. Außerdem nehmen wir an, daß anfangs $E^+ \cup E^- = \emptyset$ gilt.

Da wir Inferenzen über F-Implikationsnetzen mithilfe der KI-Programmiersprache FUZZY realisieren wollen, geben wir in Fig. 63 das in Fig. 62 dargestellte FIN in linearisierter Form als eine Menge von Einträgen in die assoziative Datenbasis von FUZZY (vgl. LEFAIVRE 1977) wieder.

```
((REGEN ⇒ NASSE-FAHRBAHN) . 1)
((BAUSTELLE ⇒ DICHTER-VERKEHR) . 0.9)
((STAU ⇒ UNFALLGEFAHR) . 0.9)
((UNFALL ⇒ DICHTER-VERKEHR) . 0.8)
((DICHTER-VERKEHR ⇒ STAU) . 0.7)
((NASSE-FAHRBAHN ⇒ UNFALLGEFAHR) . 0.6)
((FEIERABEND ⇒ DICHTER-VERKEHR). 0.6)
((PRAEMISSE REGEN) . 0.6)
((UNFALLGEFAHR ⇒ UNFALL) . 0.5)
((PRAEMISSE FEIERABEND) . 0.4)
((PRAEMISSE BAUSTELLE). 0.3)
```

Fig. 63: Ein FIN in einer assoziativen Datenbasis

Wegen der großen praktischen Bedeutung relationaler Datenbanken sei an dieser
Stelle darauf hingewiesen, daß F-Implikationsnetze wegen ihrer einfachen Struktur
auch eine Möglichkeit darstellen, einfaches Kausalwissen in relationale Daten-
modelle einzubetten, ohne dabei auf die komplexen Wissensrepräsentationssprachen
der KI zurückgreifen zu müssen. Das in Fig. 62 definierte FIN kann trivialerweise mithilfe der in Fig. 64 angedeuteten Relationen INETZ und PRÄMISSE dar-

IMPLICATION POWER

INETZ	Knoten1	Knoten2	Implikationsstärke
	Regen	Nasse-Fahrbahn	1
	Baustelle	Dichter-Verkehr	0.9
	⋮	⋮	⋮

PRÄMISSE	Knoten	Evidenz
	Regen	0.6
	Feierabend	0.4
	⋮	⋮

Fig. 64: Darstellung eines FIN in einem relationalen Datenmodell

gestellt werden, wobei die Spalten 'Knoten1' und 'Knoten2' bzw. 'Knoten' als
Schlüssel dienen.

Wenn ein F-Implikationsnetz in der Wissensbasis eines Experten- oder Beratungssystems zur Repräsentation kausalen Wissens benutzt wird (z.B. in
dem medizinischen Expertensystem CASNET, vgl. WEISS 1974), so kann während
des Beratungsdialoges der Systembenutzer das FIN dadurch ergänzen, daß er
einen Knoten ohne Evidenzwert mit einem von ihm ermittelten Evidenzwert belegt.

3.2.1.2. Algorithmen zur Suche nach Mehrfachableitungen in F-Implikationsnetzen

Im folgenden werden zwei verschiedene Algorithmen zur Traversierung von F-Impli-
kationsnetzen spezifiziert, durch die vollständige Mehrfachableitungen für beliebige Knoten eines FIN gefunden werden.

Wir lassen zunächst noch offen, welche Verknüpfungsoperationen auf die Evidenzwerte, die sich durch die einzelnen zu Mehrfachableitungen gehörenden Ableitungen ergeben, zur Evidenzverstärkung angewendet werden (vgl. 3.2.1.3.).
Wir setzen allerdings voraus, daß die Evidenzverstärkung eine assoziative und
kommutative Verknüpfung auf IR ist, um die Komplexität der Traversierungsalgorithmen möglichst gering halten zu können.

Die Kontrollstruktur des ersten Algorithmus $FINA_1$ ist so angelegt, daß nacheinander alle Ableitungspfade gefunden werden und daß die sich dabei ergebenden
Evidenzwerte im Sinne einer Evidenzverstärkung verknüpft werden. Bevor wir
$FINA_1$ in Form von FUZZY-Prozeduren spezifizieren, präzisieren wir noch, was

in F-Implikationsnetzen unter 'Ableitungspfad' und 'Mehrfachableitung' verstanden werden soll.

Definition:

Ein *Ableitungspfad* für eine atomare Formel $A_n \in F \backslash (P \cup E^+ \cup E^-)$ in einem F-Implikationsnetz $FIN = (F, P, E^+, E^-, K, Ev)$ ist eine endliche Folge:

$p = (A_1, \xrightarrow{\alpha_{12}}, A_2), (A_2, \xrightarrow{\alpha_{23}}, A_3), \ldots, (A_{n-1}, \xrightarrow{\alpha_{n-1n}}, A_n)$ mit $A_1 \in P \cup E^+$ und $A_2, A_3, \ldots$
$A_{n-1} \in F \backslash E^-$, in der alle Kanten $y \in K$ und alle Knoten $A_i \in F$ verschieden sind.

Beispiel: Das FIN in Fig. 62 enthält für den Knoten 'UNFALLGEFAHR' den Ableitungspfad $p_1 = $ (REGEN, $\xrightarrow{1}$, NASSE-FAHRBAHN), (NASSE-FAHRBAHN, $\xrightarrow{.6}$, UNFALL-GEFAHR)

Ein Ableitungspfad durchläuft keine Knoten mit negativer Evidenz und keine Kreise. Er entsteht durch sukzessive Anwendung der auf S. 91 beschriebenen Form der Ableitungsregel Modus ponens. Da die atomaren Formeln eines FIN variablenfrei sind, kommt eine Ableitung mithilfe der Substitutionsregel für ein FIN im Gegensatz zum FSE nicht in Frage.

Definition:

$Ev^P(A_n)$ sei die Evidenz für A_n, die sich durch den Ableitungspfad p mit

$p = (A_1, \xrightarrow{\alpha_{12}}, A_2), (A_2, \xrightarrow{\alpha_{23}}, A_n), \ldots, (A_{n-1}, \xrightarrow{\alpha_{n-1n}}, A_n)$ ergibt. Bei Verwendung des multiplikativen Abtrennungsoperators gilt:

$$Ev^P(A_n) = Ev(A_1) \cdot \prod_{i=1}^{n-1} \alpha_{i\,i+1}$$

Beispiel: Für den im vorangegangenen Beispiel benutzten Ableitungspfad p_1 ergibt sich $Ev^{P_1} = $ (UNFALLGEFAHR) $= Ev$ (REGEN) $\cdot 1 \cdot 0.6 = 0.36$

Unter Verwendung der später noch zu definierenden Funktion 'Evidenzverstärker' kann dann auch die Evidenz für einen Knoten $A_n \in F \backslash (E^+ \cup E^- \cup P)$ definiert werden, die sich aus einer Mehrfachableitung ergibt.

Definition:

Sei $AB_u(P \cup E^+ \cup K, A_n) = \{ p \mid p \text{ ist Ableitungspfad für } A_n \} = \{p_1, p_2, \ldots, p_m\}$ eine vollständige Mehrfachableitung von A_n. Wir sagen dann: A_n ist *m-fach ableitbar* und legen fest: $Ev(A_n) = $ Evidenzverstärker $(Ev^{P_1}(A_n), Ev^{P_2}(A_n), \ldots, Ev^{P_m}(A_n))$

Beispiel: Für das in Fig. 62 dargestellte FIN gilt: $AB_U(UNFALLGEFAHR) =$
$\{p_1, p_2, p_3\}$. Die Mehrfachableitung besteht also neben dem
oben bereits angeführten p_1 noch aus den Ableitungspfaden $p_2 =$
(FEIERABEND, $\xrightarrow{.6}$, DICHTER-VERKEHR), (DICHTER-VERKEHR, $\xrightarrow{.7}$, STAU),
(STAU, $\xrightarrow{.9}$, UNFALLGEFAHR) und $p_3 =$ (BAUSTELLE, $\xrightarrow{.9}$, DICHTER-VERKEHR),
(DICHTER-VERKEHR, $\xrightarrow{.7}$, STAU), (STAU, $\xrightarrow{.9}$, UNFALLGEFAHR).

Der Kern des Traversierungsalgorithmus $FINA_1$ besteht aus der in Fig. 65 angegebenen DEDUCE-Prozedur, durch die für jeden beliebigen Knoten A_n der Evidenzwert $Ev(A_n)$ berechnet wird. Angestoßen wird die Evaluation der DEDUCE-
Prozedur durch GOAL-Anweisungen wie (GOAL (EV UNFALLGEFAHR)), deren Argument
das in Zeile (b) spezifizierte charakteristische Pattern (EV ?KNOTEN) erfolgreich matcht. In (e) wird durch den Repetitionsoperator FOR die vollständige
Mehrfachableitung für den betreffenden Knoten aufgebaut. Mithilfe der in Fig.
66 dargestellten Prozedur wird in Zeile (e) für einen bestimmten Knoten A_n
der Evidenzwert $Ev^{Pi}(A_n)$ für jeden Ableitungspfad p_i von A_n berechnet.

```
(a)    (ADD DEDUCE:
(b)    (PROC DEMON: <EVIDENZVERSTAERKER> ACCUM: 0 (EV ?KNOTEN)
(c)        (PROG (SCHON-BESUCHT)
(d)            (ADDLIST SCHON-BESUCHT !KNOTEN)
(e)            (FOR TRY: (ABLEITUNGSPFAD) !KNOTEN (NEXT NIL)))))
```

Fig. 65: DEDUCE-Prozedur zum Aufbau von Mehrfachableitungen

Durch den in Zeile (b) angegebenen Prozedur-Dämon <EVIDENZVERSTAERKER>,
der die Auswertung der DEDUCE-Prozedur überwacht, wird dann $Ev^{Pi}(A_n)$ mit
$Ev^{Pi-1}(A_n)$ verknüpft.

Wenn wir den Bildbereich von Ev als $[0,1] \subset IR$ definieren und keine negativen
Implikationsstärken zulassen, können wir die Prozedur in Fig. 65 optimieren,
indem wir die Suche nach Ableitungspfaden abbrechen, sobald der Evidenzwert
für A_n bereits das Maximum erreicht hat. Zu diesem Zweck muß (NEXT NIL) in
Zeile (e) durch (COND ((EQ ZACCUM 1) (EXIT)) (T (NEXT NIL))) ersetzt werden,
wobei in der für FUZZY globalen Variablen ZACCUM der bisher akkumulierte Evidenzwert gespeichert ist.

Die Variable SCHON-BESUCHT wird dazu benutzt, die Menge der während einer
Mehrfachableitung durchlaufenen Knoten zu speichern. Zeile (d) bewirkt, daß
der Wert von SCHON-BESUCHT durch SCHON-BESUCHT U {!KNOTEN} ersetzt wird.

Durch die in Zeile (f)-(j) in Fig. 66 angegebenen Zugriffe auf die assoziative Datenbasis wird zu einem bestimmten Knoten A_n (?KNOTEN) mit $A_n \notin E^+ U E^- U P$
(vgl. (b)-(c) in Fig. 66) ein Knoten A_{n-1} (?KNOTEN1) gesucht, aus dem A_n abgeleitet werden kann. Um Kreise in Ableitungspfaden auszuschließen, ist dabei

```
(a)  (PROC NAME: ABLEITUNGSPFAD DEMON: TIMES-DEMON ?KNOTEN
(b)        (IFANY (FETCH (EVIDENZ !KNOTEN))
(c)               (FETCH (PRAEMISSE !KNOTEN))
(d)        THEN: (ADDLIST SCHON-BESUCHT !KNOTEN)
(e)              (SUCCEED! !KNOTEN (ZVAL))
(f)        ELSE: (FOR FETCH:
(g)                   ((*R ?KNOTEN1
(h)                     (NOT (MEMBER !KNOTEN1 SCHON-BESUCHT)))
(i)                     ⇒
(j)                    !KNOTEN)
(k)                   (IF (FETCH (EVIDENZ !KNOTEN1) (1 0))
(l)                   THEN: (ADDLIST SCHON-BESUCHT !KNOTEN1)
(m)                         (SUCCEED?)
(n)                   ELSE: (IF (FETCH (EVIDENZ !KNOTEN1)(-1 0))
(o)                         THEN: (BACK)
(p)                         ELSE: (FOR TRY: (ABLEITUNGSPFAD) !KNOTEN1
(q)                                         (ADDLIST SCHON-BESUCHT !KNOTEN1)
(r)                                         (SUCCEED?)))))))))
```

Fig. 66: Prozedur zur Traversierung eines FIN

die Variable ?KNOTEN1 so restringiert (vgl. Zeile (h)), daß stets !KNOTEN1 ∉ SCHON-BESUCHT gilt. Falls $A_{n-1} \in E^+$ (Zeile (k)) gilt, wurde ein erfolgreicher Ableitungspfad gefunden (Zeile (m)). Falls $A_{n-1} \in E^-$ (Zeile (n)) gilt, wird der beschrittene Pfad als Ableitungspfad verworfen, und nach einem Backtracking-Prozeß (Zeile (o)) wird ein anderer möglicher Pfad gesucht. Falls $A_{n-1} \notin E^+ \cup E^-$ gilt, wird in einem rekursiven Aufruf (vgl. Zeile (p)) die Prozedur ABLEITUNGSPFAD auf den Knoten A_{n-1} angewandt. Die Rekursion bricht ab, sobald ein $A_{n-i} \in P \cup E^+$ gefunden wurde oder wenn für ein $A_j \notin P \cup E^+$ kein A_{j-1} mit $(A_{j-1}, \xrightarrow{\alpha_{i=1j}}, A_j) \in K$ mehr gefunden werden kann.

Der in Fig. 67 definierte Prozedur-Dämon (vgl. LEFAIVRE 1977, WAHLSTER 1977, S. 105), an den die Kontrolle während der Evaluation des Prozedurrumpfes von ABLEITUNGSPFAD nach jeder unterbrechbaren Anweisung koroutinen-artig abgegeben wird, bewirkt, daß bei der Berechnung eines Evidenzwertes aufgrund eines einzelnen Ableitungspfades der multiplikative Abtrennungsoperator verwendet wird (vgl. Zeile (f) in Fig. 67).

```
(a)  (DEFPROP TIMES-DEMON
(b)   (LAMBDA (V ZV AC)
(c)    (COND ((EQ V FAIL) (FAIL))
(d)          ((EQ V DONE) AC)
(e)          ((*LESS (ZVAL V) ZV) (FAIL))
(f)          (T(*TIMES (ZVAL V) AC))))
(g)   EXPR)
```

Fig. 67: Prozedur-Dämon zur Realisierung des multiplikativen Abtrennungsoperators

Die angegebene Version von $FINA_1$ kann u.a. dadurch optimiert werden, daß für
einen Knoten A_n der Evidenzwert, welcher sich nach einer erfolgreichen Mehrfachableitung ergeben hat, in geeigneter Weise gespeichert wird, so daß bei
der Ermittlung eines Evidenzwertes für einen aus A_n ableitbaren Knoten Ableitungsschritte eingespart werden. Obwohl hier auf Optimierungen nicht eingegangen werden soll, sei darauf hingewiesen, daß die Verwaltung solcher ab-
gespeicherter Evidenzwerte nicht trivial ist, falls ein FIN Kreise enthält
oder der Benutzer aufgrund von neuen Beoachtungen in dem durch das FIN repräsentierten Anwendungsbereich Knoten mit Evidenzwerten belegen kann.

Im Gegensatz zu $FINA_1$ werden im zweiten Traversierungsalgorithmus $FINA_2$
nicht erst, nachdem alle Ableitungspfade gefunden wurden, die dabei berechneten
Evidenzwerte durch die Operation Evidenzverstärker verknüpft, sondern während
des Ableitungsprozesses wird der Evidenzwert jedes durchlaufenen Knotens A_n,
der aus mehreren Knoten $A_{i1}, A_{i2}, \ldots, A_{ik}$ ableitbar ist, als Resultat der Anwendung der Operation Evidenzverstärker auf die mit der jeweiligen Implikationsstärke multiplizierten Evidenzwerte der Knoten $A_{i1}, A_{i2}, \ldots, A_{ik}$ berechnet.

Die Kontrollstruktur von $FINA_2$ wird durch die in der folgenden Definition
enthaltene Rekursionsformel präzisiert:

Definition:

$A_n \in F \backslash P \cup E^+ \cup E^-$ ist genau dann *k-fach direkt ableitbar* aus $A_{i1}, A_{i2}, \ldots, A_{ik} \in F \backslash E^+$
wenn es genau $k > 0$ Implikationen $(A_{i1}, \xrightarrow{\alpha_{i1n}}, A_n), \ldots, (A_{ik}, \xrightarrow{\alpha_{ikn}}, A_n) \in K$ gibt.
In diesem Fall berechnen wir $Ev(A_n)$ durch folgende Rekursionsformel:

$$Ev(A_n) = \text{Evidenzverstärker} \ (Ev(A_{i1}) \cdot \alpha_{i1}, Ev(A_{i2}) \cdot \alpha_{i2}, \ldots, Ev(A_{ik}) \cdot \alpha_{ik})$$

Analog zum oben eingeführten Begriff 'm-fach ableitbar' vereinbaren wir
noch:

Definition:

$A_n \in F \backslash P \cup E^+ \cup E^-$ ist $\sum_{j=1}^{k} m_{ij}$-*fach ableitbar* genau dann, wenn A_n k-fach direkt
aus $A_{i1}, A_{i2}, \ldots, A_{ik}$ ableitbar ist und jedes A_{ij} mit $1 \leq j \leq k$ m_{ij}-fach ableitbar ist.

Es ist eine Folge der Ausdrucksstärke einer KI-Programmiersprache wie FUZZY,
daß die Spezifikation von $FINA_1$ in Form der beiden FUZZY-Prozeduren in Fig.
65 und 66 durch geringfügige Änderungen in eine der Kontrollstruktur von
$FINA_2$ entsprechende Form überführt werden kann.

Um bei der Berechnung des Evidenzwertes eines beim Ableitungsprozeß durchlaufenen Knotens jeweils unmittelbar eine mögliche Evidenzverstärkung berücksichtigen zu können, ersetzen wir in $FINA_2$ Zeile (p) von Fig. 66 durch ELSE:
(FOR GOAL: (EV !KNOTEN1)). Dadurch wird indirekt rekursiv die in Fig. 65 dargestellte DEDUCE-Prozedur evaluiert, die von dem Prozedur-Dämon < EVIDENZ-
VERSTAERKER > kontrolliert wird[1].

Den Unterschied zwischen $FINA_1$ und $FINA_2$ soll das folgende einfache Beispiel verdeutlichen. Wir betrachten das in Fig. 68 dargestellte FIN und setzen
voraus, daß $A_1, A_2 \in P$ gilt.

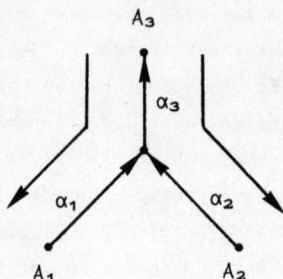

Fig. 68: Ableitungsprozeß bei $FINA_1$

Fig. 68 enthält neben dem FIN zwei Linien, welche die beiden von $FINA_1$ ermittelten Ableitungspfade symbolisieren. Wir benutzen das Symbol '⊓' als Infix-
schreibweise für den bisher in Präfixschreibweise verwendeten Verknüpfungsope-
rator <EVIDENZVERSTAERKER>. Bei Anwendung von $FINA_1$ ergibt sich dann für $EV(A_3)$:

(1) $Ev(A_3) = (Ev(A_1) \cdot \alpha_1 \cdot \alpha_3) \sqcap (Ev(A_2) \cdot \alpha_2 \cdot \alpha_3)$

Fig. 69 enthält neben dem FIN aus Fig. 68 einen Graphen, der den Ableitungsprozeß mithilfe von $FINA_2$ symbolisiert.

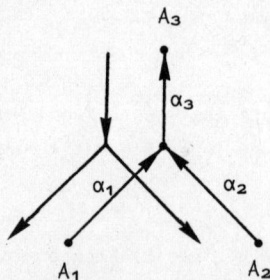

Fig. 69: Ableitungsprozeß bei $FINA_2$

[1] Aufgrund der rekursiven Verwendung der DEDUCE-Prozedur kann SCHON-BESUCHT
in $FINA_2$ nicht mehr als gebundene Variable verwendet werden.

Bei Anwendung von FINA$_2$ ergibt sich für Ev(A$_3$) folgender Wert:

(2) Ev(A$_3$) = (Ev(A$_1$)·α$_1$ ⊓ Ev(A$_2$)·α$_2$)·α$_3$

Wir hatten vorausgesetzt, daß ⊓ auf IR assoziativ und kommutativ ist. Wenn wir zusätzlich fordern, daß (IR,⊓,·) auch distributiv ist, dann sind FINA$_1$ und FINA$_2$ äquivalent, d.h. daß sie beide die gleiche Ein-/Ausgabefunktion berechnen.

Im nächsten Abschnitt werden zwei in KI-Systemen zur formalen Rekonstruktion der Evidenzverstärkung benutzte Verknüpfungen auf ihre Brauchbarkeit im Rahmen der von uns erarbeiteten Modelle für Mehrfachableitungen untersucht.

3.2.1.3. Die Evidenzverstärkung bei Mehrfachableitungen

Im vorangegangenen Abschnitt wurde bei der Spezifikation der beiden Traversierungsalgorithmen, durch die Mehrfachableitungen für Knoten eines FIN gefunden wurden, noch offen gelassen, durch welche Operation die Verstärkung der ermittelten unabhängigen Evidenzen rekonstruiert werden soll. Im folgenden werden zwei Verknüpfungen auf [0,1]⊂IR bzw. IR$^+$ diskutiert, die in dem Prozedur-Dämon, welcher den Platzhalter <EVIDENZVERSTAERKER> in Fig. 65 ersetzen soll, verwendet werden können.

Eine der einfachsten als Evidenzverstärker in Frage kommenden Verknüpfungen auf IR ist die Addition. Sie wird z.B. in dem medizinischen Beratungssystem CAS-NET (WEISS 1974) zur Evidenzverstärkung benutzt. Da die Operation der Evidenzverstärkung während eines Inferenzprozesses im allgemeinen häufig angewendet wird, ist es für praktische Anwendungen von Bedeutung, den Verarbeitungsaufwand bei der Durchführung der Operation möglichst gering zu halten. Dieses Kriterium wird von der Addition optimal erfüllt.

Die Addition können wir in FINA$_1$ und FINA$_2$ als Evidenzverstärker einführen, indem wir in Zeile (b) von Fig. 65 <EVIDENZVERSTAERKER> durch PLUS-DEMON ersetzen (vgl. Fig. 70). Da Prozedur-Dämonen die Variable AC dynamisch verwalten

```
(a)  (DEFPROP PLUS-DEMON
(b)    (LAMBDA (V ZV AC)
(c)      (COND ((EQ V FAIL) (FAIL))
(d)            ((EQ V DONE) AC)
(e)            ((*LESS (ABS (ZVAL V)) ZV) (FAIL))
(f)            ((T (*PLUS (ZVAL V) AC)))))
(g)    EXPR)
```

Fig. 70: Der Prozedur-Dämon PLUS-DEMON

(vgl. LEFAIVRE 1977), ist es möglich, AC zur Speicherung des im Laufe eines Ableitungsprozesses akkumulierten Evidenzwertes zu benutzen. In Zeile (f)

von Fig. 70 werden der neue Evidenzwert (ZVAL V) und der alte akkumulierte
Evidenzwert (AC) addiert. Die entstandene Summe wird bei einem erneuten Aufruf des Prozedur-Dämon als alter akkumulierter Evidenzwert verwendet bzw. nach
erfolgreicher vollständiger Evaluation der DEDUCE-Prozedur, auf die sich der
Prozedur-Dämon bezieht, als ermittelter Evidenzwert ausgegeben (Zeile (d)).
In Zeile (e) muß der Absolutbetrag (ABS) des neu ermittelten Evidenzwertes betrachtet werden, damit Knoten mit negativer Evidenz zur Blockierung eines Ableitungspfades, nicht aber zum Abbruch des gesamten Inferenzprozesses führen.

Beispiel: Sowohl bei der Anwendung von $FINA_1$ als auch von $FINA_2$ ergibt sich
bezogen auf das FIN in Fig. 62 für Ev(DICHTER-VERKEHR) bei Verwendung der Addition als Evidenzverstärker der Wert 0.654, d.h. die
Evaluation von (GOAL (EV DICHTER-VERKEHR)) führt zu ((EV DICHTER-
VERKEHR). 0.654).

Da $(IR^+,+,\cdot)$ ein kommutativer Ring ist, sind die im vorangegangenen Abschnitt
geforderten Eigenschaften Kommutativität, Assoziativität und, falls $FINA_1$ und
$FINA_2$ äquivalent sein sollen, auch Distributivität von Addition und Multiplikation trivialerweise erfüllt.

Ein wesentlicher Nachteil dieses Evidenzverstärkers ist jedoch, daß die
Menge $[0,1] \subset IR$ bzgl. Addition nicht abgeschlossen ist. Dies hat zur Folge,
daß Schwierigkeiten bei der Weiterverarbeitung der durch Evidenzverstärkung
ermittelten Werte entstehen (z.B. sind in natürlichsprachlichen Systemen wie
HAM-RPM die Algorithmen zur Verbalisierung von F-Werten ausschließlich für das
Intervall $[0,1] \subset IR$ definiert).

Ein Evidenzverstärker, der im Gegensatz zur Addition die genannte Abschluß-
eigenschaft erfüllt, ist die folgende Verknüpfung von Evidenzwerten $ev_1, ev_2, \ldots,$
$ev_n \in [0,1] \subset IR$ für einen Knoten $A_m \in F\backslash(E^+ \cup E^- \cup P)$:

$$(3)\ Ev(A_m) = \sum_{v=1}^{n} (-1)^{v+1} \sum_{\{i_1, i_2, \ldots, i_v\} \subset \{1,2,\ldots,n\}} \prod_{j=1}^{v} ev_{i_j}$$

In (3) werden Reihen aus allen verschiedenen Produkten für 1-elementige, 2-ele-
mentige bis n-elementige Teilmengen der Menge der Evidenzwerte in einer alternierenden Reihe zusammengefaßt. Als Verallgemeinerung der Formel $P(A) = P(A_1) +$
$P(A_2) - P\{A_1A_2\}$ mit $P\{A_1A_2\} = P(A_1) \cdot P(A_2)$ für unabhängige Ereignisse A_1 und A_2
ergibt sich in der Wahrscheinlichkeitstheorie die gleiche Reihe wie in (3) für
die Wahrscheinlichkeit des Ereignisses, daß von n unabhängigen Ereignissen mindestens eines auftritt (vgl. FELLER 1968, S. 99).

Durch vollständige Induktion kann gezeigt werden, daß (4) eine weitere ge-
schlossene Darstellung der in (3) formulierten alternierenden Reihe ist.

$$(4) \quad Ev(A_m) = 1 - \prod_{v=1}^{n} (1 - ev_v)$$

Folgendes Beispiel zeigt die bei der Operation der Evidenzverstärkung durch-
zuführenden Rechenoperationen.

Beispiel: Seien $ev_1, ev_2, ev_3 \in [0,1] \subset IR$ die drei Evidenzwerte, die sich bei einer
vollständigen Mehrfachableitung für ein $A_m \in F \backslash (E^+ U E^- U P)$ ergeben.
Dann gilt gemäß (3):

$$(5) \quad Ev(A_m) = +1 \cdot (ev_1 + ev_2 + ev_3) - 1 \cdot (ev_1 \cdot ev_2 + ev_2 \cdot ev_3 + ev_1 \cdot ev_3)$$
$$+1 \ (ev_1 \cdot ev_2 \cdot ev_3)$$

$$(6) \quad Ev(A_m) = (ev_1 + ev_2 - ev_1 \cdot ev_2) + ev_3 - ev_3 \cdot (ev_1 + ev_2 - ev_1 + ev_2)$$

Die Darstellung in (6) spiegelt die Verarbeitungsschritte bei der Anwendung
des in Fig. 71 definierten Prozedur-Dämons SDEMON wieder.

```
(a)  (DEFPROP SDEMON
(b)    (LAMBDA (V ZV AC)
(c)     (COND ((EQ V FAIL) (FAIL))
(d)           ((EQ V DONE) AC)
(e)           ((*LESS (ABS (ZVAL V)) ZV) (FAIL))
(f)           (T (*DIF (*PLUS AC (ZVAL V)) (*TIMES AC (ZVAL V)))))))
(g)  EXPR)
```

Fig. 71: Der Prozedur-Dämon SDEMON

Die Prozedur SDEMON, die sich nur durch Zeile (f) von dem in Fig. 70 definierten PLUS-DEMON unterscheidet, kann in $FINA_1$ und $FINA_2$ eingeführt werden, indem
in Zeile (b) der DEDUCE-Prozedur in Fig. 65 <EVIDENZVERSTAERKER> durch SDEMON
ersetzt wird. In Zeile (f) des Prozedur-Dämons SDEMON wird sukzessive für Paare
aus neuem Evidenzwert (ZVAL V) und bereits akkumuliertem Evidenzwert (AC) gemäß (6) ein neuer Evidenzwert berechnet.

Für den durch (3) definierten Evidenzverstärker gelten zwar die Kommutativ-
und Assoziativgesetze, aber anhand des folgenden Gegenbeispiels kann gezeigt
werden, daß Distributivgesetze für die Verknüpfung in (3) und die Multiplikation
innerhalb von $[0,1] \subset IR$ nicht gelten.

Wenn wir in Formel (1) für Π den in (3) definierten Evidenzverstärker ein-
setzen, ergibt sich bei der Anwendung von $FINA_1$:

$$(7) \quad Ev(A_3) = Ev(A_1) \cdot \alpha_1 \cdot \alpha_3 + Ev(A_2) \cdot \alpha_2 \cdot \alpha_3 - Ev(A_1) \cdot \alpha_1 \cdot \alpha_3 \cdot Ev(A_2) \cdot \alpha_2 \cdot \alpha_3$$
$$= Ev(A_1) \cdot \alpha_1 \cdot \alpha_3 + Ev(A_2) \cdot \alpha_2 \cdot \alpha_3 - Ev(A_1) \cdot Ev(A_2) \cdot \alpha_1 \cdot \alpha_2 \cdot \alpha_3^2$$

Dagegen ergibt sich bei Einsetzung in Formel (2) für $FINA_2$:

$$(8) \quad Ev(A_3) = (Ev(A_1) \cdot \alpha_1 + Ev(A_2) \cdot \alpha_2 - Ev(A_1) \cdot \alpha_1 \cdot Ev(A_2) \cdot \alpha_2) \cdot \alpha_3$$
$$= Ev(A_1) \cdot \alpha_1 \cdot \alpha_3 + Ev(A_2) \cdot \alpha_2 \cdot \alpha_3 - Ev(A_1) \cdot Ev(A_2) \cdot \alpha_1 \cdot \alpha_2 \cdot \alpha_3$$

Ausdruck (7) führt im allgemeinen zu einem höheren Evidenzwert als (8), da in (7) der Subtrahend kleiner ist, falls $\alpha_3 < 1$ gilt. $FINA_1$ und $FINA_2$ liefern also im allgemeinen bei der Verwendung von SDEMON als Evidenzverstärker unterschiedliche Ergebnisse.

Beispiel: Ausgehend von dem FIN in Fig. 62 berechnet $FINA_1$ für (GOAL (EV UNFALL-GEFAHR)) den Evidenzwert 0.55 und $FINA_2$ dagegen den Wert 0.54, wobei beide Ergebnisse auf zwei Stellen nach dem Komma gerundet sind.

Da bei der Verwendung der Prozedur SDEMON als Evidenzverstärker $FINA_1$ und $FINA_2$ nicht äquivalent sind, stellt sich die Frage, welchem der beiden Traversierungsalgorithmen bei unseren weiteren Untersuchungen von Mehrfachableitungen der Vorzug gegeben werden soll. Vor allem die folgenden Gründe sprechen für die Verwendung von $FINA_2$: Der Verarbeitungsaufwand ist für $FINA_1$ größer als für $FINA_2$, da von $FINA_2$ Teilableitungspfade, die in den zu einer Mehrfachableitung gehörenden Ableitungspfaden identisch sind, nur einmal durchlaufen werden (vgl. Fig. 69), während sie in $FINA_1$ für jeden Ableitungspfad getrennt durchlaufen werden (vgl. Fig. 68).

Im nächsten Kapitel werden Mehrfachableitungen nicht mehr nur innerhalb einer Aussagenlogik sondern allgemeiner in dem auf der Prädikatenlogik basierenden FSE betrachtet. Da in FSE Inferenzregeln Variable enthalten können und Einträge in die Datenbasis von FUZZY variablenfrei sein müssen, können Inferenzregeln nicht wie in diesem Abschnitt einfach als Datenbasiseinträge dargestellt werden.

Im nächsten Kapitel wird daher eine andere Darstellung von Inferenzregeln in Form von DEDUCE-Prozeduren vorgeschlagen. Bei der Anwendung von DEDUCE-Prozeduren innerhalb einer Mehrfachableitung entsteht ein Zielbaum (vgl. 3.2.2.5.), der, wie wir zeigen werden, als Verallgemeinerung des bei der Verwendung von $FINA_2$ entstehenden Ableitungsbaums (vgl. z.B. Fig. 69) aufgefaßt werden kann. Der Traversierungsalgorithmus $FINA_1$ wird im weiteren also nicht mehr betrachtet, obwohl er bei Verwendung der Addition als Evidenzverstärker durchaus eine plausible Möglichkeit zur formalen Rekonstruktion von Mehrfachableitungen darstellt.

Außerdem ziehen wir SDEMON gegenüber dem zunächst untersuchten PLUS-DEMON als Evidenzverstärker vor, weil $[0,1] \subset IR$ bezüglich SDEMON nicht aber bezüglich PLUS-DEMON abgeschlossen ist. Daher gehen wir im weiteren stets von folgendem Modell der Evidenzverstärkung aus: Angenommen es gibt für $A_n \in F \backslash P \cup E^+ \cup E^-$ $k > 0$ Implikationen $(A_1, \xrightarrow{\alpha_{1n}}, A_n)$, $(A_2, \xrightarrow{\alpha_{2n}}, A_n)$, ..., $(A_k, \xrightarrow{\alpha_{kn}}, A_n) \in K$. Wir berechnen den Evidenzwert $Ev(A_n)$ dann gemäß der Rekursionsformel (9). Bei der Modellierung approximativer Inferenzen im medizinischen Beratungssystem MYCIN wurde erst-

$$(9)\ Ev(A_n) = \sum_{v=1}^{n} (-1)^{v+1} \sum_{\{i_1, i_2, \dots, i_v\} \subset \{1, 2, \dots, n\}} \prod_{j=1}^{v} Ev(A_{i_j}) \cdot \alpha_{i_j}$$

mals in einem KI-System eine auf zwei Werte eingeschränkte Form der in (3) definierten Operation zur Verknüpfung zweier nacheinander gewonnener Evidenzwerte verwendet (vgl. SHORTLIFFE 1976, S. 176, WAHLSTER 1977, S. 89). Der in MYCIN erprobte, auf Produktionssystemen basierende Inferenzmechanismus wurde inzwischen in dem KI-System SACON (BENNET/ENGELMORE 1978), das Ingenieure bei der Anwendung eines Programmsystems zur Strukturanalyse (Materialprüfung) berät, und in dem System GUIDON (CLANCEY 1979), das für den computergestützten Unterricht konzipiert wurde, übernommen. Im Bibliotheksberatungssystem GRUNDY, das während eines Gesprächs zunächst ein explizites Modell des Systembenutzers aufgrund des Dialogverlaufes aufbaut und dann dieses Modell seinen Lektürevorschlägen für den Benutzer zugrundelegt, wird ebenfalls (3) als Evidenzverstärker benutzt (vgl. RICH 1979, S. 53f.).

Abschließend sei darauf hingewiesen, daß auch in der Theorie der F-Mengen, die in (3) definierte Verknüpfung bei der 'Vereinigung mit Wechselwirkung' ($<$ODER$>$) von zwei F-Mengen $\underset{\sim}{A}$ und $\underset{\sim}{B}$ verwendet wird (vgl. (10), ZADEH 1976, S. 288).

$$(10)\ \underset{\sim}{A}\ <\text{ODER}>\ \underset{\sim}{B} = \int_U \delta_{\underset{\sim}{A}}(y) + \delta_{\underset{\sim}{B}}(y) - \delta_{\underset{\sim}{A}}(y) \cdot \delta_{\underset{\sim}{B}}(y)/y \quad \text{mit}\ \delta_{\underset{\sim}{A}}, \delta_{\underset{\sim}{B}}\colon U \to [0,1] \subset \text{IR}$$

3.2.2. EIN PROZEDURALES MODELL APPROXIMATIVER INFERENZEN IN DER KI-PROGRAMMIERSPRACHE FUZZY

Nachdem im letzten Abschnitt ausgehend von einem eingeschränkten Inferenzformalismus für F-Implikationsnetze ein Modell der Evidenzverstärkung entwickelt wurde, wird in diesem Abschnitt eine allgemeinere Darstellung von Inferenzregeln beschrieben und gezeigt, wie Mehrfachableitungen und die sich dabei ergebende Verstärkung voneinander unabhängiger Evidenzen in diesem Inferenzsystem realisiert werden können.

Grundlage der im folgenden betrachteten Darstellung von Inferenzregeln ist das in der KI-Programmiersprache FUZZY enthaltene Konzept der DEDUCE-Prozedur (vgl. LEFAIVRE 1977). Es ist offensichtlich, daß jede in Abschnitt 3.2.1. betrachtete Inferenzregel der Form $(A_1, \overset{\alpha_{1n}}{\Longrightarrow}, A_n)$, die durch einen Eintrag in die assoziative Datenbasis von FUZZY realisiert wurde (vgl. (1)), in

(1) $((A_1 \Rightarrow A_n) \cdot \alpha_{1n})$

eine isomorphe Repräsentationskonstruktion (2) in Form einer DEDUCE-Prozedur[1] überführt werden kann. A_n fungiert als charakteristisches Pattern der DEDUCE-

(2) (PROC ZVAL: α_{1n} A_n (GOAL A_1))

Prozedur und die Zielanweisung (GOAL A_1) stellt den Prozedurrumpf da. Es gehört zu den Vorteilen dieser Darstellung gegenüber der für FIN in Abschnitt 3.2.1., daß die Patterns A_1 und A_n Variablen enthalten können, womit eine wesentliche Einschränkung des im vorangegangenen Abschnitt benutzten Modells aufgehoben wird.

Die Evaluation einer Zielanweisung wie (GOAL A_n) durch den FUZZY-Interpreter kann als ein Inferenzprozeß aufgefaßt werden, der in Form einer zielgerichteten Rückwärtsverkettung ausgeführt wird, wie sie z.B. auch bei der Auswertung von Konsequenz-Theoremen in MICRO-PLANNER oder 'If-needed-methods' in CONNIVER oder FRL verwendet wird. Vergleichbare Darstellungen für Inferenzregeln, wenn auch zumeist ohne die Möglichkeit zur Angabe einer Implikationsstärke, sind in der KI spätestens seit Hewitts Entwurf von PLANNER (vgl. HEWITT 1971) bekannt und wurden vielfach eingesetzt (z.B. in SHRDLU, NOAH, HAM-RPM, vgl. 1.5.).

Die neue und für unsere Problemstellung bedeutende Fragestellung lautet aber: Lassen sich die in unserem Inferenzmodell vorgesehenen Mehrfachableitungen und die darauf beruhenden Evidenzverstärkungen in diesem Formalismus realisieren?

3.2.2.1. Mehrfachableitungen in PLANNER-artigen Programmiersprachen: Problemanalyse und Lösungsansätze

In KI-Programmiersprachen, die auf einer zwei-, höchstens aber dreiwertigen Logik basieren (vgl. z.B. PLANNER, QLISP, KRL, OWL), sind Mehrfachableitungen natürlich nicht vorgesehen, d.h. der Inferenzprozeß wird beendet, sobald eine erste mögliche Ableitung gefunden wurde. Aber auch beim Entwurf der mehrwertigen KI-Programmiersprache FUZZY blieb die Möglichkeit der Mehrfachableitung in Rückwärtsverkettungen unberücksichtigt[2].

[1] Dabei setzen wir im folgenden stets voraus, daß jede Inferenzregel X duch Anwendung der Operation (ADD DEDUCE: X) als prozedurales Wissen in die assoziative Datenbasis des Systems eingebettet wurde.

[2] Im Gegensatz dazu werden alle ASSERT- und ERASE-Prozeduren ausgewertet, für die der Vergleich zwischen charakteristischem Pattern und Aufrufpattern der zu evaluierenden ASSERT- bzw. ERASE-Prozedur erfolgreich ist. Bei einer Vorwärtsverkettung werden nach einer ASSERT-Anweisung aus einer Prämisse mithilfe verschiedener Inferenzregeln verschiedene Konklusionen abgeleitet.

Wenn k > 0 DEDUCE-Prozeduren definiert sind, die k Ausdrücken $((A_1 \Rightarrow A_n), \alpha_{1n})$,
$((A_2 \Rightarrow A_n), \alpha_{2n}), \ldots, ((A_k \Rightarrow A_n), \alpha_{kn})$ entsprechen, und alle Prämissen $A_1, A_2, \ldots,$
A_k erfüllt sind, so wird in FUZZY zur direkten Ableitung von A_n trotzdem nur einer
der k Ausdrücke *konzeptuell nichtdeterministisch* herangezogen. Die Einschränkung
'konzeptuell' nichtdeterministisch soll darauf hinweisen, daß der Programmierer
von einer nichtdeterministischen Auswahl ausgehen kann oder soll, obwohl der
FUZZY-Interpreter intern natürlich deterministisch vorgeht.

Eine genaue Analyse dieses internen Vorgehens des FUZZY-Interpreters muß
bei der hier betrachteten Darstellungsform von Inferenzregeln auch den Ausgangspunkt für die Einführung von Mehrfachableitungen bilden. Anders als für die Realisierung von Inferenzprozessen über FIN durch einen speziellen in FUZZY programmierten Interpreter, wie ihn die Traversierungsprozeduren $FINA_1$ und $FINA_2$ (vgl.
3.2.1.2.) darstellen, sollen bei der Implementierung von Deduktionsprozessen
mithilfe von DEDUCE-Prozeduren möglichst weitgehend die im FUZZY-Interpreter
vorgesehen Prozesse ausgenutzt werden. Denn es gehört ja zu den Vorteilen von
KI-Programmiersprachen, daß ihre Interpreter bereits Inferenzmechanismen bereit-
stellen, die u.a. die Anwendung des Modus ponens und der Substitutionsregel bei
der Evaluation von Zielanweisungen umfassen.

Wir suchen daher nach einer geeigneten Methode, eine Kontrollstruktur für
die Evaluation von Zielanweisungen einzuführen, die im Gegensatz zu der in FUZZY
und anderen KI-Programmiersprachen üblichen Kontrollstruktur Mehrfachableitungen
ermöglicht, wobei der Interpreter möglichst unverändert bleiben soll.

In Fig. 72 ist die Grobstruktur des Evaluationsprozesses für Zielanweisungen
dargestellt. Um den Kontrollfluß deutlich herauszuarbeiten, wird in Fig. 72
die interne Struktur der am Interpretationsprozeß beteiligten Systemprozeduren
ZDEDUCE, ZCALLP, ZPROC und ZCALLD stark vereinfacht dargestellt.

Die Systemvariable DPROCS ist eine Liste der Form (NIL <Bezeichner für
DEDUCE-Prozedur$_1$ >,..., <Bezeichner für DEDUCE-Prozedur$_n$ >). Obwohl in Programmiersprachen mit *pattern-gesteuertem Prozeduraufruf* das oftmals ambige
charakteristische Pattern die Funktion eines eindeutigen Prozedurbezeichners
insofern übernimmt, als es die Referenzierung der im Prozedurrumpf enthaltenen
Anweisungen ermöglicht, kann der Programmierer DEDUCE-Prozeduren zusätzlich
zum charakteristischen Pattern mit einem eindeutigen Bezeichner versehen. Falls
dies nicht geschieht, generiert der FUZZY-Interpreter intern einen eindeutigen
Bezeichner[1] für die DEDUCE-Prozedur. Die Ordnung der Bezeichner für DEDUCE-

(1) Dieser Bezeichner ermöglicht u.a. eine einfache Referenzierung einer DEDUCE-
Prozedur bei der Benutzung des Editors und von Trace sowie innerhalb von TRY-
Anweisungen. Außerdem wird dadurch zusätzlich zum pattern-gesteuerten Proze-
duraufruf auch der klassische Prozeduraufruf per Name möglich.

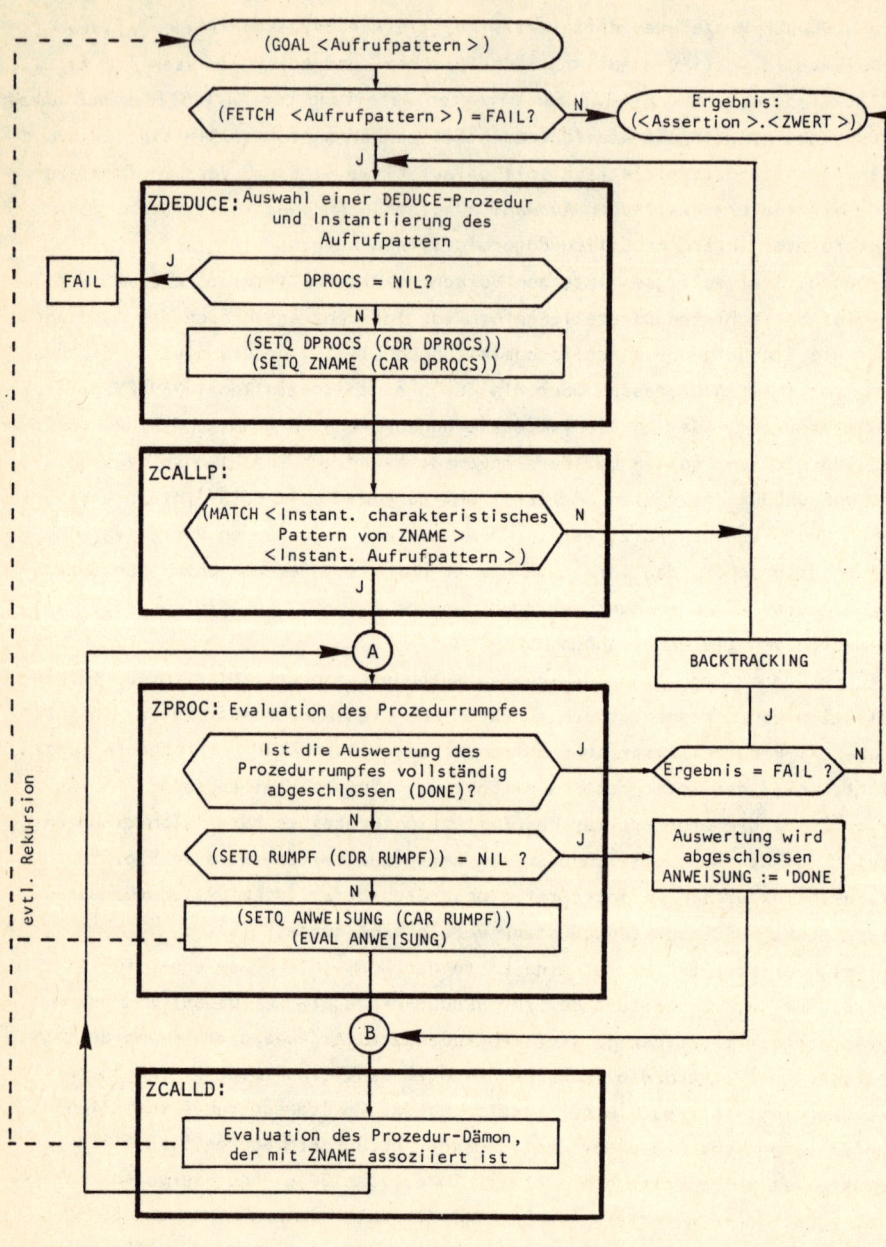

Fig. 72: Grobstruktur des Evaluationsprozesses bei Zielanweisungen

Prozeduren auf der Variablen DPROCS entspricht, falls nicht explizit geändert,
der zeitlichen Reihenfolge des Einfügens der DEDUCE-Prozeduren in die Wissensbasis mithilfe der Anweisung ADD DEDUCE:.

Fig. 72 zeigt, daß bei einer erfolgreichen Auswertung einer Zielanweisung
stets und in deterministischer Weise die DEDUCE-Prozedur benutzt wird, deren
instantiiertes charakteristisches Pattern als erstes bei der sequentiellen Ab-
arbeitung von DPROCS zum instantiierten Aufrufpattern der Zielanweisung paßt
und deren Evaluation erfolgreich (d.h. mit einem Ergebnis ungleich FAIL) abgeschlossen wird.

Von den folgenden fünf von mir untersuchten Methoden zur Einführung von
Mehrfachableitungen, die durch Zielanweisungen ausgelöst werden sollen, wird
in dieser Arbeit nur die fünfte Lösung detailliert dargestellt, weil alle anderen Lösungsansätze Schwachstellen aufweisen, von denen im folgenden nur die
wichtigsten genannt werden.

- Es wird jeweils zusätzlich eine DEDUCE-Prozedur definiert, in der alle
  Inferenzregeln, die in einer direkten Mehrfachableitung einer Konklusion
  angewendet werden können, nacheinander per Name aufgerufen werden oder es
  werden alle in einer direkten Mehrfachableitung verwendbaren Inferenzregeln in einer einzigen Prozedur zusammengefaßt. Eine Evidenzverstärkung
  kann dann durch einen entsprechenden, mit dieser DEDUCE-Prozedur assoziierten Prozedur-Dämon herbeigeführt werden. Bei dieser ad-hoc Lösung geht
  die Modularität verloren, da bei jeder Einführung einer neuen Inferenzregel in die Wissensbasis evtl. die skizzierte DEDUCE-Prozedur geändert
  werden muß. Außerdem entfällt bei diesem Ansatz der konzeptuelle Nichtdeterminismus bei der Evaluation einer Zielanweisung.
- Der FUZZY-Interpreter selbst wird so geändert, daß zunächst alle DEDUCE-
  Prozeduren bestimmt werden, deren instantiiertes charakteristisches Pattern
  das instantiierte Aufrufpattern der Zielanweisung matcht, um sie unter Berücksichtigung der Evidenzverstärkung nacheinander auszuwerten. Diese Lösung,
  die entscheidende Eingriffe in Systemprozeduren des FUZZY-Interpreters notwendig macht, wäre nur akzeptabel, wenn es keine geeignete Lösung ohne
  Änderung des Interpreters gäbe.
- Da in FUZZY nach jeder Auswertung eines unterbrechbaren Ausdrucks im Rumpf
  einer DEDUCE-Prozedur die Kontrolle zeitweilig an einen mit der DEDUCE-Prozedur assoziierten Prozedur-Dämon abgegeben wird (vgl. LEFAIVRE 1977), ergibt sich ein weiterer Lösungsansatz aus der Überlegung, daß ein entsprechender Prozedur-Dämon erneut eine Zielanweisung mit dem gleichen Aufrufpattern

enthält, das auch zur Auswertung der DEDUCE-Prozedur führte, mit welcher der Prozedur-Dämon assoziiert ist. Diese Lösung ist u.a. deshalb aufwendig, weil verhindert werden muß, daß eine DEDUCE-Prozedur mehrmals in einer direkten Mehrfachableitung angewendet wird. Außerdem wird die Kontrollstruktur für die Evidenzverstärkungsoperationen durch die rekursive Verschachtelung der Evaluation von Zielanweisungen und Prozedur-Dämonen sehr aufwendig.

Ein Lösungsansatz, der die bestehende Struktur des FUZZY-Interpreters (vgl. Fig. 72) ausnutzt und Mehrfachableitungen auf einfache Weise ermöglicht, besteht darin, von $k > 0$ in einer direkten Mehrfachableitung anwendbaren Inferenzregeln $k-1$ DEDUCE-Prozeduren auch bei erfolgreicher Auswertung mit der Anweisung (SUCCEED FAIL) abzuschließen. Dies führt dazu, daß die Kontrolle von ZPROC nach einem Backtracking-Prozeß wieder an ZDEDUCE zurückgeht (vgl. Fig. 72) und daß daraufhin nach einer weiteren anwendbaren DEDUCE-Prozedur gesucht wird. Die k-te Inferenzregel enthält kein (SUCCEED FAIL) und beendet damit eine direkte Mehrfachableitung. In einem mit den DEDUCE-Prozeduren assoziierten Prozedur-Dämon werden auf einer globalen Variablen die Evidenzwerte miteinander verknüpft, die sich bei der erfolgreichen Auswertung einzelner DEDUCE-Prozeduren ergeben. Ein Vorteil dieser Lösung gegenüber der ersten hier angeführten ist es, daß die dort nicht gewährleistete Modularität bei diesem Ansatz erhalten bleibt. Trotzdem muß dieser Lösungsansatz verworfen werden, weil er voraussetzt, daß eine jeweils arbiträr ausgewählte Inferenzregel in einer Mehrfachableitung zuletzt ausgeführt wird. Dies widerspricht dem konzeptuellen Nichtdeterminismus im Ableitungsprozeß und nutzt die Kommutativität und Assoziativität des von uns benutzten Evidenzverstärkers (vgl. 3.2.1.3.) nicht aus.

Die Lösung, die wir im folgenden detailliert darstellen werden, geht von demselben Grundgedanken wie der zuletzt genannte Lösungsvorschlag aus. Es werden jetzt aber alle $k > 0$ in einer direkten Mehrfachableitung anwendbaren Inferenzregeln mit der Anweisung (SUCCEED FAIL) abgeschlossen, die im folgenden aus mnemotechnischen Gründen durch die äquivalente Prozedur END? ersetzt wird. Es wird außerdem eine spezielle DEDUCE-Prozedur mit dem Namen ENDE eingeführt, die in allen direkten Mehrfachableitungen anwendbar ist und diese stets abschließt. DPROCS hat die Form (NIL < Bezeichner für DEDUCE-Prozedur$_1$ > , < Bezeichner für DEDUCE-Prozedur$_2$ >,..., < Bezeichner für DEDUCE-Prozedur$_n$ > ENDE). Wie in der vorangegangenen Lösung sorgt ein Prozedur-Dämon dafür, daß die Evidenzwerte, die sich aus der erfolgreichen Evaluation der einzelnen DEDUCE-Prozeduren in einer direkten Mehrfachableitung ergeben, entsprechend dem Evidenzverstärker verknüpft werden. Diese Lösung hat keinen der bei der Skizzierung der bisher genannten Lösungsansätze angeführten Nachteile.

3.2.2.2. Ein Prozedur-Dämon zur Realisierung einer Kontrollstruktur für Mehrfachableitungen

Die im folgenden beschriebene Realisierung des zuletzt genannten Lösungsansatzes mithilfe der DEDUCE-Prozedur ENDE und eines Prozedur-Dämons MDEMON wird zunächst an einem Beispiel erläutert, in dem der Evidenzwert für eine Erhöhung des Bustarifs aus mehreren voneinander unabhängigen Evidenzquellen ermittelt wird. Fig. 73 zeigt die assoziative Datenbasis und die DEDUCE-Prozeduren, die wir dem Beispiel zugrundelegen.

```
((ISA BUSTARIF TARIF-FUER-OEFFENTLICHE-DIENSTLEISTUNG) . 1)
((ISA BENZINPREIS MINERALOELPREIS) . 1)
((ERHOEHT ROHOELPREIS) . 0.6)
((ERHOEHT BEAMTENBESOLDUNG) . 0.5)
((ERHOEHT MINERALOELSTEUER) . 0.3)

DEDUCE:

(PROC DEMON: MDEMON ZVAL: 0.7 (ERHOEHT BUSTARIF)
      (GOAL (ERHOEHT BENZINPREIS))
      (END?))

(PROC DEMON: MDEMON ZVAL: 0.4
      (ERHOEHT _>TARIF-FUER-OEFFENTLICHE-DIENSTLEISTUNG)
      (GOAL (ERHOEHT BEAMTENBESOLDUNG))
      (END?))

(PROC DEMON: MDEMON ZVAL: 0.9 (ERHOEHT _>MINERALOELPREIS)
      (GOAL (ERHOEHT ROHOELPREIS)
      (END?))

(PROC DEMON: MDEMON ZVAL: 0.8 (ERHOEHT _>MINERALOELPREIS)
      (GOAL (ERHOEHT MINERALOELSTEUER))
      (END?))

(PROC NAME: ENDE DEMON: MDEMON ZVAL: 1 (??)
      (COND ((NULL %DERIVATION) (SETQ %ECHTES-FAIL NIL) (FAIL))))
```

Fig. 73: Assoziative Datenbasis und DEDUCE-Prozeduren

_>TARIF-FUER-OEFFENTLICHE-DIENSTLEISTUNG und _>MINERALOELPREIS sind sortierte Variable (vgl. 3.1.1. und 3.2.2.6.), an die im vorliegenden Beispiel nur die Individuenkonstanten BUSTARIF bzw. BENZINPREIS gebunden werden können. Da das charakteristische Pattern (??) von ENDE jedes Aufrufpattern einer Zielanweisung matcht, muß gewährleistet werden, daß eine Zielanweisung, deren Aufrufpattern

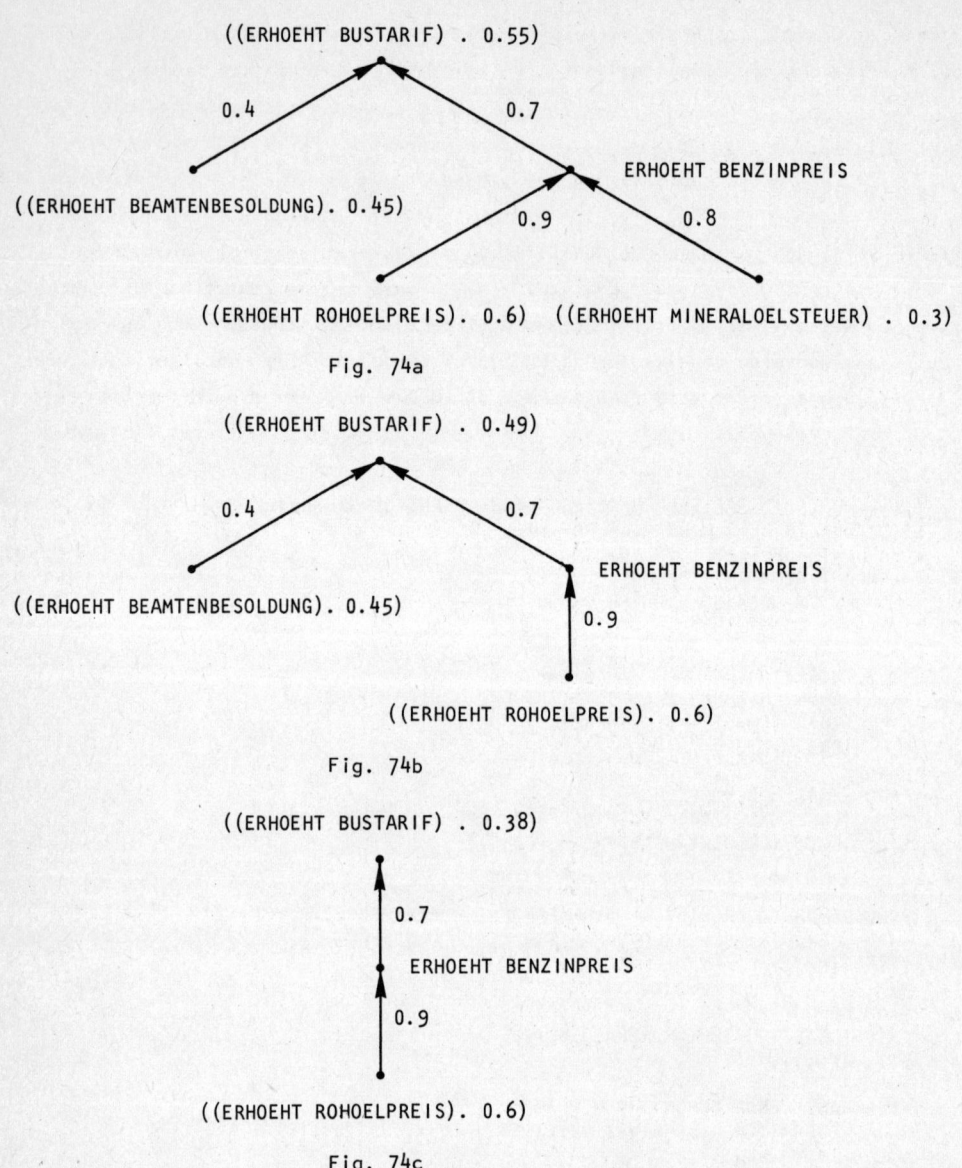

Fig. 74a

Fig. 74b

Fig. 74c

Fig. 74a-c: Beispiel für Mehrfachableitungen

weder einen Eintrag der assoziativen Datenbasis noch das charakteristische
Pattern einer von ENDE verschiedenen DEDUCE-Prozedur matcht (z.B. für Fig.
73 (GOAL (ERHOEHT LOHNSTEUER))), nicht durch ENDE fälschlicherweise erfolgreich ausgewertet wird. Die globale boolsche Variable %DERIVATION hat den Wahrheitswert T, wenn vor ENDE eine andere DEDUCE-Prozedur ausgewertet wurde. Daher
kann durch die im Rumpf von ENDE enthaltene bedingte Anweisung erreicht werden,
daß in dem genannten Fall die Evaluation einer Zielanweisung FAIL ergibt.

Fig. 74 zeigt die Ableitungsbäume für drei verschiedene Mehrfachableitungen
und die dabei enstehenden Evidenzwerte. Wie zu erwarten, ergeben sich bei der
zweiten und dritten Mehrfachableitung (vgl. Fig. 74b und Fig. 74c) geringere
Evidenzwerte als für die erste (vgl. Fig. 74a), da bei diesen nach dem Ent-
fernen des fünften bzw. des vierten und fünften Eintrags aus der assoziativen
Datenbasis (vgl. Fig. 73) potentielle Evidenzquellen entfallen. Die in Fig. 74
genannten Evidenzwerte werden durch den Prozedur-Dämon MDEMON (vgl. Fig. 75) ermittelt.

```
(z₁)   (DEFPROP MDEMON
(z₂)    (LAMBDA (V ZV AC)
(z₃)     (SETQ %DERIVATION T)
(z₄)     (COND
(z₅)      ((AND (EQUAL ZNAME 'ENDE) (NOT (EQUAL (CAR PSTACK) Z-PAT)))
(z₆)       (SETQ %ECHTES-FAIL T))
(z₇)      ((EQ V FAIL) (SETQ %ECHTES-FAIL T) (FAIL))
(z₈)      ((EQ V DONE)
(z₉)       (COND (%ECHTES-FAIL (SETQ %ECHTES-FAIL NIL))
(z₁₀)           (T (SETQ AC (*TIMES AC ZV))
(z₁₁)              (COND ((NOT (EQUAL ZNAME 'ENDE))
(z₁₂)                 (COND ((NOT (EQUAL (CAR PSTACK) Z-PAT))
(z₁₃)                    (SETQ %AC NIL)
(z₁₄)                    (SETQ %ERSTES-PROC-VORBEI NIL)
(z₁₅)                    (T (POP-N)))
(z₁₆)                  (COND (%ERSTES-PROC-VORBEI
(z₁₇)                     (PROG1 (SETQ %AC
(z₁₈)                            (*DIF (*PLUS %AC AC)
(z₁₉)                               (*TIMES %AC AC)))
(z₂₀)                        (PUSH-N)))
(z₂₁)                     (T (PROG1 (SETQ %AC AC)
(z₂₂)                         (SETQ %ERSTES-PROC-VORBEI T)
(z₂₃)                         (PUSH-1)))))
(z₂₄)              (T (PROG1 %AC
(z₂₅)                  (SETQ %ERSTES-PROC-VORBEI NIL)
(z₂₆)                  (SETQ %AC NIL)
(z₂₇)                  (POP-ENDE)))))))
(z₂₈)     (T (*MIN (ZVAL V) AC))))
(z₂₉)  EXPR)
```

Fig. 75: Der Prozedur-Dämon MDEMON

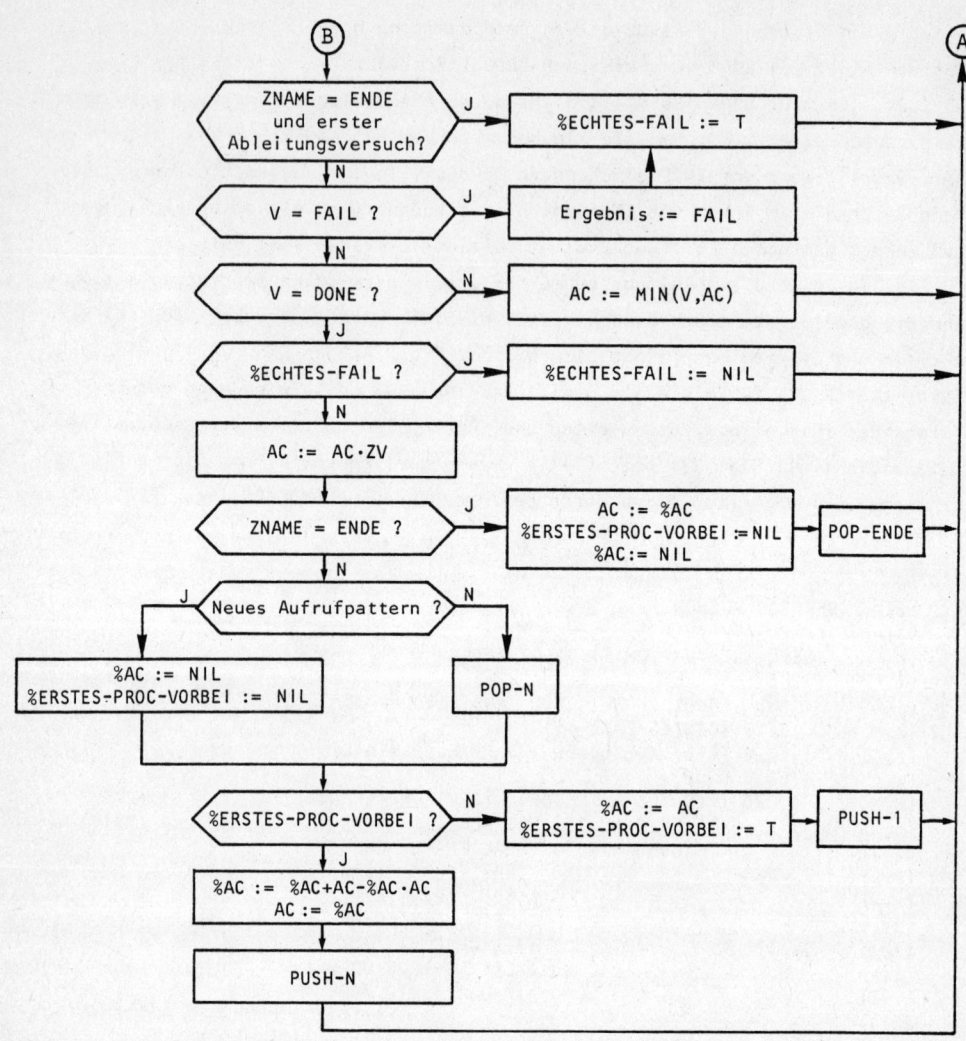

Fig. 76: Kontrollfluß in MDEMON

Der Prozedur-Dämon MDEMON, dessen Kontrollstruktur in Fig. 76 dargestellt ist, wird koroutinenartig nach der Auswertung jeder einzelnen unterbrechbaren Anweisung des Prozedurrumpfes der DEDUCE-Prozedur aufgerufen, mit der er assoziiert ist (vgl. Fig. 72[1]).

In Zeile (z_5)-(z_6) in Fig. 75 wird die Situation behandelt, in der innerhalb einer Mehrfachableitung für eine Formel B für eine dabei abzuleitende Formel A keine von ENDE verschiedene Inferenzregel gefunden werden kann. In diesem Fall muß die Variable %AC, welche den innerhalb einer Mehrfachableitung akkumulierten Z-Wert speichert, unverändert bleiben und die Suche nach weiteren Ableitungen für B darf nicht abgebrochen werden. Diese Situation liegt vor, wenn der Name der Inferenzregel (ZNAME), deren Evaluation von MDEMON überwacht wird, identisch ENDE ist und das instantiierte charakteristische Pattern (Z-PAT) von ENDE nicht mit dem instantiierten Pattern der zuletzt ausgewerteten DEDUCE-Prozedur ((CAR PSTACK) in Fig. 75) übereinstimmt (vgl. (z_5) in Fig. 75). Bei der vorgesehenen Verwendung als Abschluß einer Mehrfachableitung fällt der Test in (z_5) negativ aus. Anderenfalls muß ENDE die erste DEDUCE-Prozedur sein, die das Aufrufpattern matcht. Wenn die in Zeile (z_5) formulierte Konjunktion erfüllt ist, wird die boolesche Variable %ECHTES-FAIL auf den Wert T gesetzt (vgl. (z_6)), um anzuzeigen, daß es sich um eine tatsächlich fehlgeschlagene Auswertung einer DEDUCE-Prozedur und nicht um ein 'künstliches' FAIL handelt. Ein 'künstliches' FAIL soll den Interpreter lediglich dazu veranlassen, trotz einer vorausgegangenen, erfolgreichen direkten Ableitung im Sinne einer Mehrfachableitung nach weiteren Ableitungen zu suchen. Die Konjunktion in (z_5) ist z.B. bei der in Fig. 77 dargestellten Mehrfachableitung für die Auswertung von (GOAL (ERHOEHT MINERALOELSTEUER)) erfüllt (vgl. D und E in Fig. 77).

Wenn das Ergebnis des zuletzt ausgewerteten Teilausdrucks (V in Fig. 75) FAIL ist, wird durch Zeile (z_8) in MDEMON bewirkt, daß die Evaluation der gesamten DEDUCE-Prozedur als Fehlschlag gewertet wird. Ist V ungleich DONE, so ist die DEDUCE-Prozedur noch nicht vollständig evaluiert. In diesem Fall wird in Zeile (z_{28}) der akkumulierte Z-Wert AC dann als Minimum des Z-Wertes von V und des bisher akkumulierten Z-Wertes berechnet, was einer konjunktiven Verknüpfung der Teilausdrücke im Prozedurrumpf entspricht.

Ist die Evaluation einer DEDUCE-Prozedur abgeschlossen ((z_8) in Fig. 75), so wird abhängig vom Wert der booleschen Variablen %ECHTES-FAIL verzweigt. Falls sich im Verlauf der Auswertung ein 'echtes' FAIL ergab, bleibt %AC, d.h. der bisher in einer Mehrfachableitung ermittelte Z-Wert, unverändert und die boolesche Variable %ECHTES-FAIL wird mit NIL reinitialisiert ((z_9) in Fig. 75, vgl. D und E in Fig. 77). Anderenfalls wird in Zeile (z_{10}) von MDEMON gemäß dem

(1) Die Übergangsstellen A und B in Fig. 76 entsprechen denen in Fig. 72.

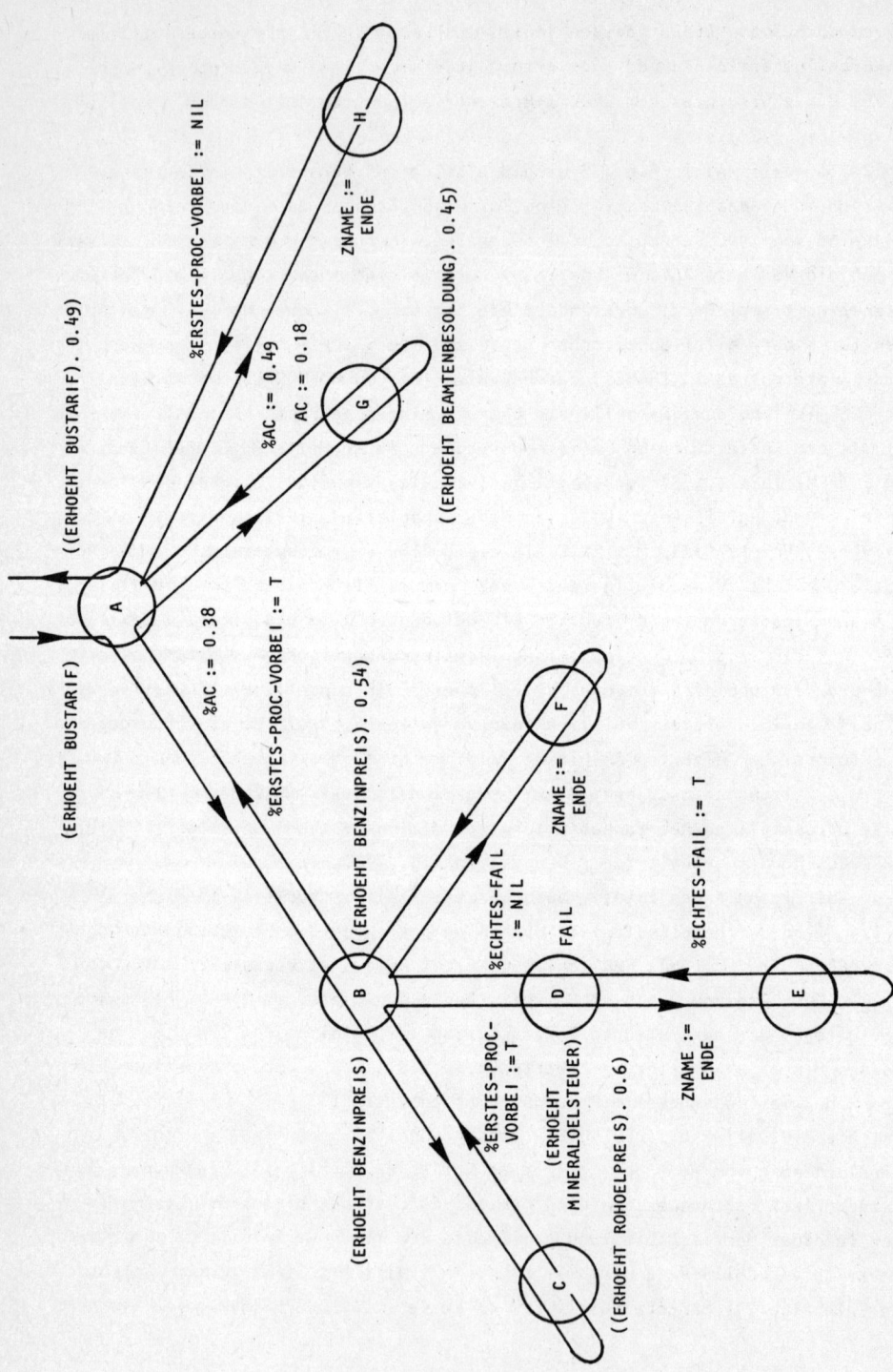

Fig. 77: Steuerung einer Mehrfachableitung durch MDEMON

Fuzzy Modus ponens (vgl. 3.1.2.) der akkumulierte Z-Wert als Produkt aus dem
bisher akkumulierten Z-Wert und der Implikationsstärke (ZV in Fig. 75, vgl.
auch B in Fig. 77) berechnet.

Sind noch nicht alle für eine direkte Mehrfachableitung in Frage kommenden
DEDUCE-Prozeduren evaluiert worden (Zeile (z_{11})), so werden die globale Variable %AC, die den durch Evidenzverstärkung ermittelten Z-Wert speichert, und die
boolesche Variable %ERSTES-PROC-VORBEI initialisiert, falls durch DONE die Auswertung einer Inferenzregel abgeschlossen wird, deren instantiiertes charakteristisches Pattern nicht identisch mit dem der zuletzt ausgewerteten Inferenzregel ist $((z_{13})-(z_{14}))$. Falls DONE die Auswertung einer Inferenzregel abschließt,
deren charakteristisches Pattern mit dem der zuletzt ausgewerteten Inferenzregel
identisch ist, werden die Werte von %AC und %ERSTES-PROC-VORBEI durch die obersten
Einträge der Kellerspeicher, in denen sie dynamisch verwaltet werden, ersetzt
(vgl. POP-N, (z_{15}) in Fig. 75).

Wird gerade die Auswertung der ersten möglichen Inferenzregel abgeschlossen
$((z_{21})-(z_{23})$, vgl. auch C in Fig. 77), so wird die globale Variable %AC mit dem
Wert von AC initialisiert. Auf der booleschen Variablen %ERSTES-PROC-VORBEI wird
durch den Wert T vermerkt, daß die erste mögliche Inferenzregel bereits ausgewertet wurde. Durch PUSH-1 werden die Werte von %AC, %ERSTES-PROC-VORBEI und
Z-PAT auf Kellerspeichern gerettet. Wird dagegen gerade die Evaluation der n-ten
Inferenzregel $(n > 1)$ beendet, so wird der Wert von %AC gemäß dem in Abschnitt
3.2.1.3. definierten Evidenzverstärker berechnet (Zeile $(z_{17})-(z_{19})$ in Fig. 75,
vgl. auch G in Fig. 77) und zusammen mit dem Wert von %ERSTES-PROC-VORBEI auf
Kellerspeichern gerettet $((z_{20})$ in Fig. 75). Nach Abschluß einer vollständigen
direkten Mehrfachableitung wird von MDEMON der ermittelte Evidenzwert abgegeben
$((z_{24})$ in Fig. 75), die von MDEMON benutzten Systemvariablen werden reinitialisiert und von den Kellerspeichern, in denen Z-PAT, %AC und %ERSTES-PROC-VORBEI
dynamisch verwaltet werden, wird das oberste Element entfernt (vgl. POP-ENDE
in (z_{27})).

3.2.2.3. Konjunktion und Disjunktion partiell erfüllter Prämissen in DEDUCE-Prozeduren

Im letzten Abschnitt wird ein allgemeines Verfahren für durch DEDUCE-Prozeduren
repräsentierte Inferenzregeln beschrieben, durch das sich die in unserem Inferenzmodell vorgesehenen Mehrfachableitungen und die darauf beruhende Evidenzverstärkung realisieren lassen. In den bisher zur Erläuterung des Verfahrens benutzten
Beispielen (vgl. Fig. 73) bestand der Rumpf der DEDUCE-Prozeduren jeweils nur
aus einer einzelnen Zielanweisung, was einer atomaren Formel als Prämisse der

Inferenzregel entspricht. Dies ist aber nicht auf eine Einschränkung der Allgemeinheit des beschriebenen Verfahrens zurückzuführen. Wie oben bereits erläutert,
bewirkt Zeile (z_{28}) in MDEMON (vgl. Fig. 75) die konjunktive Verknüpfung der
Ausdrücke im Rumpf der DEDUCE-Prozedur. Wenn wir die Konjunktion auf diese Weise
implizit repräsentieren, so ergibt sich eine allgemeine Form für die Prämissen
von Inferenzregeln dadurch, daß wir explizit ein prozedurales Analogon zum Junktor 'v' einführen und ohne Beschränkung der Allgemeinheit annehmen, daß die dadurch möglichen Anweisungsfolgen im Prozedurrumpf stets einer *konjunktiven Normalform* der Prämissen entsprechen.

Bei der Suche nach einer geeigneten Prozedur zur Realisierung des Junktors
'v' bieten sich zunächst die entsprechenden in FUZZY/LISP enthaltenen Sprachelemente OR, *OR und ZOR an. Die Definition von OR in LISP erweist sich in
diesem Zusammenhang als ungeeignet, u.a. weil OR seine Argumente nur solange
nacheinander auswertet, bis sich ein Wert ungleich NIL ergibt. Die Berechnung
eines maximalen Evidenzwertes, wie wir ihn innerhalb des FSE bei der Disjunktion
voneinander *abhängiger Evidenzen* vorsehen wollen, wird dadurch unmöglich.

Auch *OR in FUZZY kann als reine Pattern-Funktion (vgl. LEFAIVRE 1977, S. 27),
die zudem innerhalb von Zielanweisungen nicht anwendbar ist, in diesem Kontext
nicht verwendet werden. Schließlich ist auch die Verwendung des speziell für
mehrwertige Logiken entworfenen ZOR (vgl. LEFAIVRE 1977, S. 24) hier inadäquat.
Der in FUZZY vorgesehene Abbruch der Evaluation eines ZOR-Ausdrucks, sobald
die Auswertung eines Disjunktes nicht erfolgreich verläuft (was epistemologisch
u.a. als das Fehlen von Information gedeutet werden kann) ist bei der Rekonstruktion approximativer Inferenzprozesse offensichtlich unangemessen.

Beispiel: Angenommen die assoziative Datenbasis enthält ausschließlich folgende
Einträge: ((A B). 0.3),((D C). 0.8). Dann wird (ZOR (GOAL (A B)) (GOAL
(X Y)) (GOAL (D C))) zu FAIL ausgewertet.

Der wesentliche Nachteil von ZOR, der einen sinnvollen Einsatz bei Verwendung
einer Erklärungskomponente in einem KI-System ausschließt, besteht darin, daß eine
erfolgreiche Auswertung aller Disjunkte zu einem Ausdruck A führt mit VAL(A) =
< Assertion, die sich bei der Evaluation des letzten Disjunkts ergab > und EV(A) =
< ermittelter maximaler Z-Wert >.

Beispiel: Für die im vorangegangenen Beispiel benutzte Datenbasis ergibt (ZOR
(GOAL (D C))(GOAL (A B))) den FSE-Ausdruck ((A B). 0.8).

Diese arbiträre Paarung einer Assertion und eines Z-Wertes ist kontraintuitiv,
da der Z-Wert 0.8 ursprünglich mit der Assertion (D C), nicht aber mit (A B)

assoziiert war. Für die Weiterverwendung durch die Erklärungskomponente (vgl.
4.2.) ist ((D C) . 0.8) das einzig sinnvolle Evaluationsergebnis der im letzten
Beispiel angegebenen Disjunktion.

Da die bisher betrachteten Sprachelemente den Anforderungen unserer Problemstellung nicht genügen, müssen wir den Sprachumfang von FUZZY um die im folgenden
beschriebene Anweisung (OR* A_1 A_2... A_n) erweitern. Wir setzen voraus, daß sich
bei der Auswertung von A_1, A_2,...,A_n als Wert für jedes A_i mit $1 \leq i \leq n$ entweder
FAIL oder ein Ausdruck ($A_i.\alpha_i$) ergibt, wobei A_i eine Assertion ist und $\alpha_i \in EV$.
Der Wert von (OR* A_1 A_2... A_n) ist FAIL, falls die Auswertung für alle A_i mit
$1 \leq i \leq n$ FAIL ergibt[1]. Anderenfalls ist der Wert der Ausdruck ($A_j.\alpha_j$), für den
(1) gilt, d.h. es wird derjenige Ausdruck ($A_j.\alpha_j$) als Wert zurückgegeben, der

$$(1) \quad \forall \alpha_i \atop 1 \leq i \leq n, i \neq j \qquad \alpha_i \leq \alpha_j \ \wedge ((\alpha_i = \alpha_j) \Rightarrow (i > j))$$

bei der sequentiellen Auswertung von A_1, A_2,..., A_n als erster einen maximalen
Evidenzwert α_j aufweist.

Beispiel: Für die in den beiden vorangegangenen Beispielen benutzte assoziative
Datenbasis ergibt (OR* (GOAL(A B)) (GOAL (X Y)) (GOAL (D C))) den Wert
((D C). 0.8) und (OR* (GOAL(D C)) (GOAL (A B))) wird ebenfalls zu ((D
C). 0.8) ausgewertet.

3.2.2.4. Ein Vergleich mit der Kontrollstruktur des Interpreters für die in MYCIN verwendeten Produktionensysteme

Nachdem durch die Definition von OR* die Voraussetzungen für die Verwendung
einer allgemeinen Form von approximativen Inferenzregeln erfüllt sind, wird im
folgenden die Ausdrucksstärke des von uns erarbeiteten Formalismus am Beispiel
von Inferenzregeln diskutiert, die dem Format der in der Wissensbasis von MYCIN
gespeicherten Produktionenregeln (vgl. SHORTLIFFE 1976, S. 86) entsprechen. Ein
Auszug aus der in BNF dargestellten Syntax von MYCINs Produktionenregeln (vgl.
Fig. 78) bildet den Ausgangspunkt für den vorgesehenen Vergleich der beiden
Repräsentationssprachen.

```
< Regel >        ::= < Prämisse >  < Aktion >  |...
< Prämisse >     ::= ($AND < Bedingung >^{1-n})
< Bedingung >    ::= ($OR < Bedingung >^{1-n}) |...
```

Fig. 78: Auszug aus der Syntax der Produktionenregeln von MYCIN

[1] Im Gegensatz zu ZOR wird durch die Auswertung eines Disjunkts zu FAIL bei
der Verwendung von OR* außerhalb der Disjunktion kein Backtracking ausgelöst.

Wie oben bereits für DEDUCE-Prozeduren vereinbart, so werden auch in MYCIN
die Prämissen von Produktionenregeln in konjunktiver Normalform dargestellt (vgl. Fig. 79). Ein Beispiel für eine der aus Gründen der Übersicht-

REGEL004:

Prämisse: ($AND < Bedingung$_1$>
           < Bedingung$_2$>
           ($OR < Bedingung$_{31}$>
               < Bedingung$_{32}$>))

Aktion: (CONCLUDE CNTXT IDENT ENTEROBACTERIACEA TALLY .8)

REGEL115:

Prämisse: ($AND < Bedingung$_4$>
           < Bedingung$_5$>)

Aktion: (CONCLUDE CNTXT IDENT ENTEROBACTERIACEA TALLY .6)

Fig. 79: Beispiele für Produktionenregeln in MYCIN

lichtkeit in Fig. 79 nicht explizit dargestellten Bedingungen ist (SAME CNTXT
GRAM GRAMNEG), die für einen als Wert der Variable CNTXT gespeicherten Organismus überprüft, ob dessen Färbung gramnegativ ist. Mit den Regeln 004 und 115 in
Fig. 79, die durch die Implikationsstärken 0.8 und 0.6 charakterisiert sind,
kann bei einer Rückwärtsverkettung innerhalb einer direkten Mehrfachableitung
geprüft werden, mit welchem Evidenzwert ein bestimmter Organismus die Identität (IDENT in Fig. 79) Enterobacteriacea hat.

Trotz der bereits von Shortliffe vermuteten Ähnlichkeit zwischen der Kontrollstruktur des Interpreters für Produktionenregeln in MYCIN und derjenigen
für die Auswertung von Zielanweisungen in PLANNER-artigen Programmiersprachen
(vgl. SHORTLIFFE 1976, S. 119, 125) bestand bisher ein wesentlicher Unterschied zwischen diesen Repräsentationssprachen darin, daß in MYCIN (wenn auch
in sehr eingeschränkter Form gegenüber FSE) Mehrfachableitungen möglich waren,
in PLANNER-artigen Programmiersprachen dagegen nicht. Durch das oben eingeführte Verfahren für Mehrfachableitungen in der PLANNER-artigen Programmiersprache FUZZY wird es möglich, zu jeder der in Fig. 79 dargestellten Produktionenregeln von MYCIN eine isomorphe Repräsentationskonstruktion in FUZZY anzugeben (vgl. Fig. 80).

Eine in Fig. 80 noch nicht berücksichtigte Besonderheit von MYCIN ist, daß
eine Bedingung nur dann als erfüllt gilt, wenn ihr Evidenzwert über dem von
Shortliffe 'empirisch ermittelten' Schwellwert 0.2 liegt (vgl. SHORTLIFFE 1976,
S. 102). Da im Kopf einer DEDUCE-Prozedur nach dem Schlüsselwort ZVAL beliebiges

```
(PROC NAME: REGEL004 DEMON: MDEMON ZVAL: 0.8
    ( >CNTXT IDENT ENTEROBACTERIACEA)
    (GOAL ( <Bedingung₁ >))
    (GOAL ( <Bedingung₂ >))
    (OR* (GOAL ( <Bedingung₃₁ >))
         (GOAL ( <Bedingung₃₂ >))
    (END?))

(PROC NAME: REGEL115 DEMON: MDEMON ZVAL: 0.6
    ( >CNTXT IDENT ENTEROBACTERIACEA)
    (GOAL ( <Bedingung₄ >))
    (GOAL ( <Bedingung₅ >))
    (END?))
```

Fig. 80: Produktionenregeln von MYCIN als DEDUCE-Prozeduren

Metawissen repräsentiert werden kann, ist es ohne weiteres möglich, neben der
bisher vorgesehenen Implikationsstärke auch noch einen Schwellwert anzugeben,
den die Ausdrücke im Prozedurrumpf für eine erfolgreiche Auswertung überschreiten
müssen. Für eine entsprechende Interpretation des Paares (<Schwellwert> <Impli-
kationsstärke>) wird dadurch gesorgt, daß in MDEMON nach Zeile (z_7) in Fig.
75 die Anweisung ((*LESS (ZVAL V) (CAR ZV)) (SETQ %ECHTES-FAIL T) (FAIL)) eingefügt wird und in Zeile (z_{10}) ZV durch (CADR ZV) ersetzt wird.

Diese allgemeine Lösung, die es erlaubt, für jede Inferenzregel einen eigenen
Schwellwert zu spezifizieren, führt in dem speziellen Fall von MYCIN bei Einfügung
der Angaben ZVAL: '(0.2 0.8) bzw. ZVAL: '(0.2 0.6) in Fig. 80 zu identischen Eva-
luationsergebnissen für MYCIN und FUZZY.

Formal betrachtet führen Schwellwerte, wie sie für die Rekonstruktion der
Inferenzkomponente von MYCIN in dem von uns erarbeiteten Formalismus verwendet
werden, zu einer gegenüber Kapitel 3.1. veränderten Form des Modus ponens (vgl.

(1) R_1: AU × AU × AU → { 1, 0 }

Seien A, B, C ∈ FO und ev_1, ev_2, β ∈ EV

$R_1(M,N,O) = 1 :⟺ M = (A,ev_1) ∧ N = ((A⇒B),β,ev_2) ∧ ev_1 > β ∧ O = (B,ev_1·ev_2)$

(1)). Durch diese Form des Modus ponens wird allerdings das in Kapitel 3.1.
zugrundegelegte Prinzip verletzt, daß die Menge der im Sinne der klassischen
Prädikatenlogik aus einer Formel ableitbaren Formeln unabhängig von den mit den
einzelnen Formeln assoziierten Evidenzwerten und deren Verknüpfung gebildet wird.
Denn in (1) wird die Menge der Formeln, die mithilfe der Ableitungsregel Modus
ponens im klassischen Sinne ableitbar sind, durch den Vergleich mit dem Schwellwert β eingeschränkt.

Während die Bestimmung der Identität eines vorgegebenen Organismus bei der Verwendung von MDEMON durch eine Zielanweisung der Form (GOAL (ORGANISMUS-3 IDENT

?ORG)) realisiert wird, die zu einer Mehrfachableitung mithilfe der in Fig. 80 dargestellten DEDUCE-Prozeduren führt, werden in MYCIN durch den sog. FINDOUT-Mechanismus (vgl. SHORTLIFFE 1976, S. 123) zunächst die dafür relevanten Produktionenregeln ermittelt und anschließend durch einen speziellen Interpreter für Produktionenregeln ausgewertet. In MYCIN sind auf der Eigenschaftsliste von IDENT, der neben dem Alter und den bekannten Allergien eines Patienten einen von den 65 vorgesehenen klinischen Parametern in MYCIN darstellt, unter dem Eigenschaftsnamen UPDATED-BY die Bezeichner für alle Produktionenregeln abgespeichert, deren Aktionsteil eine Aussage über IDENT enthält (vgl. SHORTLIFFE 1976, S. 124).

Beispiel: Auf die in Fig. 79 dargestellten Produktionenregeln wird in der Eigenschaftsliste von IDENT verwiesen:

$$IDENT \xrightarrow{\text{UPDATED-BY}} (\dots \text{REGEL004} \dots \text{REGEL115} \dots)$$

Der FINDOUT-Mechanismus greift einfach auf die Eigenschaftsliste des jeweiligen klinischen Parameters zu. Das beschriebene Schema, nach dem jede neue Regel nur nach den in ihr angesprochenen klinischen Parametern direkt bei der Eingabe indiziert wird, schränkt die Allgemeinheit des Inferenzmechanismus von MYCIN gegenüber dem von uns erarbeiteten Verfahren erheblich ein.

Eine beliebige Verwendung von Variablen bei der Formulierung von Anfragen an die Wissensbasis ist durch die unvollständige Indizierung in MYCIN ausgeschlossen, so daß es mit dem FINDOUT-Mechanismus z.B. keine äquivalente Anfrage zu der bei Verwendung von MDEMON möglichen Zielanweisung (GOAL (ORGANISMUS-3 ?KLINISCHER-PARAMETER ?WERT)) gibt.

Eine Vorausberechnung der für die Beantwortung beliebiger Anfragen relevanten Inferenzregeln ist ohnehin im allgemeinen Fall offensichtlich unmöglich, da z.B. die erfolgreiche Unifikation der Konklusion einer Inferenzregel und der Anfrage vom Wert eines Prädikats über einer globalen Variablen abhängen kann (z.B. (*R ?X (P !X Y)) wobei Y eine globale Variable und P ein Prädikat ist).

Aber in MYCIN ist nicht nur bei der Formulierung von Anfragen sondern dadurch, daß innerhalb von Produktionenregeln CNTXT die einzige zulässige Variable ist (vgl. SHORTLIFFE 1976, S. 131f.), auch bei der Repräsentation von Inferenzregeln die Verwendung von Variablen sehr eingeschränkt. NILSSON 1980 ordnet das Inferenzsystem von MYCIN auch der Aussagenlogik und nicht der Prädikatenlogik zu. Das von mir vorgelegte Inferenzsystem im Rahmen eines fuzzy-sortierten Evidenzenkalküls (vgl. 3.1.), das auf der Prädikatenlogik basiert, ist also mächtiger als der Interpreter für die Produktionenregeln in MYCIN.

3.2.2.5. Multiple AND/OR-Bäume zur graphischen Darstellung komplexer Inferenzprozesse

Gemeinsames Kennzeichen der von uns erarbeiteten und der in MYCIN verwendeten Rekonstruktion approximativer Inferenzen ist es, daß für die einer Wissensbasis neu hinzugefügten Inferenzregeln nicht notwendigerweise eine Relation zu den bereits gespeicherten Regeln spezifiziert werden muß. Aufbau, Ausbau und Wartung großer Wissensbasen in anwendungsorientierten KI-Systemen werden durch die Modularität, die auf diese Weise gewonnen wird, erheblich erleichtert. Zur Vermeidung unangemessener Evidenzverstärkungen muß allerdings trotz dieser Möglichkeit zur modularen Darstellung darauf geachtet werden, daß abhängige Evidenzquellen in einer einzigen Inferenzregel zusammengefaßt werden, anstatt sie in zwei verschiedenen Inferenzregeln zu verwenden. In unserem Inferenzmodell werden zwei Arten disjunktiver Verknüpfungen unterschieden:

- die disjunktive Verknüpfung *abhängiger Evidenzquellen* innerhalb einer Inferenzregel durch OR*
- die disjunktive Verknüpfung *unabhängiger Evidenzquellen* in Form zweier Inferenzregeln mit gleichem charakteristischem Pattern

Die Verantwortung für die notwendige Unterscheidung abhängiger und unabhängiger Evidenzquellen kann dem Bearbeiter nicht vom System abgenommen werden, da allgemein die Unabhängigkeit nicht durch formale Operationen auf den Inferenzregeln überprüft werden kann[1].

Wegen der genannten Unterscheidung von zwei Arten der disjunktiven Verknüpfung können wir bei der graphischen Darstellung von Ableitungsprozessen, die sich im folgenden bei der Analyse von Mehrfachableitungen als nützlich erweisen wird, nicht auf das in der KI in diesem Zusammenhang sonst bewährte Hilfsmittel des AND/OR-Baums (vgl. SLAGLE 1963, NILSSON 1980) zurückgreifen. Bevor wir einen weiteren Ausbau des bisher vorgestellten Inferenzsystems vornehmen, führen wir zur graphischen Darstellung von Mehrfachableitungen 'multiple AND/OR-Bäume' als Verallgemeinerung von AND/OR-Bäumen ein.

Definition:

Ein Quintupel (M,A,O,Z,R) bezeichnen wir als einen *multiplen AND/OR-Baum* (Abk.: MAO-Baum) genau dann, wenn

[1] Ein extremer Fall von Abhängigkeit und entsprechender unangemessener Evidenzverstärkung, der allerdings vom System durch systematischen Vergleich aller Inferenzregeln aufgedeckt werden kann, liegt vor, wenn die Wissensbasis Inferenzregeln enthält, die bis auf den optional spezifizierten Regelbezeichner identisch sind.

(1) M eine Menge von multiplen Knoten, A eine Menge von AND-Knoten,

O eine Menge von OR-Knoten und Z die Wurzel des Baumes ist.

(2) $R \subset K \times K \cup \{Z\} \times K$ mit $K = M \cup A \cup O$ eine linkseindeutige Relation ist

(3) der gerichtete Graph, der durch R definiert wird, zusammenhängend und

zyklenfrei ist.

Wir sprechen dann auch von einem MAO-Baum mit Wurzel Z. Wenn $M \cap A \cap O = \emptyset$ gilt, sprechen wir von einem *reinen* MAO-Baum. Werden $j > 1$ AND-Knoten A_1, A_2,..., $A_j \in$ K von einem einzelnen Knoten $A_k \in K$ unmittelbar dominiert[1], so werden die von A_k zu A_1, A_2,..., A_j führenden Kanten durch einen Bogen verbunden (vgl. Fig. 81 (a)). Dominiert ein Knoten $A_k \in K$ unmittelbar $j > 1$ OR-Knoten A_1, A_2,..., $A_j \in K$, so werden die von A_k wegführenden Kanten durch einen Doppelbogen verbunden (vgl. Fig. 81 (b)). Durch diese Konventionen lassen die drei in Fig. 81 dargestellten Typen von Knoten graphisch unterscheiden.

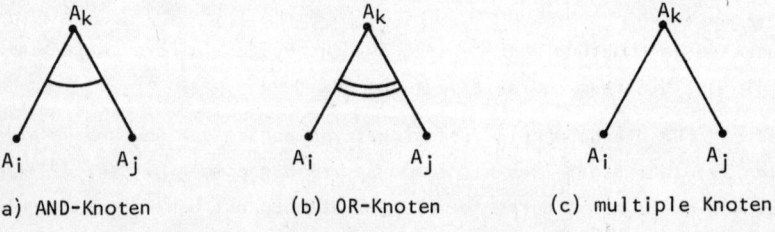

| (a) AND-Knoten | (b) OR-Knoten | (c) multiple Knoten |

Fig. 81: Graphische Darstellung von AND-, OR- und multiplen Knoten

Hat ein Knoten $A_j \in K$ nur einen einzelnen unmittelbaren Nachfolgerknoten $A_k \in$ K, so geht aus der graphischen Darstellung nicht hervor, ob A_k ein multipler Knoten, ein AND-Knoten oder ein OR-Knoten ist.

Im folgenden verwenden wir nur unreine MAO-Bäume mit $M \cap A \cap O \neq \emptyset$, da sie im Vergleich zu reinen MAO-Bäumen eine kompaktere Darstellung erlauben und direkter interpretierbar sind. Wir vereinbaren folgende Interpretationskonventionen für einen MAO-Baum: In einem unreinen MAO-Baum repräsentieren alle Knoten, die keine Blätter sind, Zielanweisungen, welche die Evaluation von Inferenzregeln auslösen. Die Blätter eines MAO-Baums repräsentieren Zielanweisungen, die lediglich Zugriffe auf die assoziative Datenbasis auslösen. AND-Knoten stellen die in konjunktiver Normalform notierten Prämissen im Rumpf einer DEDUCE-Prozedur dar. Nur unter der auf S. 119 eingeführten Voraussetzung dieser Normalform ist die Interpretation unreiner MAO-Bäume eindeutig definiert. OR-Knoten repräsentieren die in einer DEDUCE-Prozedur durch einen OR*-Ausdruck

[1] d.h. (A_k, A_1), (A_k, A_2),..., $(A_k, A_j) \in R$

zusammengefaßten Zielanweisungen. Multiple Knoten stellen Zielanweisungen aus
unterschiedlichen DEDUCE-Prozeduren dar, die in einer Mehrfachableitung - ausgelöst durch die Auswertung einer Zielanweisung, welche die multiplen Knoten
unmittelbar dominiert - evaluiert werden.

Bei den im folgenden verwendeten MAO-Bäumen werden meist noch die Bögen,
Doppelbögen und multiplen Verzweigungen bewertet. Falls im Text nicht abweichend vereinbart, repräsentieren dabei die Bewertungen die Implikationsstärken der durch den jeweiligen Teilgraph dargestellten Inferenzregel.

Beispiel: Angenommen bei einer durch eine Zielanweisung Z ausgelösten Mehrfachableitung können folgende Inferenzregeln angewendet werden:

$$A \wedge (B \vee C) \xrightarrow{\alpha_1} Z$$
$$D \wedge E \xrightarrow{\alpha_4} Z$$
$$F \xrightarrow{\alpha_2} B$$
$$G \vee H \xrightarrow{\alpha_3} B$$
$$I \vee J \xrightarrow{\alpha_5} D$$

Diesen Sachverhalt können wir durch den in Fig. 82 gezeigten Zielbaum darstellen.

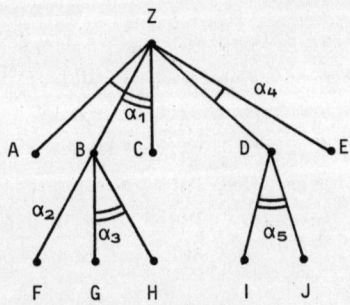

Fig. 82: Beispiel für einen unreinen MAO-Baum

Analog zur Transformation von unreinen AND/OR-Bäumen in reine AND/OR-Bäume
(vgl. WINSTON 1977, S. 104f.) können unreine MAO-Bäume durch Einführung zu-
sätzlicher Knoten in reine MAO-Bäume überführt werden. Die Interpretation
des reinen MAO-Baums in Fig. 83 entspricht der des unreinen MAO-Baums in Fig.
82.

Eine Mehrfachableitung, die sich durch die Auswertung der in einem Zielbaum dargestellten Inferenzregeln ergibt, kann als endlicher Teilbaum G eines
MAO-Baums repräsentiert werden. Wir bezeichnen G dann als Ableitungsbaum (vgl.

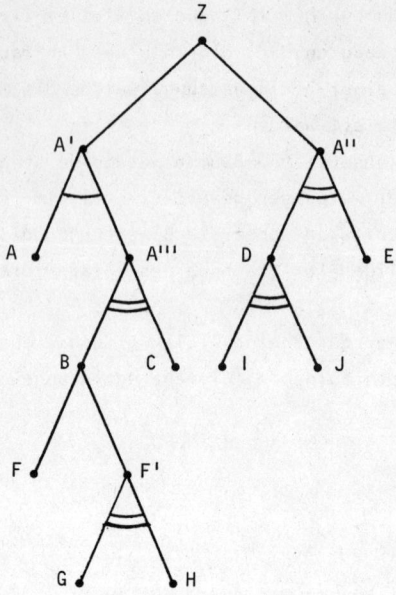

Fig. 83: Reiner MAO-Baum

Fig. 84 als Ableitungsbaum zu Fig. 82). Ableitungsbäume verhalten sich damit zu
den als Zielbäume interpretierten MAO-Bäumen wie Resultat- oder Lösungsbäume
zu den als Problembäumen interpretierten AND/OR-Bäumen. Während Lösungsbäume
als Teilgraphen von AND/OR-Bäumen ausschließlich aus AND-KNOTEN bestehen, ist
ein Ableitungsbaum als Teilgraph eines MAO-Baums ausschließlich aus AND-Knoten
und multiplen Knoten aufgebaut. In beiden Fällen sind in den Teilgraphen keine
OR-Knoten mehr enthalten, da die erfolgreiche Auswertung jeweils eines Disjunkts
ausreicht.

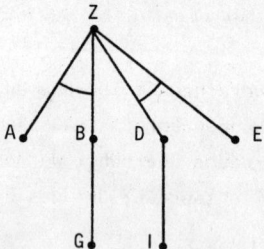

Fig. 84: Ableitungsbaum für eine Mehrfachableitung

Eine spezielle Ausprägung von Ableitungsbäumen haben wir in den vorangegangenen Abschnitten bereits benutzt, z.B. können die Graphen in Fig. 74a-c als Ableitungsbäume interpretiert werden, die aus multiplen Knoten bestehen. Wie HALL 1973 zeigte, sind AND/OR-Graphen, die im Gegensatz zu AND/OR-Bäumen Zyklen enthalten dürfen, äquivalent zu kontext-freien Grammatiken. Ein Resultatbaum repräsentiert dann eine Ableitung einer kontext-freien Grammatik. Analog dazu wird durch einen Ableitungsbaum, der Teilgraph eines MAO-Baums ist, eine Mehrfachableitung im fuzzy-sortierten Evidenzenkalkül (vgl. 3.1.) dargestellt.

3.2.2.6. Die Realisierung der Fuzzy Substitutionsregel: Fuzzy Sorten und Fuzzy Matching

Um eine weitere Entsprechung des von mir implementierten Inferenzsystems mit dem in Kapitel 3.1. eingeführten fuzzy-sortierten Evidenzenkalkül herzustellen, wird in diesem Abschnitt gezeigt, auf welche Weise die in dem FSE als Ableitungsregel definierte Fuzzy Substitutionsregel bei der Darstellung von Inferenzregeln als DEDUCE-Prozeduren berücksichtigt werden kann. Obwohl die Unifikation des in einer Zielanweisung enthaltenen Aufrufpattern und des charakteristischen Pattern einer DEDUCE-Prozedur durch die FUZZY-Systemprozedur ZCALLP nicht der Fuzzy Substitutionsregel entspricht, kann durch eine Änderung in dieser Systemprozedur die Fuzzy Substitutionsregel realisiert werden.

Die Änderung beruht auf den Konzepten der *fuzzy-sortierten Variable* und des *'Fuzzy Pattern Matching'*, die ich im folgenden einführen werde.

Bei einem erfolgreichen Pattern Match werden die in einem Pattern enthaltenen Variablen gebunden. Beispielsweise wird an die Variable LUXUSWAGEN in (1), die

(1) (MATCH (?LUXUSWAGEN IST TEUER) (VW-KAEFER1 IST TEUER))

durch das Präfix '?' als wertaufnehmend gekennzeichnet ist, der Wert VW-KAEFER1 gebunden. In (1) ist der Variablenname LUXUSWAGEN arbiträr gewählt und der Wertebereich der Variablen ist in keiner Weise eingeschränkt. Damit handelt es sich um eine universelle Variable im Sinne der FSE (vgl. 3.1.1.). Soll eine erfolgreiche Auswertung von (1) aufgrund der Tatsache, daß ein VW-Käfer nicht als Luxuswagen betrachtet werden kann, verhindert werden, so muß in (1) LUXUSWAGEN zu einer typisierten Pattern-Variable werden.

Wenn man im Zusammenhang mit Programmiersprachen von Typisierung spricht, so sind damit nicht Typen in Sinne der mathematischen Logik angesprochen, sondern die schon in Kapitel 3.1. eingeführten Sorten. Wir werden daher im folgenden die Termini 'typisierte Variable', 'Variable der Sorte s' und 'sortierte Variable' synonym verwenden. Zur Einführung von Sortenindizes benutzen wir u.a. die Relation

ISA. Ein Eintrag wie (2) in die assoziative Datenbasis weist die Individuenkonstante CADILLAC123 der Sorte LUXUSWAGEN zu.

(2) ((ISA CADILLAC123 LUXUSWAGEN) . 1)

Ich habe den in FUZZY enthaltenen Pattern Matcher um die Möglichkeit zur Verarbeitung sortierter Variablen erweitert. Dabei werden durch die Präfigierung
von Variablennamen mit der Zeichenfolge '_>' typisierte Variable eingeführt.
Wenn wir annehmen, daß in der assoziativen Datenbasis keine Assertion enthalten
ist, welche die Konstante VW-KAEFER1 der Sorte LUXUSWAGEN zuordnet, so verläuft
die Auswertung von (3) im Gegensatz zu (1) nicht erfolgreich. Wir bezeichnen

(3) (MATCH (_>LUXUSWAGEN IST TEUER) (VW-KAEFER1 IST TEUER))

_>LUXUSWAGEN als *implizit typisierte (sortierte) Variable*, da sie nicht durch
eine explizite Typdeklaration[1] sondern dadurch, daß der Variablenname einer
Sorte entspricht, typisiert wird. Um mehr als eine Variable einer bestimmten
Sorte in einem Pattern zulassen zu können, vereinbaren wir, daß in einer implizit typisierten Variablen beliebige Ziffernfolgen als Suffix eines Sortenindex
auftreten dürfen. Dabei nehmen wir o.B.d.A. an, daß die Sortenindizes selbst
nicht mit einer Ziffer enden. Aufgrund dieser Vereinbarung können wir dann ein
Pattern wie (4) formulieren, das zwei Variable der gleichen Sorte enthält.

(4) (_>LUXUSWAGEN1 IST TEURER ALS _>LUXUSWAGEN2)

Da man als Extension einer Sorte die Menge aller einer Sorte zugeordneten Individuenkonstanten auffaßt, ist es sinnvoll, vom Durchschnitt von Sorten zu sprechen.
Wir lassen in unserem Modell nichtleere Durchschnitte von Sorten zu. Auf diese
Weise wird eine partielle Ordnung in Form der Mengeninklusion auf der Menge S
der Sorten induziert, die durch einen Sortengraph dargestellt werden kann.

Obersorten zu bereits definierten Sorten können in unserem Modell jederzeit durch die U-Relation (vgl. V. HAHN et al. 1980) in die assoziative Datenbasis eingeführt werden. So wird durch (5) z.B. die Sorte AUTO als Obersorte zu LUXUSWAGEN eingeführt. Bei einem auf diese Weise strukturierten Indi-

(5) ((U AUTO LUXUSWAGEN) . 1)

viduenbereich löst eine Typprüfung im allgemeinen Fall einen Suchprozeß in
einem Sortengraph aus. Dieser Suchprozeß wird durch die von mir eingeführte
Prozedur TYPECHECK%% ausgeführt, welche durch die (als READMACRO definierte)

---

[1] In der Programmiersprache PASCAL würde in diesem Fall der Anfang eines
Programms eine Typendefinition 'type Luxuswagen = (Cadillac123 ...)' und
eine Variablenvereinbarung 'var Luxuswagen1 : Luxuswagen' enthalten sein.

Zeichenfolge '_>' bei der Auswertung von typisierten Variablen aufgerufen wird. Beispielsweise wird bei der erfolgreichen Auswertung von (6) TYPECHECK%% mit den Argumenten AUTO und CADILLAC123 aufgerufen. Die Typprüfung liefert ein posi-

(6) (MATCH (_>AUTO VERBRAUCHT BENZIN) (CADILLAC123 VERBRAUCHT BENZIN))

tives Ergebnis, da im Sortengraph mit (2) und (5) ein über U- und ISA-Kanten führender Pfad zwischen den beiden Argumenten von TYPECHECK%% gefunden wird, wodurch die Zugehörigkeit von CADILLAC123 zur Sorte AUTO bewiesen ist.

Eine auf diese Weise eingeführte Sortenstruktur läßt sich offensichtlich auch auf die übliche Prädikatenlogik reduzieren, die als einsortiger Kalkül betrachtet werden kann (vgl. ENDERTON 1972, S. 280). Dabei wird jede Sorte $s \in S$ durch ein einstelliges Prädikat $p_s \in PS$ ersetzt, so daß z.B. (7) in einer

(7) $\forall_{x \in AUTO}$ VERBRAUCHT(x, BENZIN)

(8) $\forall_x$ AUTO(x) $\Rightarrow$ VERBRAUCHT(x, BENZIN)

einsortigen Sprache als (8) geschrieben wird. Trotz dieser formalen Reduktions-möglichkeit wird die Einführung von Sorten beim Entwurf neuerer Programmierspra-chen standardmäßig vorgesehen (vgl. z.B. ALGOL68 und PASCAL), da sie u.a. die Verständlichkeit und die Lesbarkeit des Programmtextes wesentlich erhöht (vgl. WIRTH 1972, S. 47f.).

In der KI dienen Sortenrestriktionen[1] meist zur Einschränkung des Inferenz-aufwandes, indem sie Unifikationen verhindern, die zu nutzlosen Inferenzen führen würden (vgl. CHAMPEAUX 1978, COHN 1979). Für den Aufbau einer Erklärungskompo-nente hat die Verwendung typisierter Variable den zusätzlichen Vorteil, daß sie die Algorithmen zur Verbalisierung von Inferenzregeln vereinfacht (vgl. 4.3.2.).

Bei der in dieser Arbeit angestrebten Rekonstruktion approximativer Inferenzen erweist es sich als nützlich, über die bisherige Verwendung von Sorten in der KI hinauszugehen, indem wir als Extension einer Sorte auch eine F-Menge von Indivi-duenkonstanten zulassen. Die Struktur der assoziativen Datenbasis von FUZZY legt es nahe, gemäß dem FSE fuzzy Sorten durch Einträge wie (9), (10) und (11) einzu-führen. Wie in Abschnitt 3.1.1. vereinbart, ist durch eine charakteristische Funk-

(9) ((ISA MERCEDES123 LUXUSWAGEN) . 0.8)

(10) ((ISA BMW800 LUXUSWAGEN) . 0.3)

(11) ((ISA BMW800 MITTELKLASSEWAGEN) . 0.7)

---

[1] Für die explizite Angabe einer Sorte von Variablen haben sich in KI-Systemen unterschiedliche Schreibkonventionen wie (<Variablenname><Sortenindex>) (u.a. in ARS, vgl. 1.5.2.3.) oder <Variablenname>.<Sortenindex> (vgl. PLIDIS, KOLVENBACH et al. 1979) herausgebildet. Ein sehr allgemeiner Typisierungsmecha-nismus steht in der Programmiersprache FIT (vgl. BOLEY 1979) zur Verfügung.

tion δ_S für jede Sorte s $\in$ S die Extension von s durch $FS_0^S = \{$ a $\in FS_0 \mid \delta_S(a) > 0 \}$ bestimmt. Dabei brauchen die fuzzy Sorten nicht disjunkt zu sein (vgl. (10) und (11)).

Bei der Verwendung von fuzzy-sortierten Variablen in einem Pattern können Grade der Übereinstimmung zwischen dem Pattern und dem damit zu vergleichenden Datenobjekt unterschieden werden. Ein solches Fuzzy Pattern Matching (vgl. WAHLSTER 1977, S. 147) wird durch die von mir entwickelte Prozedur FMATCH in FUZZY realisiert. Bei erfolgreicher Evaluation ist der Wert von FMATCH das durch einen Z-Wert modifizierte instantiierte Pattern (vgl. (12)). Enthält ein Pattern

(12) (FMATCH (_>LUXUSWAGEN IST TEUER) (MERCEDES123 IST TEUER))

    ~ ((MERCEDES 123 IST TEUER) . 0.8)

mehrere fuzzy-sortierte Variable so berechnet FMATCH gemäß dem FSE den Z-Wert des Gesamtergebnisses als Minimum der Z-Werte, die sich bei den einzelnen Typprüfungen ergeben (vgl. (13)). Interpretiert man die Gradierung der ISA-Relation als assertorische Unsicherheit so darf diese im allgemeinen nicht auf die episte-

(13) (FMATCH (_>LUXUSWAGEN1 IST AEHNLICH TEUER WIE _>LUXUSWAGEN2)

      (BMW800 IST AEHNLICH TEUER WIE MERCEDES123))

  ~ (BMW800 IST AEHNLICH TEUER WIE MERCEDES123) . 0.3 [MIN(0.3,0.8)])

mologisch als definitorische Beziehung interpretierbare U-Relation übertragen werden (vgl. SCHEFE 1979). Daher ergibt sich mit (5) für FMATCH in (14) der Z-Wert 1 und nicht etwa 0.8. Allerdings ist es möglich, durch die explizite Ein-

(14) (FMATCH (_>AUTO VERBRAUCHT BENZIN) (MERCEDES123 VERBRAUCHT BENZIN))

führung von ISA-Kanten zwischen MERCEDES123 und der vorher durch (15) als Obersorte zu LUXUSWAGEN eingeführten Sorte STATUSSYMBOL eine assertorische Unsicher-

(15) ((U STATUSSYMBOL LUXUSWAGEN). 1)

heit auch in Bezug auf Obersorten darzustellen (vgl. (16)). Dabei muß allerdings berücksichtigt werden, daß bei $FS_0^{S1} \subset FS_0^{S2}$ gemäß der Theorie der F-Mengen für alle a $\in FS_0$ $\delta_{S_1}(a) \geq \delta_{S_2}(a)$ gilt.

(16) ((ISA MERCEDES123 STATUSSYMBOL) . 0.9)

Wenn wir zusätzlich zu (2), (5), (9), (10), (11), (15) und (16) AUTO als Obersorte zu MITTELKLASSEWAGEN einführen, lassen sich die oben eingeführten Sortenbezeichnungen durch den Sortenbaum in Fig. 85 zusammenfassen.

Bei der Darstellung von Inferenzregeln durch DEDUCE-Prozeduren können wir die Fuzzy Substitutionsregel mithilfe der erweiterten Systemprozedur ZCALLP dadurch realisieren, daß wir FMATCH auf das charakteristische Pattern und das in der

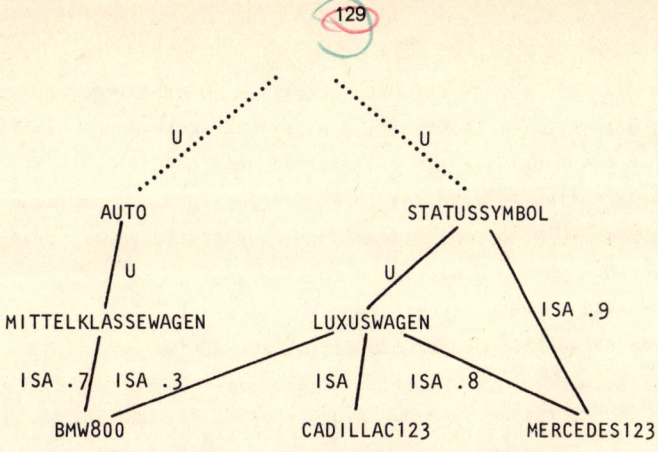

Fig. 85: Auszug aus einem Sortengraph

auszuwertenden Zielanweisung enthaltene Aufrufpattern anwenden, den dabei berechneten Z-Wert mit der in der aktivierten DEDUCE-Prozedur als Metawissen gespeicherten Implikationsstärke multiplizieren und das dabei entstandene Produkt als modifizierte Implikationsstärke interpretieren. Die auf diese Weise
modifizierte Implikationsstärke dient bei einer nachfolgenden Modus ponens Anwendung als Multiplikator. Es handelt sich bei dieser Änderung um eine mit den
vorherigen Versionen von FUZZY kompatible Erweiterung von ZCALLP, da für ein
charakteristisches Pattern, welches keine fuzzy-sortierten sondern nur universelle Variable enthält, die in der DEDUCE-Prozedur angegebene Implikationsstärke unverändert bleibt.

3.2.2.7. Ein zusammenfassendes Beispiel für die vier charakteristischen Eigenschaften des Inferenzmodells

Wir haben im vorangegangenen Abschnitt den sukzessiven Ausbau des auf dem
fuzzy-sortierten Evidenzenkalkül basierenden Inferenzsystems mit der Realisierung
der Fuzzy Substitutionsregel abgeschlossen. Zusammenfassend läßt sich das in diesem Kapitel vorgestellte Modell durch die folgenden vier Eigenschaften charakte-
risieren:

(a) Eine approximative Inferenzregel stellt eine abgeschwächte Implikation
   dar. Jeder approximativen Inferenzregel wird daher eine bestimmte Implikationsstärke zugeordnet.

(b) Oft sind die Prämissen einer approximativen Inferenzregel nur zu einem gewissen Grad erfüllt. Dies wird u.a. bei der Berechnung des Evidenzwertes für die Konklusion einer Inferenzregel berücksichtigt.

(c) Eine approximative Inferenzregel ist oft nur zu einem gewissen Grad anwendbar, weil in ihr enthaltene Sortenrestriktionen nur graduell erfüllt sind.

(d) Die Ergebnisse mehrerer voneinander unabhängiger Inferenzregeln können sich in Mehrfachableitungen gegenseitig verstärken.

Wie wir gezeigt haben, lassen sich die Eigenschaften (a) und (b) bereits mit den in FUZZY enthaltenen Sprachkonzepten und die Eigenschaften (c) und (d) mithilfe der von uns zusätzlich erarbeiteten Mechanismen in einem einheitlichen und theoretisch durch den FSE fundierten Inferenzsystem realisieren.

Ein ausführlich kommentiertes Beispiel einer approximativen Inferenzkette soll zum Schluß von Kapitel 3 die Ausdrucksstärke verdeutlichen, die durch das Zusammenwirken der vier genannten Eigenschaften des Modells erreicht wird.

Im Beispiel gehen wir davon aus, daß die in Fig. 86 enthaltenen Assertionen[1] als Einträge der assoziativen Datenbasis gespeichert sind. Der durch ISA- und

```
(A₁) ((REF MERCEDES123 GEBRAUCHT) . 1)
(A₂) ((ISA MERCEDES123 AUTO) . 1)
(A₃) ((HAP MERCEDES123 RADLAGER1) . 1)
(A₄) ((HAP MERCEDES123 RADLAGER2) . 1)
(A₅) ((ISA RADLAGER2 FUNKTIONSTEIL) . 1)
(A₆) ((ISA RADLAGER1 FUNKTIONSTEIL) . 1)
(A₇) ((HAP MERCEDES123 HECKSCHEIBENHEIZUNG1) . 1)
(A₈) ((REF HECKSCHEIBENHEIZUNG1 REPARATURBEDUERFTIG) . 1)
(A₉) ((U GEBRAUCHSGEGENSTAND FAHRZEUG) . 1)
(A₁₀) ((U FAHRZEUG AUTO) . 1)
(A₁₁) ((ISA MERCEDES123 LUXUSWAGEN) . 0.8)
(A₁₂) ((REF RADLAGER2 REPARATURBEDUERFTIG) . 0.8)
(A₁₃) ((REF MERCEDES123 ALT) . 0.5)
(A₁₄) ((REF MERCEDES123 ROSTIG) . 0.3)
(A₁₅) ((REF MERCEDES123 TUEVFAELLIG) . 0.3)
```

Fig. 86: In der assoziativen Datenbasis gespeicherte Ausdrücke von FSE

U-Kanten aufgebaute Sortengraph ist als Teilgraph des in Fig. 86 linearisiert dargestellten Semantischen Netzes enthalten. Die Datenbasis enthält mit den Axiomen A_1, A_3, A_4, A_7, A_8, A_{12} ..., A_{15} (vgl. Fig. 86) Angaben über die Evidenz-

[1] Gegenüber den vorangegangenen Beispielen für Einträge in die assoziative Datenbasis ist hier die HAP-Kante (Has-As-Parts) hinzugekommen. Mithilfe der HAP-Kante wird die Relation zwischen einem Objekt und einem seiner Teile dargestellt.

werte dafür, daß ein bestimmter Mercedes, der formal durch die Individuenkonstante MERCEDES123 repräsentiert wird, gebraucht, alt, rostig und TÜV-fällig
ist, und daß seine Heckscheibenheizung sowie eines seiner Radlager reparaturbedürftig sind. Vier weitere nichtlogische Axiome sind als approximative Inferenzregeln durch die folgenden Ausdrücke des fuzzy-sortierten Evidenzenkalküls gegeben (vgl. auch 3.1.):

(I_1) $(\forall x \; ALT(x^{LUXUSWAGEN}) \wedge GEBRAUCHT(x^{LUXUSWAGEN}) \Rightarrow BILLIG(x^{LUXUSWAGEN}), 0.7)$

(I_2) $(\forall x \; ROSTIG(x^{FAHRZEUG}) \Rightarrow BILLIG(x^{FAHRZEUG}), 0.8)$

(I_3) $(\forall x \; TUEVFAELLIG(x^{AUTO}) \vee REPARATURBEDUERFTIG(x^{AUTO}) \Rightarrow BILLIG(x^{AUTO}), 0.8)$

(I_4) $(\forall x \; \exists y \; TEIL\text{-}VON(y^{FUNKTIONSTEIL}, x^{GEBRAUCHSGEGENSTAND}) \wedge REPARATURBE\text{-}$
$DUERFTIG(y^{FUNKTIONSTEIL}) \Rightarrow REPARATURBEDUERFTIG(x^{GEBRAUCHSGEGENSTAND}), 1)$

Um den Stellenwert der folgenden Anmerkungen zu den angeführten Inferenzregeln
zu verdeutlichen, sei betont, daß hier subjektives Wissen einer einzelnen Person
formalisiert wird, und daß sich bei der Einschätzung der Inferenzregeln daher
immer interindividuelle Abweichungen ergeben können.

In (I_1) wird das Alltagswissen formalisiert, daß gerade Luxuswagen, wenn sie
alt und gebraucht sind, verglichen z.B. mit Kleinwagen erheblich an Marktwert ver-
lieren. Die konjunktive Verknüpfung der Prämissen formalisiert die Erfahrung, daß
ein alter Luxuswagen, der nicht gebraucht ist, z.B. als Liebhaberobjekt nicht der
üblichen Wertminderung unterliegt, und daß ein im Extremfall nur einmal gebrauchter
und nicht alter Luxuswagen ebenfalls nicht billig zu haben ist.

(I_2) stellt den allgemein akzeptierten Grundsatz dar, daß Rost an einem Fahr-
zeug zu einer gewissen Wertminderung führt. Wenn ein Auto TÜV-fällig ist, fallen
Diagnose-, Wartungs- und oft auch Reparaturkosten an, wodurch dem Käufer eines Ge-
brauchtwagens gleich neue Kosten entstehen. Das gleiche gilt für den Fall, daß ein
Auto schon beim Kauf als reparaturbedürftig gilt. Wenn ein Gebrauchtwagen als reparaturbedürftig erkannt ist, spielt die TÜV-fälligkeit allerdings als Kostenfaktor
keine Rolle mehr. Aufgrund dieser Abhängigkeit von TÜV-fälligkeit und Reparaturbedürftigkeit ist eine Evidenzverstärkung, wie sie sich bei Verwendung der beiden
Prädikate in zwei getrennten Inferenzregeln ergeben würde, inadäquat. Deshalb
werden die Prämissen in (I_3) in einer einzigen Inferenzregel disjunkt verknüpft.

In (I_4) wird die Evidenz für die Reparaturbedürftigkeit eines Gebrauchsgegen-
stands zurückgeführt auf die Evidenz dafür, daß mindestens eines seiner Funktions-
teile reparaturbedürftig ist.

Die Inferenzregeln $(I_1),\ldots(I_4)$ können in der Datenbasis in Form von DEDUCE-prozeduren gespeichert werden (vgl. Fig. 87). Dabei wird der in (I_4) enthaltene Existenzquantor über einem endlichen Individuenbereich durch die Verwendung des FUZZY-Repetitionsoperators FOR erfaßt. Nach der Substitution { MERCEDES123/ _>GEBRAUCHSGEGENSTAND } wird die existenzquantifizierte Variable _>FUNKTIONSTEIL[1]

```
DEDUCE:
(I₁)     (PROC DEMON: MDEMON ZVAL: 0.7
              (REF _>LUXUSWAGEN BILLIG)
              (GOAL (REF !LUXUSWAGEN ALT))
              (GOAL (REF !LUXUSWAGEN GEBRAUCHT))
              (END?))

(I₂)     (PROC DEMON: MDEMON ZVAL: 0.8
              (REF _>FAHRZEUG BILLIG)
              (GOAL (REF !FAHRZEUG ROSTIG))
              (END?))

(I₃)     (PROC DEMON: MDEMON ZVAL: 0.8
              (REF _>AUTO BILLIG)
              (OR* (GOAL (REF !AUTO TUEVFAELLIG))
                   (GOAL (REF !AUTO REPARATURBEDUERFTIG)))
              (END?))

(I₄)     (PROC DEMON: MDEMON ZVAL: 1
              (REF _>GEBRAUCHSGEGENSTAND REPARATURBEDUERFTIG)
              (FOR GOAL: (HAP !GEBRAUCHSGEGENSTAND _>FUNKTIONSTEIL)
                   (GOAL (REF !FUNKTIONSTEIL REPARATURBEDUERFTIG))
                   (END?)))
```

Fig. 87: Approximative Inferenzregeln als DEDUCE-Prozeduren in FUZZY

zunächst durch die Individuenkonstante RADLAGER1 (vgl. A_3) ersetzt, weil sie bei der Suche in der assoziativen Datenbasis (vgl. Fig. 86) vor der zweiten möglichen Belegung RADLAGER2 (vgl. A_4) gefunden wird. Da die Auswertung der Zielanweisung (GOAL (REF RADLAGER1 REPARATURBEDUERFTIG)) nicht erfolgreich verläuft, wird durch den FOR-Operator ein Backtracking-Prozeß ausgelöst und für die zweite mögliche Variablenbindung die entsprechende Zielanweisung diesmal aufgrund von A_{12} erfolgreicn ausgewertet. Die Reparaturbedürftigkeit der Heckscheibenheizung (vgl. A_8) kann in (I_4) nicht benutzt werden, weil die Sortenrestriktion der existenzquantifizierten Variablen _>FUNKTIONSTEIL für A_7 nicht

[1] Wie dieses Beispiel zeigt, kann die Verwendung von typisierten Variablen nicht nur im charakteristischen Pattern einer DEDUCE-Prozedur sondern auch innerhalb des Prozedurrumpfes zweckmäßig sein.

erfüllt ist. Bei der Evaluation der Zielanweisung (1) ergibt sich aufgrund einer durch den Prozedur-Dämon MDEMON (vgl. 3.2.2.2.) gesteuerten Mehrfachableitung der Wert (2).

(1) (GOAL (REF MERCEDES123 BILLIG))

(2) ((REF MERECDES123 BILLIG) . 0.803008)

Wir beweisen nun, daß (2) mithilfe der drei Ableitungsregeln (vgl. 3.1.) Fuzzy Modus ponens R_1, Fuzzy Substitutionsregel R_2 und Evidenzverstärkungsregel R_3 aus den in Fig. 86 und Fig. 87 angegebenen Axiomen abgeleitet werden kann.

Behauptung:

Sei $P = \{ A_1, A_4, A_{12}, A_{13}, A_{14}, A_{15}, I_1, I_2, I_3, I_4 \} \subset$ AU. Dann gilt:

P $\vdash$ ((REF MERCEDES123 BILLIG). 0.803008)

Beweis:

(b_1) Zunächst benutzen wir R_2 mit $\varphi_1 = \{$ MERCEDES123/_>LUXUSWAGEN $\}$

$\varphi_1 I_1$ = (PROC DEMON: MDEMON ZVAL: 0.56 [= 0.7·0.8]
           (REF MERCEDES123 BILLIG)
           (GOAL (REF MERCEDES123 ALT))
           (GOAL (REF MERCEDES123 GEBRAUCHT))
           (END?))

Dieser Beweisschritt ist ein Beispiel für die oben genannte Eigenschaft (c) unseres Modells. Die assertorische Unsicherheit bei der Klassifikation von MERCEDES123 als LUXUSWAGEN führt dazu, daß die Implikationsstärke von $\varphi_1 I_1$ geringer ist als die von I_1.

(b_2) Wir wenden R_1 an und erhalten $\{ A_1, A_{13}, \varphi_1 I_1 \} \vdash$ D_1 wobei D_1 = ((REF MERCEDES123 BILLIG) . 0.28 [= MIN(1,0.5)·0.56]) ist. Dieser Beweisschritt gibt ein Beispiel für die Eigenschaft (b), da die Prämisse, daß der Luxuswagen alt ist, nur partiell erfüllt ist. Außerdem wird Eigenschaft (a) veranschaulicht, da $\varphi_1 I_1$ eine abgeschwächte Implikation ist.

(b_3) Mit (b_2) haben wir eine erste Ableitung für die zu beweisende Formel gefunden. Wir suchen jetzt nach weiteren Ableitungen, um mit R_3 eine Evidenzverstärkung für D_1 herbeiführen zu können. Zunächst wenden wir wieder R_2 mit $\varphi_2 = \{$ MERCEDES123/_>FAHRZEUG $\}$ an.

$\varphi_2 I_2$ = (PROC DEMON: MDEMON ZVAL: 0.8
           (REF MERCEDES123 BILLIG)
           (GOAL (REF MERCEDES123 ROSTIG))
           (END?))

Bei diesem Beweisschritt bleibt im Gegensatz zu (b_1) die ursprüngliche Implikationsstärke unverändert.

(b$_4$) Wegen R$_1$ gilt $\{A_{14}, \varphi_2|_2\}$ ⊢ D$_2$ mit D$_2$ = ((REF MERCEDES123 BILLIG) . 0.24 [= 0.3·0.8]).

(b$_5$) Gemäß der Evidenzverstärkungsregel R$_3$ für unabhängige Evidenzen ergibt sich aus D$_1$ und D$_2$ D$_3$ = ((REF MERCEDES123 BILLIG) . 0.4528 [= 0.28 + 0.24 - 0.28·0.24])

(b$_6$) Wir suchen nach einer weiteren Ableitung für die zu beweisende Formel und wenden daher zunächst R$_2$ auf I$_3$ mit φ_3 = {MERCEDES123/_>AUTO} an.

$\varphi_3|_3$ = (PROC DEMON: MDEMON ZVAL: 0.8
       (REF MERCEDES123 BILLIG)
       (OR* (GOAL (REF MERCEDES123 TUEVFAELLIG))
       (GOAL (REF MERCEDES123 REPARATURBEDUERFTIG)))
       (END?))

Die Bestimmung des Wertes der Disjunktion im Rumpf der DEDUCE-Prozedur $\varphi_3|_3$ setzt einen Beweis der Behauptung $\{A_4, A_{12}, I_4\}$ ⊢ D$_4$ mit D$_4$ = ((REF MERCEDES-123 REPARATURBEDUERFTIG) . 0.8) voraus.

(b$_6$') Wir wählen φ_4 = {MERCEDES123/_>GEBRAUCHTWAGEN, RADLAGER2/_>FUNKTIONS-TEIL} und erhalten durch R$_2$

$\varphi_4|_4$ = (PROC DEMON: MDEMON ZVAL: 1
       (REF MERCEDES123 REPARATURBEDUERFTIG)
       (FOR GOAL: (HAP MERCEDES123 RADLAGER2)
       (GOAL (REF RADLAGER2 REPARATURBEDUERFTIG))
       (END?)))

(b$_6$'') Wegen R$_1$ gilt dann $\{A_4, A_{12}, \varphi_4|_4\}$ ⊢ ((REF MERCEDES123 REPARATURBEDUERF-TIG) . 0.8 [= MIN(1,0.8)·1])

Weitere Ableitungen für D$_4$ gibt es nicht.

(b$_7$) Mit R$_1$ können wir jetzt ableiten: $\{A_{15}, D_4, \varphi_3|_3\}$ ⊢ D$_5$ mit D$_5$ = ((REF MERCE-DES123 BILLIG) . 0.64 [= MAX(0.3,0.8)·0.8])

(b$_8$) Damit können wir nochmals R$_3$ anwenden und eine Evidenzverstärkung durchführen, indem wir D$_3$ und D$_5$ zu D$_6$ kombinieren.

D$_6$ = ((REF MERCEDES123 BILLIG) . 0.803008 [= 0.4528 + 0.24 - 0.28·0.24])

Wie in (b$_5$) so wird auch in (b$_8$) Eigenschaft (d) unseres Modells belegt.

Da es keine weitere für eine Evidenzverstärkung in Frage kommende Inferenzregel mehr gibt, ist die Mehrfachableitung mit D$_6$ beendet.

Q.E.D.

Die Reihenfolge, in der D$_1$, D$_2$ und D$_5$ abgeleitet werden, hat wegen der Kommutativität und Assoziativität der Evidenzverstärkung (vgl. 3.2.1.3.) keinen Einfluß auf das Endresultat. Die im Beweis konstruierte Mehrfachableitung wird in Fig. 88 als Ableitungsbaum (vgl. 3.2.2.5.) dargestellt.

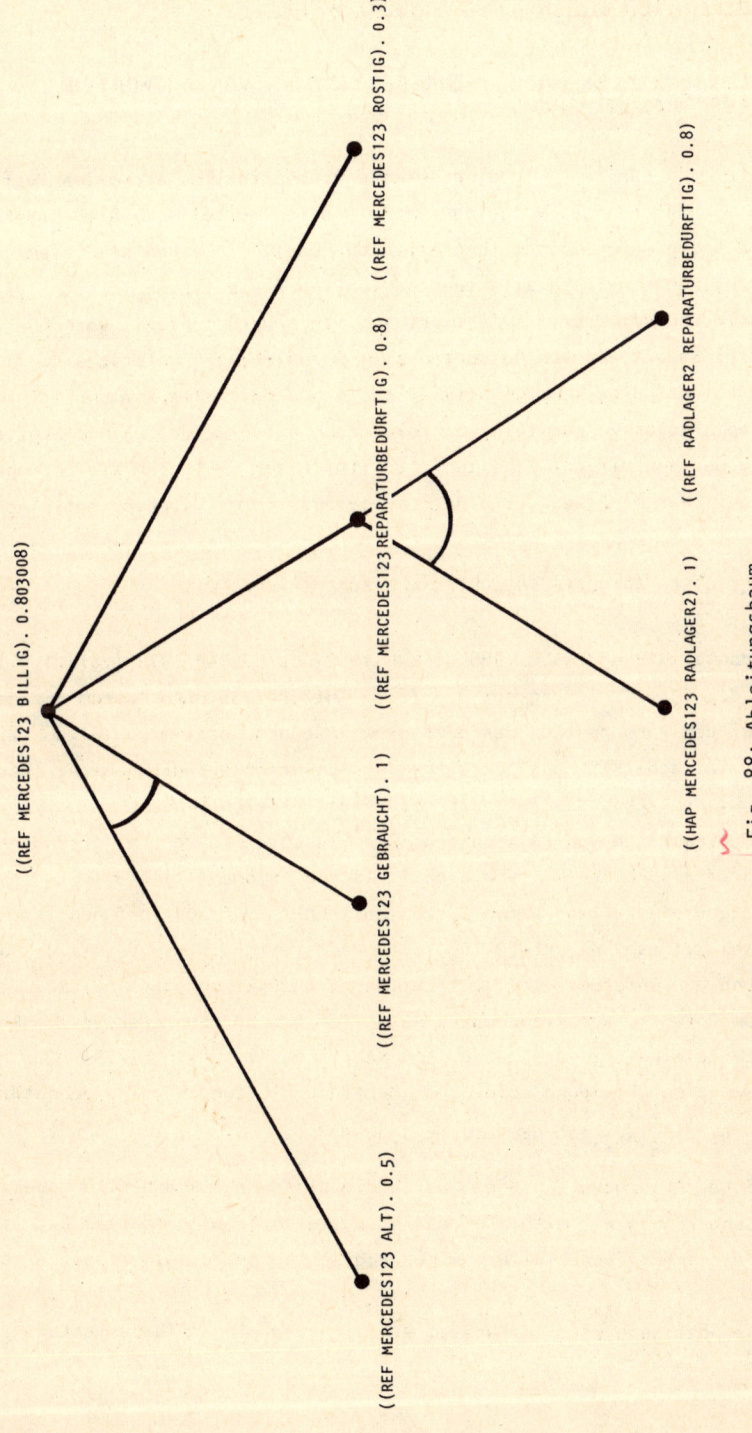

Fig. 88: Ableitungsbaum

4. REALISATION EINER ERKLÄRUNGSKOMPONENTE

4.1. EIN FORMALES MODELL ZUR BESTIMMUNG VON ANTWORTEN AUF 'WARUM'-FRAGEN

Nachdem wir in Kapitel 3.1. eine formale Rekonstruktion approximativer Inferenzen und Mehrfachableitungen vorgelegt haben und in Kapitel 3.2. Algorithmen zur Realisation des zugrundegelegten theoretischen Modells in einem KI-System ausgearbeitet haben, können wir jetzt ausgehend von dem erarbeiteten Inferenzsystem eine Formalisierung des Begriffs 'Antwort auf eine 'Warum'-Frage' vornehmen. Wir werden dabei drei Haupttypen von Antworten auf 'Warum'-Fragen unterscheiden: logisch adäquate, vollständige kommunikativ adäquate und partielle kommunikativ adäquate Antworten. Analog zu Kapitel 3.2. folgt dann auf das vorliegende Kapitel eine Darstellung der von mir entwickelten algorithmischen Verfahren zur Erzeugung von Antworten auf 'Warum'-Fragen, die der angegebenen Formalisierung entsprechen.

4.1.1. LOGISCH ADÄQUATE ANTWORTEN AUF 'WARUM'-FRAGEN

Im Gegensatz zu BROMBERGER 1966, TONDL 1969 und CONRAD 1978 (vgl. 1.4.1.) nehmen wir bei der Formalisierung des Begriffs 'Antwort auf eine 'Warum'-Frage' explizit Bezug auf den Wissensstand des Befragten zu einem bestimmten Zeitpunkt. Damit wird der Tatsache Rechnung getragen, daß Antworten auf die gleiche 'Warum'-Frage je nach Wissensstand des Befragten stark differieren können.

Sei T eine Menge von Zeitpunkten. Der Wissensstand des Antwortenden sei gegeben durch eine Menge AX_t von nichtlogischen Axiomen (vgl. 3.1.), die ihm zur Beantwortung einer Frage *Warum S?* zum Zeitpunkt $t \in T$ zur Verfügung stehen. Wie in Kapitel 3.1. sei $AX_t = FW_t \cup IR_t$, d.h. daß sich die Wissensbasis aus dem Faktenwissen und den Inferenzregeln zum Zeitpunkt t zusammensetzt. Sei NS die Menge aller vom Antwortenden erzeugbaren natürlichsprachlichen Ausdrücke, ME die Menge der im Laufe eines Dialoges erzeugten Mehrfachableitungen mit $S = VAL(S)$. GEN in (1) sei eine Abbildung, die einer Mehrfachableitung eine Menge natürlich-

$$(1) \quad GEN: \quad AB_u(AX_t, S) \in ME \quad \longmapsto \quad TX \subset NS$$

sprachlicher Ausdrücke zuordnet, durch die diese Mehrfachableitung beschrieben wird[1]. Dann können wir mithilfe des in Kapitel 3.1. eingeführten Begriffs einer vollständigen Mehrfachableitung eine 'logisch adäquate Antwort auf eine 'Warum'-

---

[1] Diese Abbildung wird in Kapitel 4.3. in Form eines ATN-basierten Sprachgenerators angegeben.

Frage' definieren.

Definition:

Zum Zeitpunkt $t \in T$ ist eine aufgrund einer Wissensbasis AX_t erzeugte Antwort A
auf eine Frage *Warum S?* eine *logisch adäquate Antwort* $:\leftrightarrow A = GEN(AB_u(AX_t,S))$

An dem in Abschnitt 3.2.2.7. analysierten Beispiel soll diese Definition veranschaulicht werden. Zum Zeitpunkt $t_1 \in T$ wird in diesem Beispiel vom Benutzer die
Frage *Warum?* gestellt, nachdem vorher vom System S = ((REF MERCEDES123 BILLIG) .
0.803008) behauptet wurde. Es gilt $AX_{t_1} = \{ A_1, A_2, \ldots, A_{15}, I_1, I_2, I_3, I_4 \}$.

Bei der Verbalisierung einer Mehrfachableitung können die folgenden drei
Teilaspekte der Beschreibung eines Ableitungsschrittes unterschieden werden:

(a) die verwendete Inferenzregel

(b) die bei der Anwendung der Fuzzy Substitutionsregel benutzten Assertionen
über die Sortenzugehörigkeit

(c) die beim Modus ponens als Prämissen verwendeten Ausdrücke.

Für die in Fig. 88 als Ableitungsbaum dargestellte Mehrfachableitung enthält Fig.
89 eine schematische Darstellung[1] der genannten Teilaspekte.

S	Inferenz-regeln	Sortenzu-gehörigkeit	Prämissen
(1) weil	I_3	A_2	D_4
(2) weil	I_1	A_{11}	A_1, A_{13}
(3) weil	I_2	A_2, A_{10}	A_{14}

D_4	Inferenz-regeln	Sortenzu-gehörigkeit	Prämissen
(1) weil	I_4	A_5, A_9	A_4, A_{12}

Fig. 89: Drei Teilaspekte der Beschreibung eines Ableitungsschrittes

[1] Prinzipiell ist die Reihenfolge der Zeilen in jeder einzelnen Tabelle für
die hier betrachteten logisch adäquaten Antworten ohne Bedeutung. Dagegen
ist, wie wir zeigen werden, für partielle kommunikativ adäquate Antworten
eine Anordnung der einzelnen Ableitungsschritte aufgrund ihres 'Informati-
vitätswertes' wichtig (vgl. 4.1.3.).

Als Beispiel für eine natürlichsprachliche Formulierung, wie sie für einen
der angegebenen Ableitungsschritte durch die Abbildung GEN erzeugt wird, betrachten wir die erste Zeile in Fig. 89, die als (2) verbalisiert werden kann:

> (2) *weil ein Auto meist billig ist, wenn es TÜV-fällig oder reparaturbe-*
> *dürftig ist (I_3), und weil der angebotene Mercedes ein Auto ist (A_2),*
> *und weil der angebotene Mercedes recht reparaturbedürftig ist (D_4)*[1].

Schon dieser Auszug aus einem Erklärungstext in Form einer logisch adäquaten
Antwort, die auf einer Mehrfachableitung beruht, läßt die Unnatürlichkeit dieser
Art der Beantwortung von 'Warum'-Fragen erkennen. Dies kann zunächst darauf zurückgeführt werden, daß die in Abschnitt 1.3.1. diskutierte Partnerbezogenheit
von Erklärungen in der oben angeführten Definition nicht berücksichtigt wird.

4.1.2. VOLLSTÄNDIGE KOMMUNIKATIV ADÄQUATE ANTWORTEN AUF 'WARUM'-FRAGEN

Bei der Erzeugung einer kommunikativ adäquaten Antwort muß daher darauf geachtet
werden, daß das jeweils beim Fragenden vermutete Vorwissen (z.B. A_2 und I_3 für
(2)) nicht überflüssigerweise verbalisiert wird.

Sei FW_t^P das zum Zeitpunkt $t \in T$ vom Antwortenden beim Fragenden vermutete
Faktenwissen und IR_t^P die Menge der Inferenzregeln, die beim Fragenden als bekannt
vorausgesetzt werden. $AX_t^P = FW_t^P \cup IR_t^P$ sei Bestandteil der als *Partnermodell*
bezeichneten Wissensquelle des Antwortenden. Obwohl für die heute absehbaren Anwendungen von KI-Systemen $IR_t = IR_t^P$ und $FW_t^P \subset Th(AX_t)$ gesetzt werden kann, gibt
es in der natürlichen Kommunikation durchaus Situationen, in denen $AX_t \cup AX_t^P$
Widersprüche enthält[2].

Zur Tilgung von vermutetem Vorwissen in einer Mehrfachableitung $AB_u(AX_t, S)$
führen wir eine Abbildung TILG ein (vgl. (3)), die im folgenden definiert wird.

> (3) $TILG: (AB_u(AX_t, S), AX_t^P) \longmapsto (AB_u(AX_t', S), AX_t^P)$

Wie in Abschnitt 3.2.2.5. gezeigt wurde, kann jeder Mehrfachableitung eindeutig
ein aus multiplen Knoten und AND-Knoten bestehender Ableitungsbaum zugeordnet
werden. Jeder durch einen Knoten des Ableitungsbaums repräsentierte Ausdruck
A_n, für den gezeigt werden kann, daß $A_n \in Th(AX_t^P)$ gilt, werde zusätzlich durch
ein '+' markiert. Wenn in dem auf diese Weise markierten Ableitungsbaum für alle
von einem Knoten $K_m \neq S$ unmittelbar dominierten Knoten $K_{m_1}, K_{m_2}, \ldots, K_{m_n}$ gezeigt

---

[1] A_{15} wird nicht als Prämisse benutzt (vgl. Fig. 89), weil der Evidenzwert
der Disjunktion in I_3 durch D_4 bestimmt ist (vgl. S.155).

[2] Z.B. kann der Sprecher annehmen, daß der Hörer annimmt, daß $\neg A$ gilt, obwohl der Sprecher selbst weiß, daß A gilt.

werden kann, daß $K_{m_1}, K_{m_2}, \ldots, K_{m_n} \in Th(AX_t^P)$, so wird der gesamte Teilbaum, dessen Wurzel K_m ist, getilgt (vgl. das Beispiel in Fig. 90). Aus dem oben spezifizierten Verfahren, das Teil der Ableitungsvorschrift für TILG ist, ergibt sich, daß M, O, P in Fig. 90 in der entsprechenden kommunikativ adäquaten Antwort nicht verbalisiert werden, obwohl M, O, P $\notin Th(AX_t^P)$. Dadurch wird die Tatsache berücksichtigt,

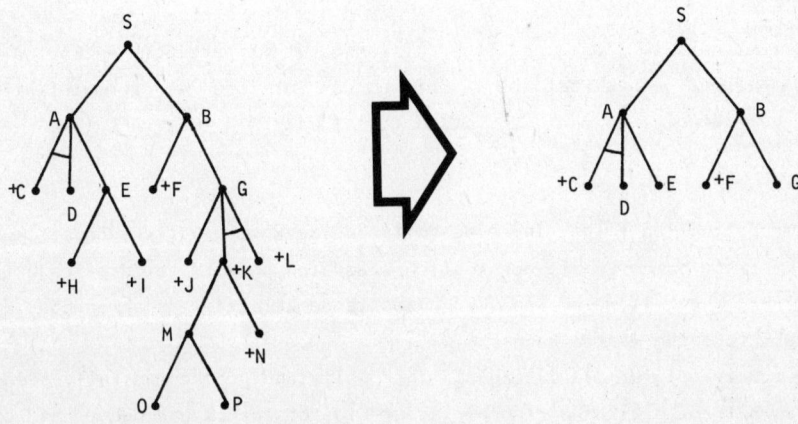

Fig. 90: Tilgung von Teilbäumen aufgrund eines Partnermodells

daß in einer Ableitung verwendete Prämissen, die beim Fragenden als bekannt vorausgesetzt werden können (z.B. K in Fig. 90), auch dann nicht weiter erklärt werden brauchen, wenn sie nicht zum gespeicherten Faktenwissen des Befragten gehören (z.B. K $\notin FW_t$).

Nicht getilgt werden durch die Abbildung TILG einzelne durch '+' markierte Knoten, die von einem Knoten K_n unmittelbar dominiert werden, der auch nicht durch '+' markierte Knoten unmittelbar dominiert (vgl. F in Fig. 90). Denn sonst könnte der Z-Wert nicht erklärt werden, der mit der durch K_n repräsentierten Assertion assoziiert ist und sich bei multiplen Knoten durch Evidenzverstärkung oder bei AND-Knoten durch Minimumsbildung ergibt. Aus dem Ableitungsbaum, der nach den oben spezifizierten Tilgungstransformationen entsteht, und der Beschreibung von $AB_u(AX_t, S)$ kann dann wieder eindeutig eine Mehrfachableitung $AB_u(AX_t', S)$ konstruiert werden.

Auf die so gewonnene Mehrfachableitung $AB_u(AX_t', S)$ wird eine weitere Löschoperation angewandt, die sich ausschließlich auf die in $AB_u(AX_t', S)$ verwendeten Inferenzregeln und die Assertionen über Sortenzugehörigkeit bezieht. $DEL(AB_u(AX_t', S), AX_t^P)$ tilgt in der Beschreibung von $AB_u(AX_t', S)$ jede Inferenzregel r mit $r \in IR_t$

und jeden Ausdruck A über Sortenzugehörigkeiten, für den gezeigt werden kann, daß $A \in Th(AX_t^P)$ gilt.

Mithilfe der Abbildungen TILG und DEL können wir nun definieren, was unter einer vollständigen kommunikativ adäquaten Antwort auf eine 'Warum'-Frage verstanden werden soll.

Definition:

Eine zum Zeitpunkt $t \in T$ aufgrund einer Wissensbasis AX_t erzeugte Antwort A auf die Frage *Warum S?* eines Partners P, bei dem das Vorwissen AX_t^P vermutet wird, ist eine *vollständige kommunikativ adäquate Antwort* :⟷ $A = GEN (DEL (TILG (AB_u(AX_t, S),AX_t^P)))$

Aus dieser Definition folgt, daß eine vollständige kommunikativ adäquate Antwort A auf eine Frage *Warum S?* mit der logisch adäquaten Antwort auf die Frage identisch ist, wenn $AX_t^P = \emptyset$ gilt, d.h. wenn der Antwortende keinerlei Annahmen über das Vorwissen des Fragenden machen kann.

Um ein Beispiel für die Erzeugung einer vollständigen kommunikativ adäquaten Antwort zu bilden, greifen wir nochmals auf Fig. 88 zurück und nehmen an, daß $IR_t = IR_t^P$ und $FW_t^P = \{ A_2, A_4, A_{10}, A_{11}, A_{12}, A_{14} \}$ gilt. Durch TILG wird der in Fig. 88 dargestellte Ableitungsbaum in die durch Fig. 91 dargestellte Struktur überführt. Nach Anwendung von DEL und GEN enthält man die vollständige kommunikativ adäquate Antwort (4).

(4) *weil er ziemlich alt und gebraucht ist, weil er etwas rostig ist, und weil er recht reparaturbedürftig ist.*

Da es sich bei IR_t^P und FW_t^P nur um Hypothesen über den Wissensstand des Partners handelt, ist es in einer argumentativen Dialogsequenz natürlich jederzeit möglich, daß der Partner durch die in Kapitel 2 angegebenen sprachlichen Formulierungen

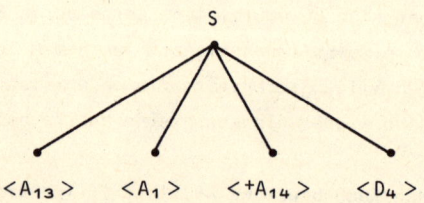

Fig. 91: Ableitungsbaum nach Anwendung der Abbildungen TILG und DEL

nach Angaben fragt, die in der vollständigen kommunikativ adäquaten Antwort
nicht enthalten sind (z.B. nach Sortenzugehörigkeiten, Inferenzregeln oder auch
nach einer weiteren Erklärung der verwendeten Prämissen). Außerdem ist es auch
möglich, daß der Fragende durch seine 'Warum'-Frage überprüfen will, ob der Ge-
sprächspartner/das System über ein bestimmtes Wissen verfügt. Auch in diesem
Fall wird er Angaben verlangen, die über die oben definierte vollständige kommunikativ adäquate Antwort hinausgehen.

4.1.3. PARTIELLE KOMMUNIKATIV ADÄQUATE ANTWORTEN AUF 'WARUM'-FRAGEN

Obwohl vollständige kommunikativ adäquate Antworten auf 'Warum'-Fragen verglichen
mit den entsprechenden logisch adäquaten Antworten durch die Tilgung von vermutetem Vorwissen des Partners eine einfachere Struktur aufweisen, sind sie als ausführliche Textantworten für argumentative Dialogsequenzen weniger typisch als
die im folgenden definierten partiellen kommunikativ adäquaten Antworten. Wie
in Abschnitt 2.3. dargestellt, entwickelt sich eine mehrschrittige und mehrsträngige Argumentation meist erst im Verlauf eines Dialogs: Wenn als Antwort auf eine
'Warum'-Frage zunächst nur ein Ableitungsschritt verbalisiert wird, so können sich
Fragen nach zusätzlichen Evidenzquellen und iterierte 'Warum'-Fragen (vgl. 2.3.1.)
anschließen, wobei sich sukzessive die entsprechende vollständige Antwort ergeben
kann.

Eine partielle kommunikativ adäquate Antwort auf eine 'Warum'-Frage beruht auf
einer Selektion eines Ableitungsschritts aus dem Ableitungsbaum, welcher der entsprechenden vollständigen kommunikativ adäquaten Antwort zugrundeliegt. Ein koopera-
tiver Dialogpartner wird natürlich nicht willkürlich einen der Ableitungsschritte
auswählen, sondern seiner argumentativen Antwort den Ableitungsschritt zugrundelegen, den er in einer gegebenen Dialogsituation für den *informativsten* hält.
Zur Formalisierung des Begriffs 'partielle kommunikativ adäquate Antwort auf eine
'Warum'-Frage' führen wir daher eine Abbildung SELECT ein, durch die der erforder-
liche Auswahlprozeß rekonstruiert werden soll.

Da ein Ableitungsschritt, der innerhalb einer Mehrfachableitung bereits als
Evidenzquelle für eine Konklusion eingeführt wurde, bei der Beantwortung einer
Frage des Argumentationspartners nach einer weiteren Evidenzquelle für diese Konklusion nicht nochmals verbalisiert werden darf, führen wir die Menge VB_t ein, die
als Elemente alle in einer argumentativen Dialogsequenz bereits angeführten Ableitungsschritte enthält. Sei $AS(AB_u(AX_t,S))$ die Menge aller in einer Mehrfachableitung $AB_u(AX_t,S)$ enthaltenen Ableitungsschritte. Die im folgenden zu spezifi-
zierende Abbildung SELECT in (5) liefert zu jedem Zeitpunkt entweder die Beschrei-

bung des zu verbalisierenden Ableitungsschrittes oder den Wert NIL, falls VB_t = $AS(AB_u(AX_t,S))$ [1].

(5) SELECT: $(AB_u(AX_t,S),VB_t) \longmapsto$ as $\in AS(AB_u(AX_t,S))$

Für jeden Ableitungsschritt as $\in AB_u(AX_t,S)$ einer Mehrfachableitung sei durch die Abbildung INFO ein *Informativitätswert* (vgl. (6)) gegeben. Die Informativi-

(6) INFO: $AS(AB_u(AX_t,S)) \rightarrow [0,1] \subset IR$

tät eines Ableitungsschrittes kann, wie wir in Abschnitt 4.2.2. noch detailliert darstellen werden, z.B. in Abhängigkeit von der Implikationsstärke, der in einem Ableitungsschritt angewandten Inferenzregel und dem Z-Wert der verwendeten Prämissen definiert werden.

SELECT durchläuft den Ableitungsbaum von oben nach unten und von links nach rechts. Die durch einen Knoten K repräsentierte Assertion sei mithilfe der Ableitungsschritte $\{as_1,as_2,...,as_n\} = AS_k \subset AS(AB_u(AX_t,S))$ n-fach direkt ableitbar (vgl. 3.2.1.) und $AS_k' = AS_k \backslash VB_t$. Dann definieren wir $INFOMAX(AS_k') = \{x \mid x \in AS_k' \wedge \forall as \in AS_k'$ INFO(x) $\geq$ INFO(as) \}. Falls $|INFOMAX(AS_k')| = 1$, so ist as $\in INFOMAX(AS_k')$ der zu verbalisierende Ableitungsschritt. Anderenfalls wird auf $INFOMAX(AS_k')$ ein weiteres Auswahlkriterium angewendet.

Als dem Grad der Informativität nachgeordnetes Selektionskriterium soll hier der Grad der Kohärenz einer möglichen Antwort dienen. Der Grad der Kohärenz einer argumentativen Antwort, der ein Ableitungsschritt as $\in AB_u(AX_t,S)$ zugrundeliegt, wird von uns dadurch operationalisiert[2], daß er auf das Maximum des Vorerwähnheitsgrades für die in einem Ableitungsschritt as vorkommenden Individuenkonstanten zurückgeführt wird. Wenn T = IN gesetzt wird, so können wir den Vorerwähnheitsgrad FOC(a,t), wie er in HAM-RPM verwendet wird (vgl. V. HAHN et al. 1980), für eine Individuenkonstante a $\in FS_0$ zum Zeitpunkt t wie folgt definieren:

Es gilt stets $0 \leq FOC(a,t) \leq (\sum_{i=1}^{t} i)/t$ und wenn die Individuenkonstante in Äußerungen der Dialogpartner zu den Zeitpunkten $t_1,t_2,...,t_n$ referenziert wurde, so ist $FOC(a,t) = (t_1+t_2+...+t_n)/t$. Auf diese Weise werden die weniger weit vom Zeitpunkt t der Auswertung entfernten Erwähnungen höher bewertet.

Durch CONST in (7) sei für jeden Ableitungsschritt as $\in AB(AX_t,S)$ die Menge aller in ihm vorkommenden Individuenkonstanten bestimmt. Für alle Individuenkon-

---

[1] In diesem Fall muß durch die Abbildung GEN eine Letztbegründung (vgl. 2.3.1.1.) erzeugt werden.
[2] Es ist offensichtlich, daß durch diese Form der Operationalisierung nur ein Teil des intuitiven Kohärenzbegriffs erfaßt wird (vgl. V. HAHN 1979).

(7) CONST: $AS(AB(AX_t,S)) \longrightarrow P(FS_0)$

stanten sei durch die Abbildung FOC in (8) ein Vorerwähnheitsgrad gegeben. Für jedes $as_n \in INFOMAX(AS_k')$ bilden wir die Menge $CONST(as_n) = \{a_{n_1}, a_{n_2}, \ldots, a_{n_m}\}$

(8) FOC: $FS_0 \times T \rightarrow Q$, wobei Q der Körper der rationalen Zahlen ist und dann mithilfe von FOC den Wert $TOPIC(as_n,t) = MAX(FOC(as_{n_1},t), FOC(as_{n_2},t), \ldots, FOC(as_{n_m},t))$. Sei $TOPICMAX(AS_k',t) = \{x | x \in AS_k' \wedge \forall as \in AS_k' \, TOPIC(x,t) \geq TOPIC(as,t)\}$. Falls $|TOPICMAX(INFOMAX(AS_k'),t)| = 1$ ist, so ist $as \in TOPICMAX(INFOMAX(AS_k'),t)$ der durch SELECT bestimmte Ableitungsschritt. Anderenfalls wird durch SELECT zufällig ein Ableitungsschritt $as \in TOPICMAX(INFOMAX(AS_k'),t)$ ausgewählt.

Ein durch SELECT zum Zeitpunkt t ausgewählter Ableitungsschritt $as \in DEL(AB_u(AX_t,S)) \backslash VB_t$ wird zum Zeitpunkt t', der auf t folgt, der Menge VB_t hinzugefügt, um so die Menge $VB_{t'}$ zu bilden. Vor der Verbalisierung durch GEN wird der selektierte Ableitungsschritt noch der oben eingeführten Löschoperation DEL unterworfen.

Nachdem wir die Abbildung SELECT definiert haben, können wir den Begriff 'partielle kommunikativ adäquate Antwort auf eine 'Warum'-Frage' formalisieren.

Definition:

Eine aufgrund einer Wissensbasis AX_t erzeugte Antwort A auf eine Frage *Warum S?* eines Partners P, bei dem das Vorwissen AX_t^P vermutet wird, ist zum Zeitpunkt t, zu dem bereits die Menge VB_t von Ableitungsschritten verbalisiert wurde, eine *partielle kommunikativ adäquate* Antwort

$$:\Leftrightarrow A = GEN(DEL(SELECT(TILG(AB_u(AX_t,S),AX_t^P)),VB_t),AX_t^P)$$

In Abschnitt 4.2.2. wird eine Operationalisierung des Begriffs 'Informativität' eingeführt, bei der sich für den in Fig. 91 angegebenen Ableitungsbaum $INFO(D_4 \Rightarrow S) = 0.84$, $INFO(A_1 \wedge A_{13} \Rightarrow S) = 0.72$ und $INFO(A_{14} \Rightarrow S) = 0.44$ ergibt. Falls zum Zeitpunkt t noch kein Ableitungsschritt verbalisiert wurde ($VB_t = \emptyset$), so ist $INFOMAX(AS_S) = \{(D_4 \Rightarrow S)\}$. Wenn wir AX_t^P wie im letzten Beispiel wählen, so kann aufgrund der angegebenen Definition für eine partielle kommunikativ adäquate Antwort auf eine 'Warum'-Frage die Dialogsequenz (1)-(4) in Fig. 92 entstehen. Wenn zum Zeitpunkt t' mit $VB_{t'} = \{(D_4 \Rightarrow S)\}$ durch (5) eine weitere argumentative Antwort ausgelöst wird, so wählt SELECT den Ableitungsschritt $(A_1 \wedge A_{13} \Rightarrow S)$ aus, was zur Antwort (6) in Fig. 92 führt. Nach Abschluß einer argumentativen Dialogsequenz zum Zeitpunkt t'' wird die Menge $VB_{t''}$ der Menge

BEN: (1) *Ist der angebotene Mercedes billig?*

SYS: (2) *Ich glaube ja.*

BEN: (3) *Wieso?*

SYS: (4) *Weil er recht reparaturbedürftig ist.*

BEN: (5) *Nur deshalb?*

SYS: (6) *und weil er ziemlich alt und gebraucht ist.*

Fig. 92: Beispiel für die Anwendung der Auswahlfunktion SELECT

$AX_{t''}^P$ hinzugefügt, d.h. es wird angenommen, daß sich der Dialogpartner die vom Befragten in der Argumentation vorgebrachten Assertionen merkt.

Die in diesem Kapitel für drei Typen von Antworten auf 'Warum'-Fragen vorgelegte Formalisierung geht wesentlich über die bisherigen Formalisierungsversuche von BROMBERGER 1966, TONDL 1969 und CONRAD 1978 hinaus, weil

(a) die in den Vorschlägen der genannten Autoren nicht erfaßte mehrsträngige Argumentation berücksichtigt wird und die dort ausschließlich betrachtete einsträngige Argumentation von uns als Spezialfall einer mehrsträngigen Argumentation erfaßt wird,

(b) erstmals auch auf approximativen Inferenzen beruhende Antworten für 'Warum'-Fragen berücksichtigt werden,

(c) erstmals auch die folgenden sechs semantisch-pragmatischen Parameter explizit in das formale Modell eingehen:

- der Zeitpunkt der Beantwortung der 'Warum'-Frage
- der Wissensstand des Befragten
- das vom Antwortenden beim Fragenden vermutete Vorwissen
- die in einer argumentativen Dialogsequenz bereits eingebrachten Argumentationsschritte
- der Grad der Informativität einzelner Argumentationsschritte
- der Grad der Kohärenz eines Argumentationsschrittes.

Bis auf den Begriff 'Grad der Informativität eines Ableitungsschrittes', für den im nächsten Kapitel eine Operationalisierung angegeben wird, wurden alle genannten semantisch-pragmatischen Parameter so weit operationalisiert, daß sie in algorithmischen Verfahren für die Erklärungskomponente verwendet werden können. Im nächsten Kapitel muß noch gezeigt werden, wie im Rahmen der in Kapitel 3.2.2. angegebenen prozeduralen Realisierung von Mehrfachableitungen zusätzlich für den Aufbau und die Speicherung von Beschreibungen der durchgeführten Mehrfachableitungen gesorgt werden kann , die in dem vorgelegten Modell die Grundlage für die Beantwortung von 'Warum'-Fragen bilden.

4.2. EIN GENERIERUNGSVERFAHREN FÜR BESCHREIBUNGEN VON INFERENZPROZESSEN

Wie schon Fig. 1 (vgl. 1.1.1.) zeigt, geht man beim Aufbau einer Erklärungskomponente davon aus, daß das KI-System die Fähigkeit haben muß, eine Beschreibung von Inferenzprozessen aufzubauen und zu speichern, um inferenz-basierte
Antworten erklären und inferenz-gesteuertes Verhalten begründen zu können. Wir
bezeichnen im folgenden den Teil der Wissensbasis, in dem die Beschreibung von
Inferenzprozessen gespeichert wird, als *Inferenzgedächtnis*.

Obwohl es zunächst nahe liegt, eine Analogie zwischen dem Aufbau und der
Verwendung eines solchen Inferenzgedächtnisses in einem KI-System und einem
beim Menschen vermuteten introspektiven Zugriff auf kognitive Prozesse (vgl.
auch 1.1.1.) herzustellen, ist es in der psychologischen Fachliteratur keineswegs unumstritten, ob die Fähigkeit des Menschen, Erklärungen für seine inferenz-
basierten Antworten anzugeben, überhaupt auf Introspektion beruht (vgl. den
Überblick von NISBETT/WILSON 1977). Bisher gilt es in der Psychologie lediglich als experimentell gesichert, daß sog. niedere kognitive Prozesse (z.B.
im Bereich der Perzeption) unbewußt ablaufen und damit einer Introspektion
nicht zugänglich sind[1].

Während die vermutete Fähigkeit zum introspektiven Zugriff auf höhere kognitive Prozesse im Bereich des Problemlösens und Sprachverstehens oft die
Grundlage von Untersuchungsmethoden der kognitiven Psychologie darstellen (vgl.
z.B. GRAESSER et al. 1980) und die Verwendung eines Inferenzgedächtnisses von
einigen Psychologen sogar als Voraussetzung für kreatives Problemlösen angesehen wird (vgl. z.B. DÖRNER 1978), gibt es dagegen auch eine Reihe experimen-
teller Ergebnisse (vgl. NISBETT/WILSON 1977), die als Widerspruch zu der An-
nahme solcher introspektiver Fähigkeiten interpretiert werden können[2].

Nisbett und Wilson behaupten, daß der Mensch seine inferenz-basierten
Antworten dadurch erklärt, daß er eine Menge stereotyper Kausalschemata (vgl.
NISBETT/WILSON 1977, S. 248f.) dazu verwendet, nachträglich eine Ursache für
sein Argumentationsverhalten zu finden. In einem solchen Modell besteht dann

---

[1] In den KI-Systemen SHRDLU und LUIGI (vgl. 1.5.) wird dies berücksichtigt.
[2] Auch in Selbstzeugnissen von Autoren besonders komplexer und kreativer
     Problemlösungen wird oft berichtet, daß der Inferenzprozeß völlig unbewußt
     ablief. So schrieb z.B. der Mathematiker Poincaré: *the changes of travel
     made me forget my mathematical work. Having reached Contances, we entered
     the omnibus to go some place or other. At the moment when I put my foot
     on the step the idea came to me, without anything in my former thoughts
     seeming to have paved the way for it, that the transformations I had used
     to define the Fuchsian functions were identical with those of non-Euclidean
     geometry* (nach GHISELIN 1952, S. 37).

kein Zusammenhang mehr zwischen den Inferenzprozessen, die einer Antwort zugrundeliegen, und der Erklärung, die für das Antwortverhalten angegeben wird[1].

Die Berücksichtigung des Vorschlags von Nisbett und Wilson in der Erklärungskomponente eines KI-Systems würde dazu führen, daß viele der in Abschnitt
1.1.2. genannten praktischen Vorteile des Einsatzes einer Erklärungskomponente
verloren gingen. Beispielsweise wäre eine Fehlersuche mithilfe der Erklärungskomponente ausgeschlossen, weil die Korrektheit der vom System erzeugten Erklärungen (vgl. 1.1.4.) nicht mehr gewährleistet werden könnte. Daher halten
wir im folgenden an dem Grundsatz fest, daß die Selbsterklärungsfähigkeit eines
KI-Systems auf einem Inferenzgedächtnis beruhen muß.

Bisher wurden in der KI zum Aufbau von Inferenzgedächtnissen zwei unterschiedliche Techniken benutzt:

(a) Die Inferenzregeln selbst enthalten alle erforderlichen Anweisungen
    zum Aufbau eines Inferenzgedächtnisses (z.B. MEMORY in SHRDLU, vgl.
    1.5.1.1. und ATTACH in WINSTON/HORN 1981, S. 197f.). Nachteile dieser
    Lösung sind u.a., daß die Lesbarkeit der Inferenzregeln beeinträchtigt
    wird und vor allem daß jede Änderung in der Inferenzregel auch Änderungen
    in den entsprechenden Speicherungsoperationen bedingt.

(b) Der Aufbau eines Inferenzgedächtnisses wird direkt von dem Interpreter
    geleistet, durch den die Inferenzprozesse ausgeführt werden (z.B. in ARS,
    vgl. 1.5.2.3.). Der Hauptnachteil dieser Lösung besteht darin, daß ohne
    Änderung des Interpreters eine Variation der Detailliertheit oder der
    Form der abgespeicherten Beschreibung z.B. in Abhängigkeit von der Art
    des Inferenzprozesses oder der Dialogsituation nicht möglich ist.

Der im folgenden beschriebene, neuartige Ansatz, der keine der Nachteile von (a)
und (b) aufweist, basiert auf der Wirkungsweise von Prozedur-Dämonen, mit deren
Hilfe in Abschnitt 3.2.2.2. auch eine Kontrollstruktur für Mehrfachableitungen
realisiert wurde. Die Grundidee besteht darin, daß ein Prozedur-Dämon neben der
Steuerung des Inferenzprozesses auch den Aufbau eines Inferenzgedächtnisses be-
sorgen kann (vgl. Fig. 93). Dadurch ist einerseits im Gegensatz zu (a) eine
Trennung der Speicherungsoperationen von der Inferenzregel und andererseits im
Gegensatz zu (b) eine starke Flexibilität beim Aufbau des Inferenzgedächtnisses
gegeben.

---

[1] Eine Kritik des Vorschlags von NISBETT/WILSON 1977 aus psychologischer
Sicht findet sich in WHITE 1980.

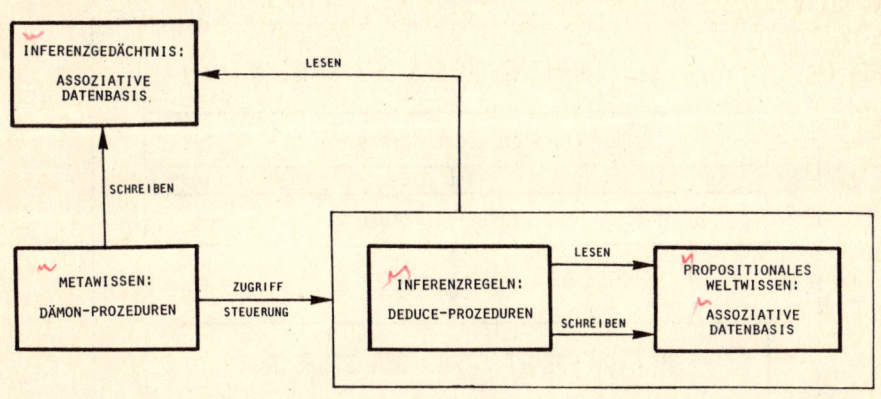

Fig 93[1]: Ein Prozedur-Dämon zum Aufbau eines Inferenzgedächtnisses

4.2.1. AUFBAU EINES INFERENZGEDÄCHTNISSES DURCH EINEN PROZEDUR-DÄMONEN

Wir zeigen im folgenden, wie der Aufbau eines Inferenzgedächtnisses durch eine Erweiterung des in Abschnitt 3.2.2.2. für die Steuerung von Mehrfachableitungen entwickelten Prozedur-Dämonen MDEMON realisiert werden kann.

Ziel dieser Erweiterung ist es, daß der Prozedur-Dämon MDEMON, während er die Auswertung von Inferenzregeln steuert, den dabei entstehenden Ableitungs- baum in linearisierter Form als eine Folge von Einträgen in eine assoziative Datenbasis speichert. Wir realisieren das Inferenzgedächtnis als einen separaten Teil der Wissensbasis durch einen CONTEXT mit der Bezeichnung INFERENCE-MEMORY, um den Aufbau der Wissensbasis transparent zu gestalten und die Effizienz von Zugriffen auf Einträge in der assoziativen Datenbasis, die durch die getrennte Indizierung der in einem CONTEXT zusammengefaßten Ausdrücke (vgl. LEFAIVRE 1977) entsteht, ausnutzen zu können.

Dadurch, daß der Ableitungsbaum genauso wie das Faktenwissen in Form von Ein- trägen in die assoziative Datenbasis gespeichert wird (vgl. auch 1.5.2.2.), er- reichen wir, daß Metawissen über den Ableitungsprozeß durch Metainferenzregeln auf die gleiche Weise verarbeitet werden kann wie das Faktenwissen durch die ebenfalls zu den nichtlogischen Axiomen gehörenden Inferenzregeln (vgl. Fig. 94).

Die für den Aufbau eines Inferenzgedächtnisses notwendigen Erweiterungen von MDEMON können in folgenden drei Punkten zusammengefaßt werden:

(a) Die Verwendung der Variablen AC zur Zwischenspeicherung der erfolgreich ausgewerteten Prämissen der Inferenzregeln

[1] In der oberen Zeile der graphischen Darstellung einer Funktionseinheit ist jeweils deren Inhalt beschrieben und in der unteren Zeile ihre Realisation in der KI-Programmiersprache FUZZY.

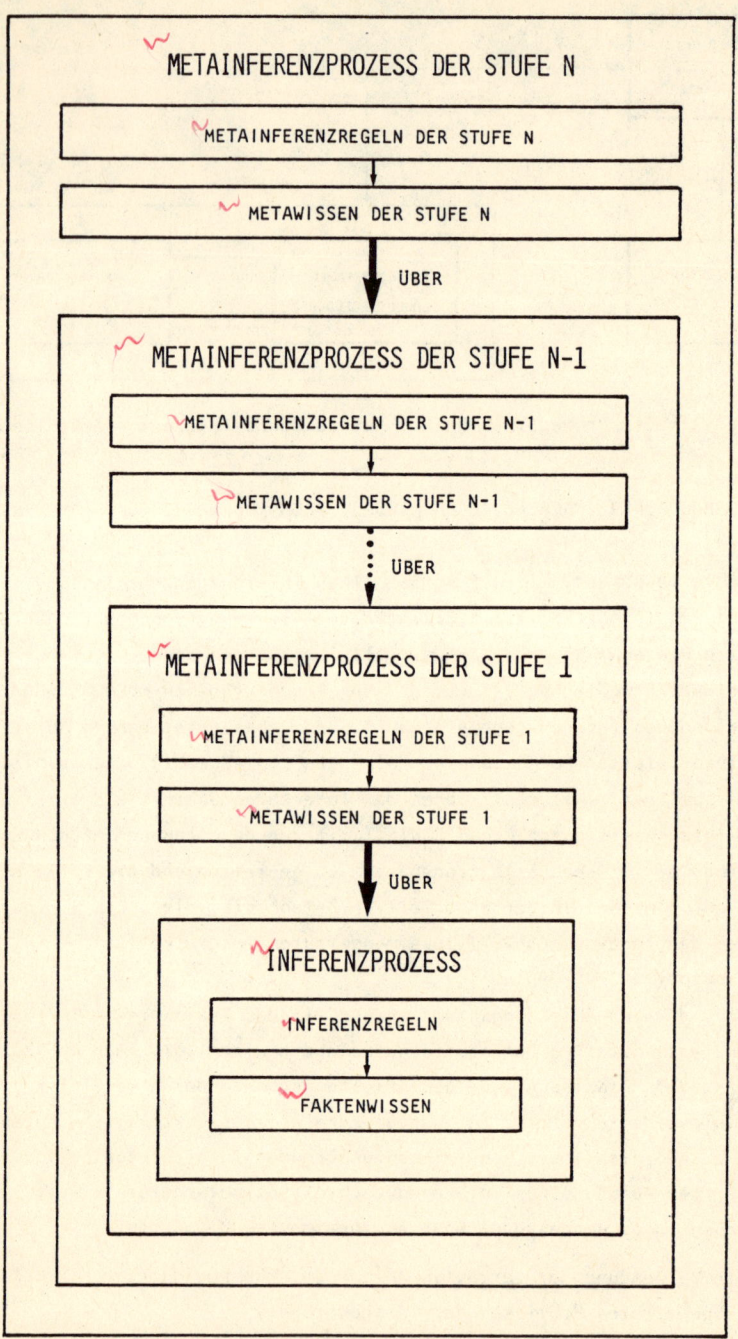

Fig. 94: Metawissen über Inferenzprozesse

(b) Die Vorbereitung eines Eintrags in das Inferenzgedächtnis durch die
Prozedur PREPARE-INFERENCE-MEMORY (vgl. (z_{31}) in Fig. 95)

(c) Der Aufbau und die Abspeicherung einer Beschreibung des durch MDEMON
überwachten Ableitungsschrittes mithilfe der Prozedur STORE-IN-INFERENCE-
MEMORY (vgl. (z_{14}) in Fig. 95)

In Prozedur-Dämonen wird die Variable AC, die von der in Fig. 75 angegebenen
Version von MDEMON zur Speicherung des akkumulierten Z-Wertes benutzt wird,
dynamisch verwaltet. In der durch Fig. 95 spezifizierten Version von MDEMON
hat der Wert von AC dagegen die Form (1). Wegen dieser neuen Struktur von AC

(1) (<Bisher akkumlierter Z-Wert > ((<Instantiierte Prämisse > <Z-Wert der
Prämisse >)$^{0-n}$)

ergeben sich eine Reihe kleinerer Änderungen gegenüber der in Fig. 75 angegebenen

```
(z₁)    (DEFPROP MDEMON
(z₂)     (LAMBDA (V ZV AC)
(z₃)      (SETQ %DERIVATION T)
(z₄)      (SETQ AC (LISTIFY AC))
(z₅)      (COND
(z₆)       ((AND (EQUAL ZNAME 'ENDE) (NOT (EQUAL (CAR PSTACK) Z-PAT)))
(z₇)        (SETQ %ECHTES-FAIL T))
(z₈)       ((EQ V FAIL) (SETQ %ECHTES-FAIL T) (FAIL))
(z₉)       ((EQ V DONE)
(z₁₀)       (COND
(z₁₁)        (%ECHTES-FAIL (SETQ %ECHTES-FAIL NIL))
(z₁₂)        (T (SETQ AC (CONS (*TIMES (CAR AC) ZV (CDR AC)))
(z₁₃)           (COND ((NOT (EQUAL ZNAME 'ENDE))
(z₁₄)              (STORE-IN-INFERENCE-MEMORY AC ZV)
(z₁₅)              (COND ((NOT (EQUAL (CAR PSTACK) Z-PAT))
(z₁₆)                 (SETQ %AC NIL)
(z₁₇)                 (SETQ %ERSTES-PROC-VORBEI NIL))
(z₁₈)                (T (POP-N)))
(z₁₉)              (COND (%ERSTES-PROC-VORBEI
(z₂₀)                 (PROG1 (SETQ %AC
(z₂₁)                         (*DIF (*PLUS %AC (CAR AC))
(z₂₂)                               (*TIMES %AC (CAR AC))))
(z₂₃)                       (PUSH-N)))
(z₂₄)                (T (PROG1 (SETQ %AC (CAR AC))
(z₂₅)                       (SETQ %ERSTES-PROC-VORBEI T)
(z₂₆)                       (PUSH-1)))))
(z₂₇)             (T (PROG1 %AC
(z₂₈)                   (SETQ %AC NIL)
(z₂₉)                   (SETQ %ERSTES-PROC-VORBEI NIL)
(z₃₀)                   (POP-ENDE)))))))
(z₃₁)        (T (SETQ AC (PREPARE-INFERENCE-MEMORY (*MIN (ZVAL V) (CAR AC)) AC V)))))
(z₃₂) EXPR)
```

Fig. 95: Aufbau eines Inferenzgedächtnisses durch MDEMON

Version von MDEMON[1]. Wenn noch nicht alle in einer Inferenzregel enthaltenen Prämissen ausgewertet sind, und die bisherige Auswertung erfolgreich verlief, wird in (z_{31}) mithilfe der Prozedur PREPARE-INFERENCE-MEMORY ein neuer Wert von AC in Form von (2) gebildet.

(2) (<Akkumulierter Z-Wert der Konklusion> (((<Zuletzt ausgewertete Prämisse>)<Z-Wert>)((<Bereits ausgewertete Prämisse>) <Z-Wert>)$^{o-n}$))

Es kann in dieser Phase der Evaluation einer Inferenzregel nur eine Vorbereitung, noch nicht aber eine Abspeicherung in das Inferenzgedächtnis erfolgen, weil sich erst nach der Auswertung des letzten im Rumpf einer DEDUCE-Prozedur enthaltenen Ausdrucks entscheidet, ob die entsprechende Inferenzregel überhaupt erfolgreich ausgewertet werden kann. Ein 'verfrühtes' Abspeichern einzelner erfolgreich ausgewerteten Prämissen in das Inferenzgedächtnis würde bei einem insgesamt erfolglosen Ableitungsversuch zu aufwendigen Backtracking-Prozessen führen.

Erst wenn die Auswertung einer Inferenzregel vollständig abgeschlossen ist (vgl. (z_9) in Fig. 95), und es sich dabei nicht um den Abschluß einer Mehrfachableitung durch die DEDUCE-Prozedur ENDE handelt, wird eine Beschreibung des vollzogenen Ableitungsschritts in der durch (3) angegebenen Form im Inferenzgedächtnis abgelegt (vgl. (z_{14}) in Fig. 95).

(3) <Wissen über einen Ableitungsschritt> ::= (<Beschreibung des Ableitungsschrittes> . <Grad der Informativität des Ableitungsschrittes>)

    <Beschreibung des Ableitungsschrittes> ::= (<Form des Ableitungsschrittes> <Verweis auf benutzte Inferenzregel> <Beschreibung der Substitution>$^{o-1}$ <Identifikator des übergeordneten Ableitungsprozesses>)

    <Form des Ableitungsschrittes> ::= (((<Instantiierte Konklusion>) <Z-Wert der Konklusion>)((<Instantiierte Prämisse>) <Z-Wert der Prämisse>)$^{o-n}$)

    <Beschreibung der Substitution>[2] ::= (((ISA <X> <Y>) <Z-Wert>)$^{1-n}$)

4.2.2. DIE BERÜCKSICHTIGUNG DER INFORMATIVITÄT EINES ABLEITUNGSSCHRITTES

Der Grad der Informativität eines Ableitungsschrittes dient als eines der Kriterien, aufgrund derer die in einer kommunikativ adäquaten Erklärung (vgl. 4.1.) zu verbalisierenden Ableitungsschritte ausgewählt werden. Wie die in Fig. 96 angegebene Version von STORE-IN-INFERENCE-MEMORY zeigt (vgl. (z_{13})), kann der Grad der Infor-

---

[1] Falls der Wert von AC ein einzelnes LISP-Atom ist, wird dieses in (z_4) von Fig. 95 in eine Liste konvertiert, da der Wert von AC bei der weiteren Verarbeitung vom Typ Liste sein muß. Wenn lediglich auf den bisher akkumulierten Z-Wert zugegriffen werden soll, muß jetzt zusätzlich der Selektor CAR auf AC angewendet werden (vgl. (z_{12}), (z_{21}), (z_{22}), (z_{24}), (z_{31}) in Fig. 95).

[2] Die Beschreibung der Variablensubstitution wird durch TYPECHECK%% (vgl. 3.2.2.6.) erzeugt und aus Gründen der Übersichtlichkeit im folgenden nicht berücksichtigt.

mativität bestimmt werden durch eine entsprechende Definition der Funktion
INFORMATIVITAET beispielsweise in Abhängigkeit von:

(a) der in der Inferenzregel angegebenen Implikationsstärke (durch ZNAME
zugänglich)

(b) der durch die Fuzzy Substitutionsregel evtl. abgeschwächten Implikationsstärke (ZV)

(c) dem Z-Wert der Konklusion (CAR AC)

(d) dem Z-Wert der konjunktiv verknüpften Prämissen (aus (b) und (c) zu
berechnen)

(e) einer 'Grund-Informativität' einer Inferenzregel, die evtl. nach dem
Schlüsselwort ZVAL zusätzlich zu den bisherigen Angaben als Metawissen
gespeichert ist (durch ZV zugänglich)

(f) der Anzahl der Prämissen einer Inferenzregel als eines der Maße für
die 'Komplexität' der Inferenzregel (durch ZNAME zugänglich).

Neben dieser im Inferenzgedächtnis gespeicherten statischen Einschätzung der Informativität werden in dem von mir erarbeiteten Modell bei der Auswahl möglichst
informativer Ableitungsschritte auch dynamische Aspekte wie der Vorerwähntheits-
grad und das im Partnermodell gespeicherte Vorwissen (vgl. 4.1.) berücksichtigt.

```
(z₁)    (DEFPROP STORE-IN-INFERENCE-MEMORY
(z₂)     (LAMBDA (AC V)
(z₃)      (LET (BESCHREIBUNG-DES-ABLEITUNGSSCHRITTES
(z₄)           (LIST (CONS (LIST Z-PAT (CAR AC)) (REVERSE (CDR AC))))
(z₅)           ZNAME
(z₆)           SATZZAEHLER))
(z₇)       (COND (%IN-OR? (SETQ %DISJUNKTABLEITUNG
(z₈)                        (CONS (LIST BESCHREIBUNG-DES-ABLEITUNGSSCHRITTES
(z₉)                                (INFORMATIVITAET AC ZV ZNAME))
(z₁₀)                        %DISJUNKTABLEITUNG)))
(z₁₁)             (T (IN 'INFERENCE-MEMORY
(z₁₂)                 (ADD! &BESCHREIBUNG-DES-ABLEITUNGSSCHRITTES
(z₁₃)                     (INFORMATIVITAET AC ZV ZNAME)))))))))
(z₁₄)   EXPR)
```

Fig. 96: Die Prozedur STORE-IN-INFERENCE-MEMORY

Da die Einträge in das Inferenzgedächtnis nach absteigendem Grad der Informativität geordnet sind, werden bei der Suche nach Ableitungsschritten oder Teilableitungen, die in einer maximal informativen Erklärung verbalisiert werden
können, zunächst die mit höherer Informativität gefunden.

Der Verweis auf die in einem Ableitungsschritt verwendete Inferenzregel (vgl.
(3)) wird durch den internen Bezeichner der DEDUCE-Prozedur realisiert, der als

Wert der Systemvariablen ZNAME zugänglich ist. Dieser Verweis wird von der Erklärungskomponente u.a. dazu benutzt, um bei der Generierung einer Erklärung,
falls erforderlich, nicht nur die einzelnen Ableitungsschritte sondern auch
die zugrundeliegenden Inferenzregeln verbalisieren zu können (vgl. 4.3.2.).
Dabei ist für jeden Ableitungsschritt ein expliziter Verweis auf die jeweilige
Inferenzregel notwendig, weil aus den im Inferenzgedächtnis zur Beschreibung
eines Ableitungsschrittes gespeicherten instantiierten Prämissen und der Konklusion nicht immer eindeutig auf die Anwendung einer bestimmten Inferenzregel
geschlossen werden kann.

Der Identifikator, der auf den übergeordneten Ableitungsprozeß verweist (vgl.
(3)) erfüllt zwei Funktionen:

(a) Durch den Identifikator soll es jederzeit möglich sein, den in der
assoziativen Datenbasis gespeicherten vollständigen Ableitungsbaum zu
rekonstruieren.

(b) Der Identifikator dient zur eindeutigen Zuordnung eines abgeleiteten
Ausdrucks zu dem entsprechenden Ableitungsbaum.

Wenn wie in dem System HAM-RPM jede Benutzereingabe durch eine natürliche Zahl,
deren Wert auf der Variablen SATZZAEHLER gespeichert ist, gekennzeichnet wird
und pro Benutzerfrage nur ein Inferenzprozeß[1] im Inferenzgedächtnis gespeichert
ist, erfüllt die Variable SATZZAEHLER die oben genannten Voraussetzungen an
einen Identifikator.

Der in (3) enthaltene Z-Wert der Konklusion ist der Evidenzwert, der sich
für eine einzelne Assertion in einer Mehrfachableitung ohne Berücksichtigung
einer evtl. Evidenzverstärkung ergibt. Die Tatsache, daß sich die Reihenfolge
der einzelnen Teilableitungen in einer Mehrfachableitung durch die in (3) definierte Struktur nicht darstellen läßt, ist unerheblich, da die Evidenzverstärkung unabhängig von der Auswertungsreihenfolge ist (vgl. 3.2.1.).

Ein einfaches Beispiel für Einträge in das Inferenzgedächtnis ergibt sich
bei der Verwendung des in Fig. 95 definierten Prozedur-Dämons zur Steuerung
und Überwachung von Inferenzen über der in Fig. 73 definierten Wissensbasis.
Die in Fig. 97 gezeigte assoziative Datenbasis entspricht dem Inhalt des CON-
TEXTes INFERENCE-MEMORY nach der Auswertung der Zielanweisung (GOAL (ERHOEHT
BUSTARIF)).

---

[1] Im allgemeinen werden aber auch bei der Sprachanalyse und -generierung
in einem natürlichsprachlichen System Inferenzprozesse ausgelöst. Sollen
auch die dabei entstehenden Inferenzergebnisse erklärbar sein, so muß
für eine eindeutige Kennzeichnung dadurch gesorgt werden, daß der Identifikator z.B. aus einem Paar (<durch GENSYM erzeugtes eindeutiges Symbol >
< Satzzaehler>) besteht.

```
(((((ERHOEHT BUSTARIF) 0.18)((ERHOEHT BEAMTENBESOLDUNG) 0.45)) $PROC2 1). 0.6)
(((((ERHOEHT BUSTARIF) 0.46)((ERHOEHT BENZINPREIS) 0.65))$PROC1 1). 0.3)
(((((ERHOEHT BENZINPREIS) 0.24)((ERHOEHT MINERALOELSTEUER) 0.3)) $PROC4 1). 0.2)
(((((ERHOEHT BENZINPREIS) 0.54)((ERHOEHT ROHOELPREIS) 0.6)) $PROC3 1). 0.1)
```

Fig. 97: Inferenzgedächtnis nach Auswertung von (GOAL(ERHOEHT BUSTARIF))

Die Informativität einer Inferenzregel wurde beim Aufbau des in Fig. 97 gezeigten
Teils des Inferenzgedächtnisses als $(1 - <$abgeschwächte Implikationsstärke$>)$[1]
definiert, so daß Ableitungsschritte, in denen approximative Inferenzregeln mit
geringer Implikationsstärke Anwendung fanden, gegenüber solchen, in denen eher
definites Wissen in Form von Inferenzregeln mit hoher Implikationsstärke verwendet wurde, bei der Suche nach einer informativen Erklärung präferiert werden.

4.2.3. DIE BEHANDLUNG DISJUNKTIV VERKNÜPFTER PRÄMISSEN

Ein Hauptproblem beim Aufbau eines Inferenzgedächtnisses durch STORE-IN-INFERENCE-
MEMORY (vgl. Fig. 96) ist die Behandlung von disjunktiv verknüpften Prämissen.
Abhängig vom Wert der in der Prozedur OR* (vgl. 3.2.2.3.) kellerartig verwalteten
boolschen Variablen %IN-OR?, die anzeigt, ob MDEMON gerade die Auswertung eines
Teilausdrucks innerhalb einer Disjunktion überwacht, wird in $(z_7)-(z_{10})$ von Fig.
96 für eine angemessene Behandlung disjunktiv verknüpfter Prämissen gesorgt.

Bei der sequentiellen Auswertung der in einem OR*-Ausdruck enthaltenen Disjunkte muß die Beschreibung einer Teilableitung, die einem erfolgreich ausgewerteten Disjunkt zugrundeliegt, solange zwischengespeichert werden, bis der Interpreter auf ein Disjunkt mit einem Evidenzwert stößt, der größer als der mit dem
bisher gespeicherten Disjunkt assoziierte Z-Wert ist. Die Teilableitung des neu
ermittelten Disjunkts muß dann wieder auf der Variablen MAX-ABLEITUNG gespeichert
werden (vgl. Fig. 98). Erst wenn eine Disjunktion vollständig und erfolgreich
ausgewertet ist, wird die Ableitung für das Disjunkt, das als erstes einen maximalen Z-Wert aufwies (vgl. 3.2.2.3.), in das Inferenzgedächtnis eingetragen.

Eine 'verfrühte' Abspeicherung der Teilableitungen einzelner Disjunkte durch
STORE-IN-INFERENCE-MEMORY würde aufwendige Backtracking-Prozesse notwendig machen.
In der angegebenen Version von STORE-IN-INFERENCE-MEMORY (vgl. Fig. 96) wird dagegen eine Zwischenspeicherung auf der LISP-Variablen %DISJUNKTABLEITUNG vorgenommen, die sowohl in Hinblick auf den Speicherplatz als auch Rechenzeit effizien-

---

[1] Dieses in MYCIN(vgl. SHORTLIFFE 1976) und in der bei WAHLSTER et al. 1978 beschriebenen Version von HAM-RPM benutzte äußerst einfache Informativitätsmaß
ist offensichtlich unangemessen, da u.a. der Evidenzwert der Konklusion, der
sich bei der Anwendung der Inferenzregel auf oft nur partiell erfüllte Prämissen ergibt, unberücksichtigt bleibt (vgl. (a)-(f) oben).

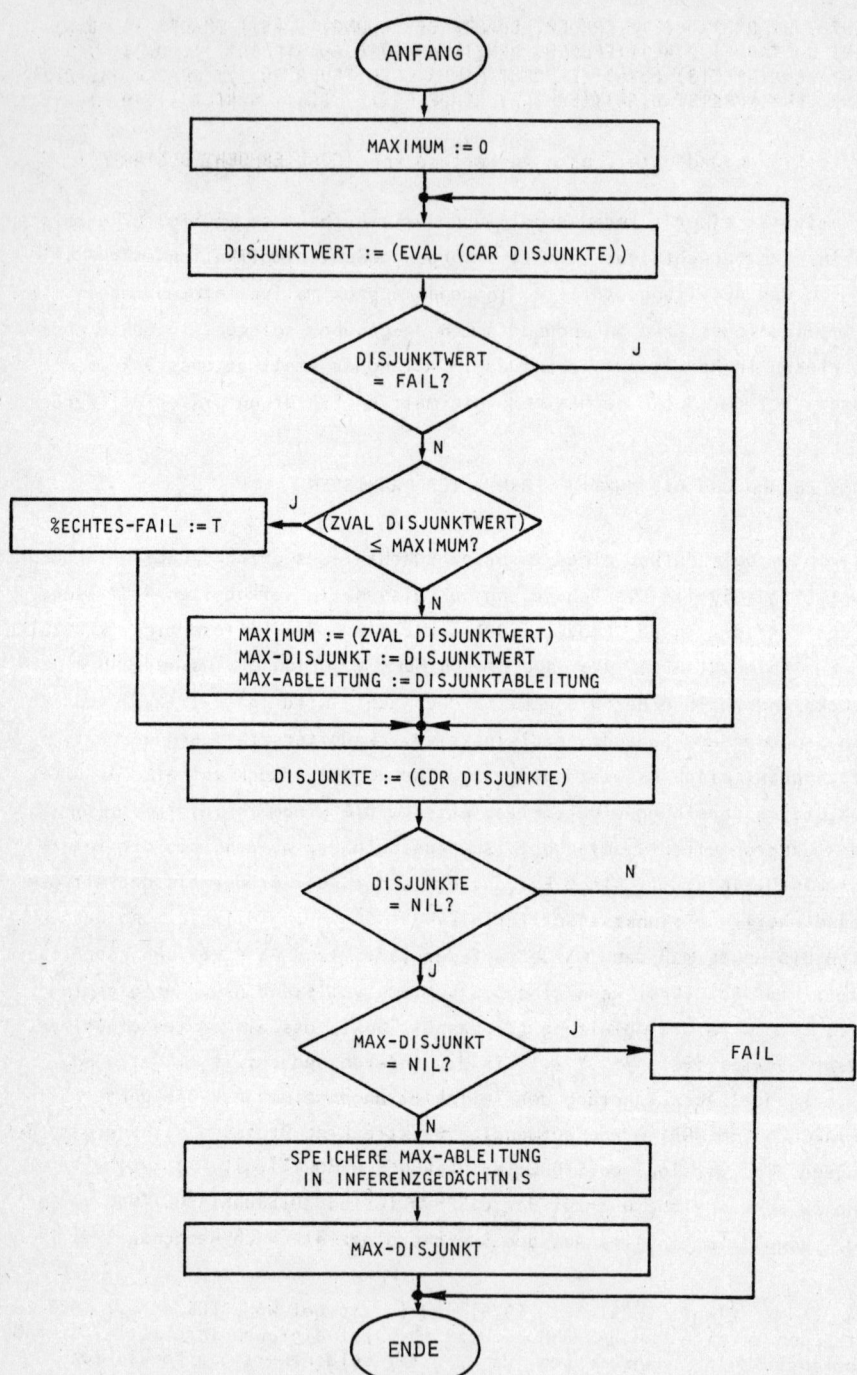

Fig. 98: Grobstruktur der Auswertung einer als OR*-Ausdruck formulierten Disjunktion

ter[1] ist. Der Wert dieser Variablen muß wie der von %IN-OR? durch die Prozedur
OR* kellerartig verwaltet werden, da der Interpreter während der Auswertung eines
Disjunkts in OR* auf eine Inferenzregel stoßen kann (vgl. (EVAL (CAR DISJUNKTE))
in Fig. 98), die ihrerseits eine Disjunktion enthält (vgl. Fig. 99, die einen
entsprechend strukturierten MAO-Baum zeigt).

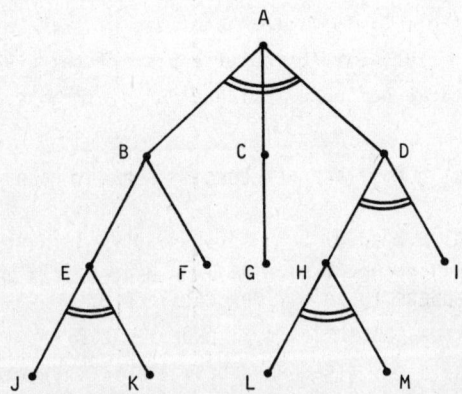

Fig. 99: Zielbaum mit eingebetteten Disjunktionen

Um ein Beispiel für die Verarbeitung eines OR*-Ausdrucks beim Aufbau eines Inferenzgedächtnisses zu bilden, greifen wir nochmals auf die in Fig. 87 angegebene
Menge von Inferenzregeln zurück. Bei der Evaluation von (GOAL (REF MERCEDES123
BILLIG)) wird auch Inferenzregel (I_3) angewendet, deren Prämissen disjunktiv
verknüpft sind. Dabei ergibt sich zunächst für (REF MERCEDES TUEVFAELLIG) aufgrund eines im assoziativen Netz gefundenen Eintrags der Evidenzwert 0.3. Da
das zweite Disjunkt, dessen Evidenzwert durch eine Inferenz bestimmt wird, mit
0.8 einen höheren Z-Wert aufweist, wird nicht die TÜV-fälligkeit sondern die
Reparaturbedürftigkeit als Evidenzquelle im Inferenzgedächtnis vermerkt (vgl.
Fig. 100, der Inhalt des Inferenzgedächtnisses entspricht dem in Fig. 88 dargestellten Ableitungsbaum).

Beim Aufbau des in Fig. 100 gezeigten Inferenzgedächtnisses wurde als ein
gegenüber Fig. 97 verfeinertes Informativitätsmaß (<Z-Wert der Prämisse> +
(1 - <Abgeschwächte Implikationsstärke>) - <Z-Wert der Prämisse> · (1 - <Abge-
schwächte Implikationsstärke>)) benutzt.

---

[1] Ein tentativer Eintrag in die assoziative Datenbasis ist deshalb wesent-
lich speicher- und rechenzeitaufwendiger, weil eine ADD-Anweisung eine
Indizierung des Ausdrucks auslöst, wie sie für die pattern-gesteuerte
Suche notwendig ist.

Dieser verfeinerten Definition liegen zwei Hypothesen über die Informativität eines Ableitungsschrittes zugrunde: Ableitungsschritte, bei denen hohe Evidenzwerte für die Prämissen der verwendeten Inferenzregel vorliegen, weisen gegenüber solchen mit geringer Evidenz für die Prämissen eine höhere Informativität auf. Außerdem sind Ableitungsschritte, die auf Inferenzen mit geringer Implikationsstärke beruhen, informativer als solche mit höherer Implikationsstärke der verwendeten Inferenzregel (vgl. S. 153). Insgesamt ergibt sich bei dem genannten Maß ein hoher Informativitätswert für Ableitungsschritte, die auf Inferenzen mit geringer Implikationsstärke bei hoher Evidenz für die Prämissen basieren.

```
(((((REF MERCEDES123 BILLIG) 0.64)((REF MERCEDES123 REPARATURBEDUERFTIG) 0.8)
$PROC3 1). 0.84)
(((((REF MERCEDES123 BILLIG) 0.803008)) ENDE 1). 0.803008)
(((((REF MERCEDES123 REPARATURBEDUERFTIG) 0.8)((HAP MERCEDES123 RADLAGER2) 1)
((REF RADLAGER2 REPARATURBEDUERFTIG) 0.8)) $PROC4 1). 0.8)
(((((REF MERCEDES123 REPARATURBEDUERFTIG) 0.8)) ENDE 1). 0.8)
(((((REF MERCEDES123 BILLIG) 0.28) ((REF MERCEDES123 ALT) 0.5)((REF MERCEDES123
GEBRAUCHT) 1)) $PROC1 1). 0.72)
(((((REF MERCEDES123 BILLIG) 0.24) ((REF MERCEDES123 ROSTIG) 0.3)) $PROC2 1). 0.44)
```

Fig. 100: Inferenzgedächtnis nach Auswertung von (GOAL (REF MERCEDES123 BILLIG))

Durch Einfügen der Anweisung (STORE-IN-INFERENCE-MEMORY (LIST %AC) ZV) zwischen Zeile (z_{27}) und (z_{28}) in die zuletzt angegebene Version von MDEMON (vgl. Fig. 95) kann erreicht werden, daß wie in Fig. 100 alle in einem Inferenzprozeß abgeleiteten Assertionen zusammen mit ihren Evidenzwerten zusätzlich abgespeichert werden. Auf diese Weise kann das Inferenzgedächtnis neben seiner in dieser Arbeit vorgesehenen Verwendung in einer Erklärungskomponente dazu dienen, daß Teilableitungen, die bereits einmal vorgenommen wurden, in späteren Inferenzprozessen nicht noch einmal wiederholt werden müssen. Dies kann dadurch bewirkt werden, daß bei der Auswertung einer Zielanweisung vor der Anwendung von Inferenzregeln nicht nur der gültige CONTEXT sondern auch das Inferenzgedächtnis nach der im GOAL-Ausdruck spezifizierten Assertion durchsucht wird. In Systemen, in denen sich die Evidenzwerte für bereits in Inferenzregeln benutzte Prämissen ändern können, macht ein solcher Rückgriff auf Ableitungsergebnisse allerdings die Überprüfung logischer Dependenzen notwendig (vgl. DOYLE 1978).

4.3. ATN-BASIERTE VERBALISIERUNG VON ERKLÄRUNGEN

Nachdem wir im vorangegangenen Abschnitt angegeben haben, wie sich eine formale Beschreibung approximativer Inferenzprozesse durch einen Prozedur-Dämon aufbauen läßt, bleibt zum Schluß dieser Arbeit nur noch zu zeigen, wie mithilfe der Abbildungen TILG, SELECT und DEL (vgl. 4.1.) gewonnene Beschreibungen von Inferenzschritten[1] in natürlichsprachliche Antworten auf 'Warum'-Fragen überführt werden können (vgl. Fig. 101, Schritt 6).

Indem wir uns im folgenden der Darstellung eines Verfahrens zur Verbalisierung von Inferenzschritten zuwenden, verlassen wir den in den Kapiteln 4.1. und 4.2 spezifizierten, sprachunabhängigen Teil der Erklärungskomponente und kommen wieder auf die in Kapitel 2 ausführlich behandelte Fragestellung der Verarbeitung natürlicher Sprache in einer Erklärungskomponente zurück.

Für die Implementierung der in Kapitel 2.1. beschriebenen Verfahren zur Erkennung der sprachlichen, kommunikativen und kognitiven Bedingungen, die in der Erklärungskomponente die Generierung einer argumentativen Antwort auslösen können (vgl. Fig. 101, Schritt 2), brauchte wegen der Vielzahl der in der einschlägigen Fachliteratur dokumentierten Implementationstechniken für die syntaktisch-semantische Analyse natürlicher Sprache (vgl. die Überblicke in GRISHMAN 1976, WILKS 1976, CHRISTALLER/METZING 1979), kaum innovative Arbeit geleistet zu werden, so daß sich eine Beschreibung der von mir gewählten Implementationsmethoden im Rahmen dieser Arbeit erübrigt[2]. Dagegen wurde das Gebiet der automatischen Generierung natürlichsprachlicher Formulierungen bisher wenig erforscht, weil man glaubte, daß in den meisten Anwendungssituationen für natürlichsprachliche Systeme als Antwort eine formatierte Ausgabe von Teilen der Wissensbasis ausreicht[3].

Da aber gerade die Generierung verständlicher, kommunikativ adäquater und kohärenter natürlichsprachlicher Erklärungen, wie sie in Abschnitt 1.1.4. als

---

[1] Da es für den Leser offensichtlich sein dürfte, wie die in Kapitel 4.1. angegebenen Abbildungen TILG, SELECT und DEL durch entsprechende in LISP/FUZZY codierte Such- und Löschprozesse über multiplen AND/OR-Bäumen realisiert werden können, verzichte ich darauf, die Implementation der Verarbeitungsphasen (3)-(5) aus Fig. 101 innerhalb der von mir entwickelten Erklärungskomponente darzustellen.

[2] Z.B. werden nachgestellte 'Warum'-Fragen in der von mir implementierten Prozedur NACHFRAGE durch einfache Pattern-Matching-Operationen über der präterminalen Kette erkannt; Fragen der Form *Warum S?* können durch den in HAM-RPM eingesetzten ATN-Parser (vgl. JAMESON et al. 1980) analysiert werden.

[3] Z.B. bestehen in dem natürlichsprachlichen System USL die Antworten neben einer feststehenden Phrase wie *Ja, Nein, Doch* nur aus formatierten Ausgaben von Datenbankinhalten (vgl. OTT 1979, S. 129). Auch bei der Implementation von PLIDIS wurde auf eine Komponente zur Sprachgenerierung verzichtet (vgl. KOLVENBACH et al. 1979, S. 66).

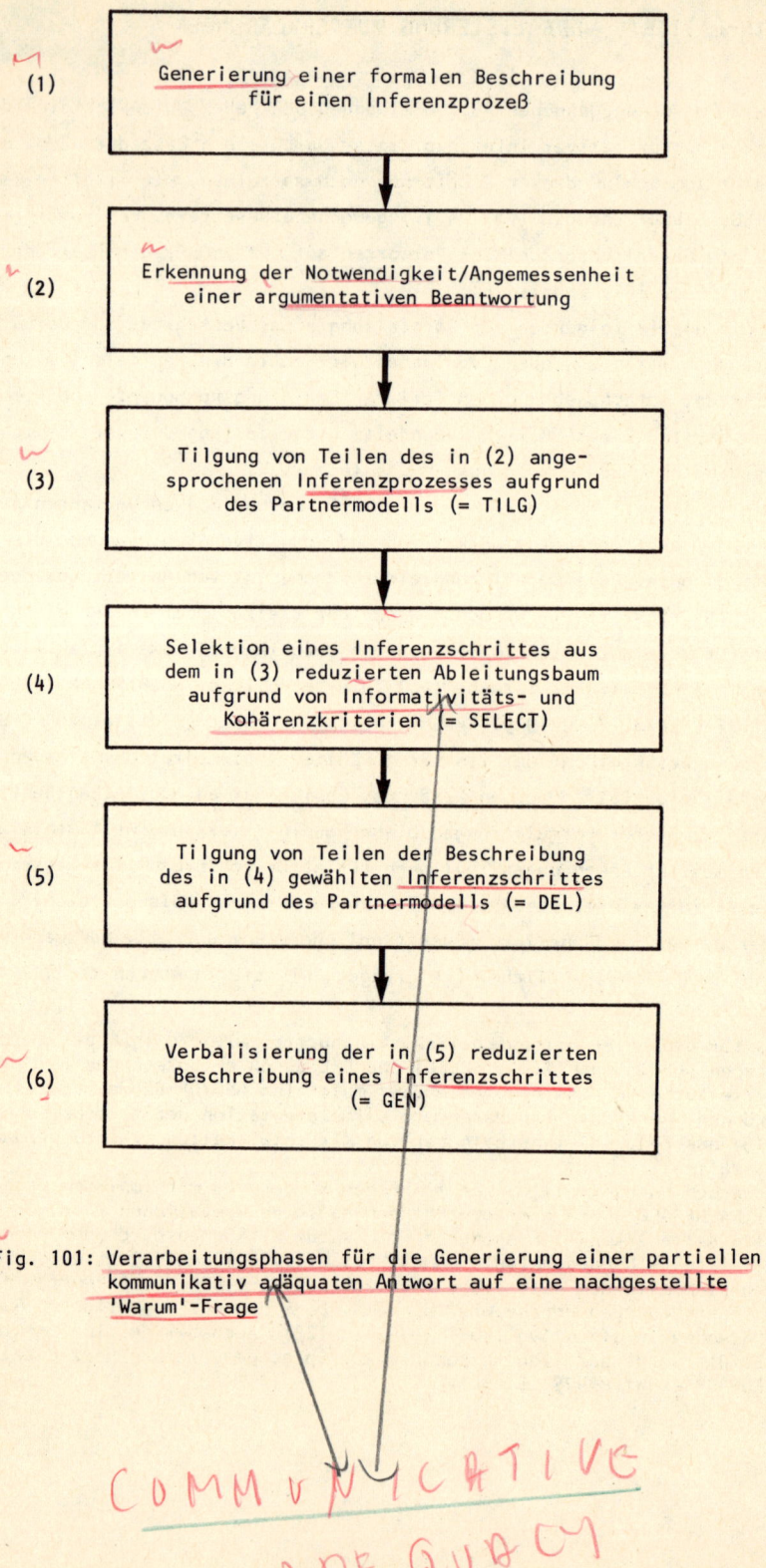

(1) Generierung einer formalen Beschreibung für einen Inferenzprozeß

(2) Erkennung der Notwendigkeit/Angemessenheit einer argumentativen Beantwortung

(3) Tilgung von Teilen des in (2) ange-sprochenen Inferenzprozesses aufgrund des Partnermodells (= TILG)

(4) Selektion eines Inferenzschrittes aus dem in (3) reduzierten Ableitungsbaum aufgrund von Informativitäts- und Kohärenzkriterien (= SELECT)

(5) Tilgung von Teilen der Beschreibung des in (4) gewählten Inferenzschrittes aufgrund des Partnermodells (= DEL)

(6) Verbalisierung der in (5) reduzierten Beschreibung eines Inferenzschrittes (= GEN)

Fig. 101: Verarbeitungsphasen für die Generierung einer partiellen kommunikativ adäquaten Antwort auf eine nachgestellte 'Warum'-Frage

Teil der Entwurfsziele gefordert wurde, besonders hohe Anforderungen an die
Leistungsfähigkeit der Sprachgenerierungskomponente stellt, ist es angebracht,
im folgenden näher auf die Implementation der in Kapitel 4.1. benutzten Abbildung GEN (vgl. Fig 101, Schritt 6) einzugehen, die eine formale Beschreibung
eines Inferenzschrittes in eine natürlichsprachliche Formulierung überführt.

Wie in Kapitel 1.5. bei der Untersuchung der bisher entwickelten Erklärungskomponenten festgestellt wurde, verwenden diese Systeme zur Sprachsynthese
vor allem vorgefertigte Texte oder Textschemata, deren Leerstellen von der Generierungskomponente kontextabhängig aufgefüllt werden. Diese mit geringem Auf-
wand zu realisierenden Verfahren haben den entscheidenden Nachteil, daß die in
Abschnitt 1.1.4. als Entwurfsziele angegebene Korrektheit und die Datenunabhängigkeit der Erklärungskomponente nur gewährleistet werden können, wenn bei
jeder Änderung der Wissensbasis auf konsistente Weise auch die entsprechenden
Texte oder Textschemata geändert werden. Insgesamt wird die Erweiterung oder
Anpassung solcher Systeme sehr aufwendig, zumal die Änderung der vorgefertigten
Texte oder Schemata nur in begrenztem Umfang automatisch erledigt werden kann.

4.3.1. ATNS ZUR ERZEUGUNG NATÜRLICHER SPRACHE

Um eine möglichst große Datenunabhängigkeit und Einheitlichkeit zu erreichen,
basiert dagegen die Sprachgenerierungskomponente der in dieser Arbeit beschriebenen Erklärungskomponente auf dem _Augmented-Transition-Network-Formalismus_
(Abk.: ATN-Formalismus, vgl. z.B. CHRISTALLER/METZING 1979), einem allgemeinen
Transformationsverfahren, das sich besonders im Bereich der syntaktischen Analyse natürlicher Sprache in vielen KI-Systemen bewährt hat[1]. Nur für die Verbalisierung von Letztbegründungen (vgl. 2.3.1.1.) und die Beantwortung metakommunikativer 'Warum'-Fragen (vgl. 2.3.2.) über Sprechhandlungen, die nicht auf
Inferenzprozesse in der Wissensbasis zurückgeführt werden können[2], sind in der
von mir entwickelten Erklärungskomponente statt der im folgenden beschriebenen
ATN-basierten Sprachgenerierungsprozesse Textschemata vorgesehen, die als Pattern
in der KI-Programmiersprache FUZZY realisiert wurden.

[1] Beispielsweise werden ATNs in der Mehrzahl der 54 von WALTZ 1977 zusammen-
gestellten natürlichsprachlichen Systeme verwendet.
[2] In der derzeitigen Version von HAM-RPM sind dies u.a. Zurückweisungen von
Selektionsbeschränkungen (vgl. V. HAHN el al. 1980, S. 211f.) und Klärungs-
fragen des Systems während der von W. Hoeppner entworfenen und implementierten Nominalphrasenreferenzanalyse (vgl. V. HAHN et al. 1980, S. 188f, HOEPPNER/
JAMESON 1979).

Die Implementierung einer Sprachgenerierungskomponente mithilfe des ATN-Formalismus, dessen Grundform (vgl. WOODS 1970) wir im folgenden als bekannt voraussetzen[1], wird dadurch vereinfacht, daß neben dem ATN-Interpreter als Grundbaustein eine komfortable Software-Umgebung mit Hilfsmitteln für den Aufbau und die Änderung von ATN-Grammatiken (z.B. ATN-Trace, ATN-Editor) und die Compilation von ausgetesteten Teilen einer ATN-Grammatik (ATN- Compiler) existiert.

Wie allgemein für die Generierung natürlicher Sprache so gibt es in der Literatur auch für die Anwendung des ATN-Formalismus bei der Sprachgenerierung im Vergleich zur Analyse nur wenige Beispiele (vgl. SIMMONS/SLOCUM 1972, SIMMONS 1973, HENDRIX et al. 1973, SHAPIRO 1975, GOLDMAN 1975, WONG 1975).

Neben der Überführung ausgewählter Teile der formalen Beschreibung eines Inferenzprozesses in eine syntaktisch wohlgeformte natürlichsprachliche Struktur, gehören auch semantisch-pragmatische Verarbeitungsphasen, wie die geeignete Wortwahl, die Erzeugung von Pronomen und die Generierung von definiten Nominalphrasen (vgl. WAHLSTER et al. 1978) zu den Aufgaben eines Sprachgenerators in einer Erklärungskomponente. Im Gegensatz zu den meisten der oben angeführten Arbeiten zur ATN-basierten Sprachgenerierung werden in der hier beschriebenen Komponente die einzelnen zu einer semantisch-pragmatischen Verarbeitungsphase gehörenden Arbeitsschritte selbst nicht im ATN-Formalismus codiert, sondern Prozeduraufrufe, die als sog. 'Aktionen' (vgl. WOODS 1970, WOODS 1980) mit Zustandsübergängen in der ATN-Grammatik assoziiert sind, bilden Schnittstellen zu den in FUZZY programmierten semantisch-pragmatischen Komponenten wie der NP-Generierung.

Der für die Erklärungskomponente entwickelte ATN-basierte Sprachgenerator wird im nächsten Abschnitt am Beispiel der Verbalisierung von Inferenzregeln dargestellt. Wenn sich eine 'Warum'-Frage auf die Inferenzrelation zwischen Explanans und Explanandum bezieht, so muß, wie wir in Abschnitt 2.3.1.2. festgestellt haben, das System die zurückliegenden Inferenzregeln verbalisieren können.

Das Beispielpaar (1) und (2) zeigt, daß sich die natürlichsprachliche Formulierung einer Inferenzregel von der Verbalisierung der Beschreibung eines In-

---

(1) Eine Einführung enthält BATES 1978. Eine ATN-Grammatik zusammen mit einem ATN-Interpreter kann als eine abstrakte Maschine beschrieben werden, die aus einem Eingabeband, einem Ausgabeband, einer endlichen Kontrolle und zwei Arbeitsspeicherbereichen besteht. Der erste Arbeitsspeicher besteht konzeptuell aus einer unbeschränkten Zahl von Registern, welche ihrerseits unbeschränkte Kapazität haben. Der zweite Arbeitsspeicher ist ein Kellerspeicher. Jede Konfiguration hat die Form (Zustand, restliche Eingabe, Kellerinhalt, Inhalt der Register$_1$,..., Register$_n$), wobei n die Zahl der bei diesem Schritt zur Verfügung stehenden Register ist (vgl. WAHLSTER 1979b, S. 169f.).

(2) Eine ausführliche Begründung für dieses Verfahren wird in WAHLSTER 1979b gegeben.

(1) Inferenzregel:

Ein Auto ist meist billig, wenn es TÜV-fällig oder reparaturbedürftig ist.

(2) Anwendung einer Inferenzregel:

Der weiße Mercedes ist vermutlich billig, weil er ziemlich reparaturbedürftig ist.

ferenzprozesses, dem diese Regel zugrundeliegt, mindestens durch folgende Merkmale unterscheidet:

- Bei der Verbalisierung der Inferenzregel werden durch indefinite Nominalphrasen sortierte Variable eingeführt, während dagegen bei der natürlichsprachlichen Beschreibung der Anwendung einer Inferenzregel mit Pronomen und definiten Nominalphrasen auf bestimmte Objekte der zugrundeliegenden Diskurswelt referiert wird.

- Die in einer Inferenzregel enthaltenen Disjunktionen reduzieren sich bei der Verbalisierung auf ein Disjunkt.

- Linguistische Hecken modifizieren in natürlichsprachlich formulierten approximativen Inferenzregeln lediglich die Konklusion, nicht aber wie bei der Beschreibung einer Regelanwendung auch Prädikationen in der Prämisse.

Trotz dieser Unterschiede werden in der von mir entwickelten Generierungskomponente nicht etwa mehrere getrennte ATN-Grammatiken eingesetzt, sondern abhängig vom Typ der zu verbalisierenden Struktur wird ein dafür vorgesehener Startzustand im ATN ausgewählt, von dem aus ein einheitliches Generierungsnetzwerk durchlaufen wird. Auf diese Weise können diejenigen Strukturen, die den zu verbalisierenden Ausdrücken gemeinsam sind, durch die gleichen Teile der ATN-Grammatik generiert werden.

4.3.2. EINE GENERIERUNGSGRAMMATIK ZUR VERBALISIERUNG VON INFERENZREGELN

Die Verbalisierung einer approximativen Inferenzregel beginnt mit der Übergabe des Quelltextes der als FUZZY DEDUCE-Prozedur codierten Regel an einen Teil der Sprachgenerierungskomponente, in dem die Regel zunächst umcodiert und lexikalisch analysiert wird (vgl. Fig. 102). Voraussetzung für dieses Verfahren ist die Programm/Daten-Äquivalenz, wie sie in LISP und den darauf basierenden KI-Programmiersprachen verwirklicht ist. Von der Sprachgenerierungskomponente wird der Quelltext der zu analysierenden DEDUCE-Prozedur, der unter der Eigenschaft PDEF auf der Eigenschaftsliste des Regelbezeichners gespeichert ist, als Datum behandelt, während er dagegen vom FUZZY-Interpreter (vgl. 3.2.2.1) evaluiert wird.

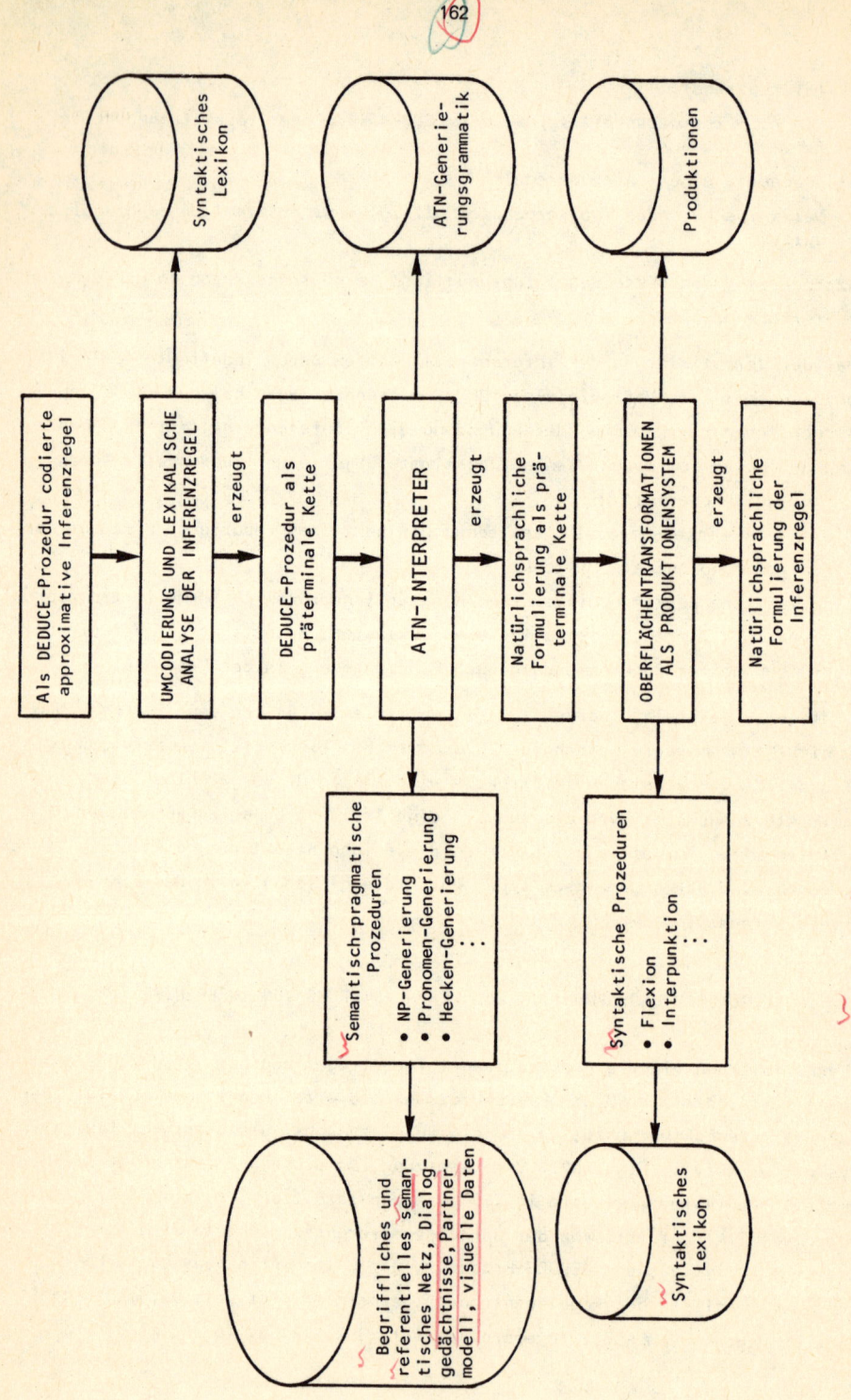

Fig. 102 : Architektur der Komponente zur Verbalisierung von Inferenzregeln

Um die Generierungsgrammatik möglichst einfach zu halten, werden bei der Um-
codierung der DEDUCE-Prozedur die verschiedenen Variablenpräfizes von den
Variablennamen abgetrennt und runde in spitze Klammern verwandelt. Bei der
lexikalischen Analyse wird vom Prozedurrumpf nur das charakteristische Pattern
und die Implikationsstärke berücksichtigt, da alle anderen Teile des Prozedur-
kopfes für die Verbalisierung unbedeutend sind. Durch Zugriffe auf ein syntak-
tisches Lexikon (vgl. V. HAHN et al. 1980) wird für jedes Symbol in der umcodierten Inferenzregel, das einen Ausdruck der natürlichen Sprache darstellt,
die syntaktische Kategorie und optional vorhandene zusätzliche syntaktische
Merkmale (z.B. das Genus für Nomen) bestimmt. Allen Symbolen der umcodierten
Inferenzregel, für die kein Eintrag im Lexikon vorhanden ist, wird die syntaktische Kategorie F (Abkürzung für FUZZY) zugeordnet. Die präterminale Kette
ist eine Liste von Listen der Form (3). Fig. 103 zeigt die präterminale Kette

(3) (<terminales Symbol> <syntaktische Kategorie> <zusätzliche syntaktische Information>$^{0-1}$)

für die DEDUCE-Prozedur (I_3) (vgl. 3.2.2.7.). Die präterminale Kette der umcodierten DEDUCE-Prozedur wird dem ATN-Parser übergeben, der bei der hier als

```
((< F)
    (< F)(REF F)(< F)($ F)(AUTO NOM NTR)(> F)(BILLIG ADJ)(> F)(0.7 F)
    (< F)(< F)(OR* F)
        (< F)(GOAL F)(< F)(REF F)(< F)(- F)(AUTO NOM NTR)(> F)(TUEVFAELLIG ADJ)
                                                                    (> F)(> F)
        (< F)(GOAL F)(< F)(REF F)(< F)(- F)(AUTO NOM NTR)(> F)(REPARATURBEDUERF-
                                                            TIG ADJ)(> F)(> F)
    (< F)(END? F)(> F)
  (> F)
  (> F))
```

Fig. 103: Präterminale Kette für die DEDUCE-Prozedur (I_3)

Beispiel beschriebenen Verbalisierung einer Inferenzregel vom Startzustand IREGEL
aus dem in Fig. 104 wiedergegebenen Ausschnitt der ATN-Generierungsgrammatik[1]

[1] Um möglichst kurze Reaktionszeiten der Erklärungskomponente zu erreichen,
(vgl. die Entwurfsziele in 1.1.4.) kann der ATN-Interpreter und die ATN-
Grammatik durch die entsprechende compilierte ATN-Grammatik ersetzt werden,
die mithilfe des in HAM-RPM verwendeten ATN-Compilers (vgl. FININ 1977)
erzeugt werden kann. Mithilfe des von A. Jameson entworfenen Softwarepakets
ATTACH (vgl. JAMESON 1980) ist es möglich, durch direkten Plattenzugriff auf
die einzelnen Zustände der ATN-Grammatik zuzugreifen, so daß nur der zur Analyse der aktuellen Eingabe benötigte Teil einer umfangreichen ATN-Grammatik
im Hauptspeicher gehalten werden muß.

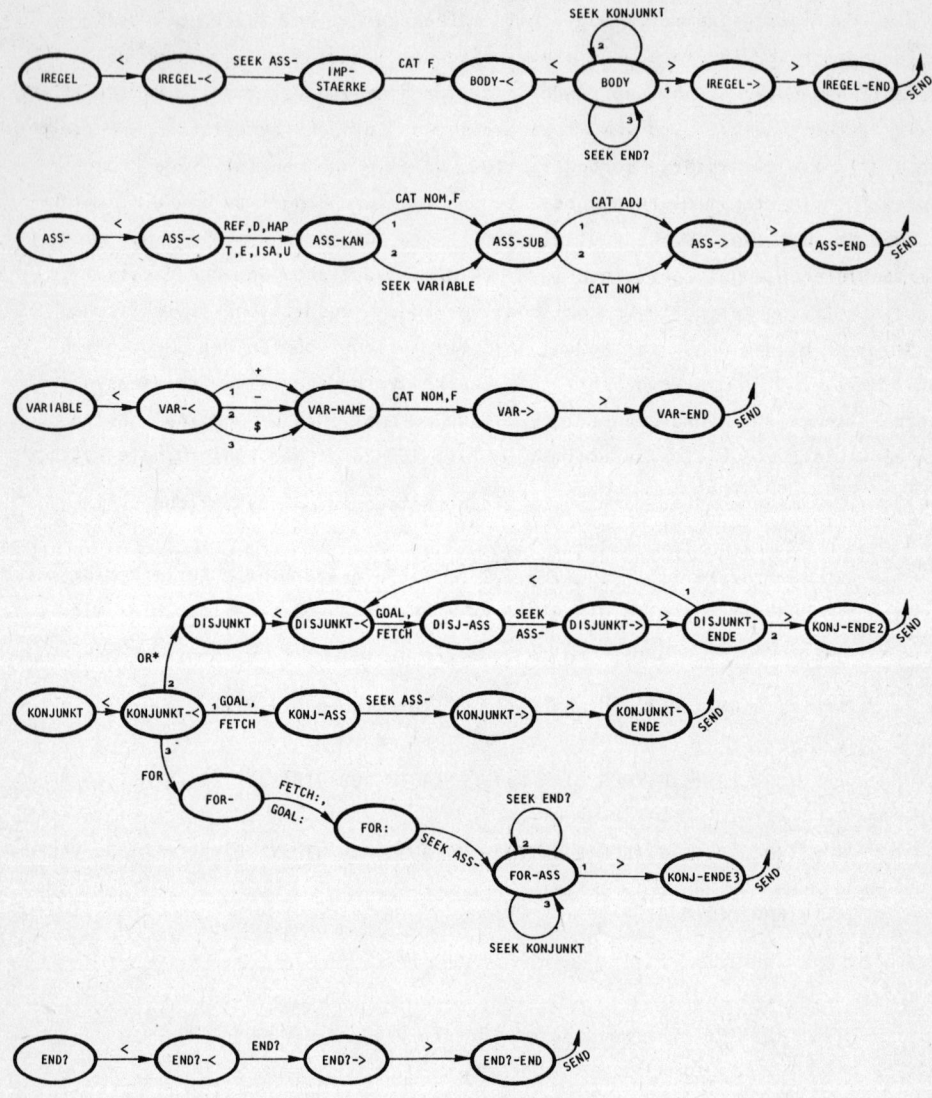

Fig. 104: Auszug aus der ATN-Generierungsgrammatik

durchläuft. In Fig. 104 sind die Kanten der gerichteten Graphen lediglich mit
Angaben über den Typ der Transition markiert, wobei für WRD-Kanten (vgl. WOODS
1970) nur die konsumierten terminalen Symbole angegeben werden. Falls zu einem
Knoten des ATN mehrere wegführende Kanten existieren, so wird in Fig. 104 durch
die zusätzliche Markierung dieser Kanten durch Ziffern die Reihenfolge der Ab-
arbeitung bei der Suche nach dem nächsten möglichen Zustandsübergang dargestellt.

Nicht dargestellt in Fig. 104 sind die mit den Zustandsübergängen assoziierten Aktionen, die sukzessive die vorläufige natürlichsprachliche Formulierung
der analysierten Inferenzregel aufbauen und dabei Prädikatenkonstanten wie REF,
ISA usw. in natürlichsprachliche Ausdrücke überführen.

Beispielsweise kann vom Zustand FOR-ASS (vgl. Fig. 105) aus ein durch *und*
koordinierter natürlichsprachlicher Ausdruck für die im Subnetz KONJUNKT analysierten konjunktiv verknüpften Prädikationen über einer durch FOR existenzquantifizierten Variablen erzeugt werden.

```
((WRD (>) (TO KONJ-END3))
 (SEEK END? (TO FOR-ASS))
 (SEEK KONJUNKT
       (SETR FOR-AUSDRUCK (APPEND _#FOR-AUSDRUCK '(UND) $)) ¹
       (TO FOR-ASS)))
```

Fig. 105: Vom Zustand FOR-ASS aus wegführende Kanten

Wie Fig. 102 zeigt, werden bei den Zustandsübergängen im ATN auch semantisch-
pragmatische Prozeduren wie die Erzeugung von Pronomen, Nominalphrasen und
linguistischen Hecken aufgerufen. Der Auszug aus der Definition der vom Zustand
ASS-END wegführenden Kanten in (4) enthält beispielsweise die Anweisung REPRAE-
SENTATION, die zu einer im Register SUB gespeicherten Objektbezeichnung mit-

(4) ((SEND ... (COND ((TOK? _#SUB) (REPRAESENTATION _#SUB)) ...)))

hilfe des referentiellen semantischen Netzes, des Partnermodells und ggf. auch
der Simulation visueller Suchprozesse eine definite Nominalphrase erzeugt (vgl.
WAHLSTER et al. 1978). Die als Aktionen in der ATN-Generierungsgrammatik enthaltenen Proceduraufrufe für semantisch-pragmatische Verarbeitungsschritte
bilden klare Schnittstellen zwischen dem Sprachgenerierungsteil der Erklärungskomponente und dem Wirtsystem.

Nach einem erfolgreichen Durchlaufen des in Fig. 104 angegebenen Teils der
Generierungsgrammatik wird der Zustand IREGEL-END durch eine SEND-Kante verlassen,

(1) Durch Makroexpansion wird '_#A' in '(GETR A)' überführt. Das ATN-Register
$ enthält jeweils das zu analysierende terminale Symbol.

die als Wert die präterminale Kette[1] der vorläufigen natürlichsprachlichen Formulierung der analysierten Inferenzregel (vgl. Fig. 106) abgibt.

```
((DET (E-)) (NOM (AUTO)) (VRB (SEIN)) (ADV (MEIST)) (ADJ (BILLIG)) (KON (WENN))
(PRN (ES)) (ADJ (TUEVFAELLIG)) (VRB (SEIN)) (KON (ODER)) (PRN (ES)) (ADJ
(REPARATURBEDUERFTIG)) (VRB (SEIN)))
```

Fig. 106: Von der ATN-Grammatik erzeugte präterminale Kette

Die präterminale Kette wird an ein Produktionensystem übergeben, das sie durch Oberflächentransformationen in eine wohlgeformte natürlichsprachliche Struktur überführt.

4.3.3. STEUERUNG VON OBERFLÄCHENTRANSFORMATIONEN DURCH EIN PRODUKTIONENSYSTEM

Das in der Sprachgenerierungskomponente verwendete Produktionensystem[2] besteht aus einer geordneten Menge von Produktionen, einem in FUZZY programmierten Produktionensystem-Interpreter und einem Arbeitsspeicher, der die zu transformierende Kette enthält (vgl. Fig. 102).

Jede Produktion hat die Form <Pattern> → <Aktion>, wobei beide Teile mithilfe der in FUZZY für Pattern-Matching-Operationen vorgesehenen Sprachkonstruktionen formuliert sind. Der Interpreter liest die Regeln von links nach rechts und führt damit eine Vorwärtsverkettung der Regeln aus. Falls der Vergleich zwischen dem auf der linken Seite einer Produktion formulierten Pattern und einem Teil der zu transformierenden präterminalen Kette erfolgreich verläuft, wird der entsprechende Teil der präterminalen Kette im Arbeitsspeicher gemäß der rechten Seite der Produktion verändert. Der Interpreter durchläuft solche Selektions- und Exekutionszyklen solange, bis keine der vorhandenen Produktionen mehr auf die transformierte präterminale Kette angewendet werden kann. Mithilfe des Produktionensystems werden Tilgungs-, Insertions- und Permutationstransformationen über der vom ATN-basierten Sprachgenerator erzeugten präterminalen Kette ausgeführt.

Auf die in Fig. 106 angegebene präterminale Kette kann z.B. die Produktion (5) angewendet werden, die eine Tilgung identischer Pronomen bewirkt. Beim Vergleich

```
(5) ((PRN (?PRN)) ??ADJOB (VRB (?VRB)) (KON ((*ANY ?KON '(UND ODER))))
    (PRN (!PRN)) (ADJ (?ADJ)) (VRB (!VRB)))
 → ((PRN (!PRN)) !!ADJOBJ (KON (!KON)) (ADJ (!ADJ)) (VRB (!VRB)))
```

[1] Aus verarbeitungstechnischen Gründen werden hier in der präterminalen Kette die terminalen Symbole als Listen und nicht als Atome dargestellt.
[2] Einführungen in Produktionensysteme enthalten DAVIS/KING 1975 und WATERMAN/HAYES-ROTH 1978.

der linken Seite dieser Regel mit der in Fig. 106 angegebenen Struktur, wird
an die Variable ?PRN der Wert ES und an die Variable ?VRB der Wert SEIN gebunden. Durch die wertabgebenden Variablen !PRN und !VRB wird dabei gesichert,
daß die in (5) formulierte Tilgungstransformation nur auf koordinierte Teil-
strukturen mit identischem Pronomen und Verb angewendet wird. Nach Ausführung
dieser Tilgungstransformation enthält der Arbeitsspeicher des Produktionensystems die in Fig. 107 angegebene Struktur. Auf diese Struktur werden dann

```
((DET (E-)) (NOM (AUTO)) (VRB (SEIN)) (ADV (MEIST)) (ADJ (BILLIG))
(KON (WENN)) (PRN (ES)) (ADJ (TUEVFAELLIG)) (KON (ODER)) (ADJ (REPA-
RATURBEDUERFTIG)) (VRB (SEIN)))
```

Fig. 107: Transformierte präterminale Kette

weitere Produktionen zur Kommainsertion und Flexion angewendet, um schließlich
als Verbalisierung der Inferenzregel (I₃) die Formulierung *Ein Auto ist meist
billig, wenn es TÜV-fällig oder reparaturbedürftig ist* zu erhalten.

Auf der rechten Seite einer Produktion können in der von mir entwickelten
Sprachgenerierungskomponente auch beliebige LISP/FUZZY Prozeduren auf Variablen,
die durch die Instantiierung der linken Seite gebunden wurden, angewendet werden. In Produktion (6) sorgt die Prozedur ADJ-FLEXION dafür, daß die korrekte

```
(6) ((PRN (?PRN)) (DET (E-)) (NOM (?NOM)) (VRB (HAB)) (KON (UND)) (DET (?DET))
    (NOM (!NOM))(ADJ (?ADJ)) (VRB (SEIN)))
  → ((PRN (!PRN)) (DET (E-)) (ADJ (&(ADJ-FLEXION !ADJ  (GENUS !NOM) 'AKK
    'UN))) (NOM (!NOM)) (VRB (HAB)))
```

Flexionsendung an das Adjektiv, das auf der Variablen !ADJ gespeichert ist,
angehängt wird. Beispielsweise wird die in Fig. 108 angegebene präterminale

```
((DET (E-)) (NOM (GEBRAUCHSGEGENSTAND)) (VRB (SEIN)) (ADJ (REPARATURBEDUERFTIG))
(KON (WENN)) (PRN (ER)) (DET (E-)) (NOM (FUNKTIONSTEIL)) (VRB (HAB)) (KON
UND)) (DET (D-)) (NOM (FUNKTIONSTEIL)) (ADJ (REPARATURBEDUERFTIG)) (VRB (SEIN)))
```

Fig. 108: Präterminale Kette vor der Transformation

Kette durch Anwendung von (6) in die durch Fig. 109 dargestellte Struktur überführt, die nach einigen weiteren Transformationen als *Ein Gebrauchsgegenstand ist*

```
((DET (E-)) (NOM (GEBRAUCHSGEGENSTAND)) (VRB (SEIN)) (ADJ (REPARATURBEDUERFTIG))
(KON (WENN)) (PRN (ER)) (DET (E-)) (ADJ (REPARATURBEDUERFTIGES)) (NOM (FUNK-
TIONSTEIL)) (VRB (HAB)))
```

Fig. 109: Präterminale Kette nach der Transformation

reparaturbedürftig, wenn er ein reparaturbedürftiges Funktionsteil hat ausgegeben wird.

Das in den beschriebenen Produktionen deklarativ dargestellte Wissen wird
nicht nur zur Durchführung von Oberflächentransformationen über den durch das
ATN erzeugten Strukturen sondern auch zur Verbalisierung anderer Teile der formalen Beschreibung eines Inferenzprozesses verwendet.

ANHANG 1: TECHNISCHE DATEN ZUR IMPLEMENTATION DER ERKLÄRUNGSKOMPONENTE

Die in diesem Buch beschriebene Erklärungskomponente liegt als vollständig implementiertes, in der Programmiersprache FUZZY formuliertes Programmpaket vor. Die Implementierung erfolgte auf der Rechenanlage DECsystem 1070 des Fachbereichs Informatik der Universität Hamburg. Diese Rechenanlage basiert auf dem Prozessor KI-10 (Rechenleistung: 0.72 MIPS) und verfügt über einen Hauptspeicher von 256 kWö bei einer Wortlänge von 36 Bits. Die verwendete FUZZY-Version läuft unter dem Betriebssystem TOPS10, Version 603A VM. Die Größe des FUZZY-High-Segments beträgt 19 kWö. Zwei Möglichkeiten zur Portierung der beschriebenen Erklärungskomponente auf andere Rechensysteme sind in Fig. 110 angegeben.

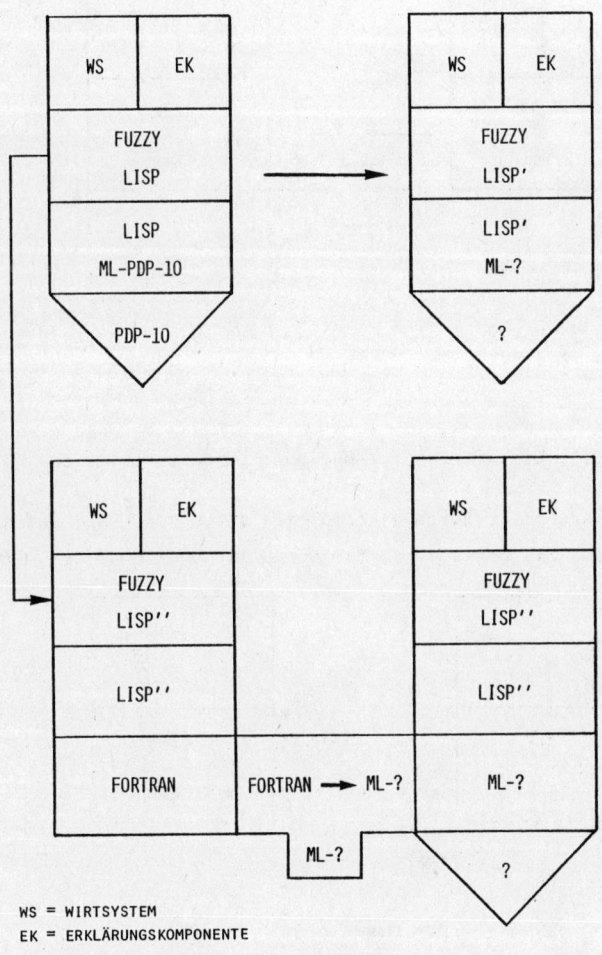

WS = WIRTSYSTEM
EK = ERKLÄRUNGSKOMPONENTE

Fig. 110: Portierungsmöglichkeiten

Die minimale Hauptspeicherbelegungsgröße für den Einsatz der Erklärungskomponente ist 60 kWö. Durch die dynamische Speicherverwaltung von LISP und die
Möglichkeiten zum Löschen von Teilen der assoziativen Datenbasis in FUZZY ergeben sich beim Aufbau des Inferenzgedächtnisses nur geringfügige zusätzliche
Hauptspeicheranforderungen (≤ 5 kWö). Da Teile der ATN-Grammatik je nach Be-
darf durch direkten Plattenzugriff eingelesen werden können, führt der Generierungsteil der Erklärungskomponente im Mittel zu keiner wesentlichen Steigerung des Hauptspeicherbedarfs.

Eine globale Effizienzsteigerung (maximal 10 mal schnellere Laufzeit) kann
durch den Einsatz des LISP-Compilers erreicht werden (vgl. Fig. 111). Eine wei-

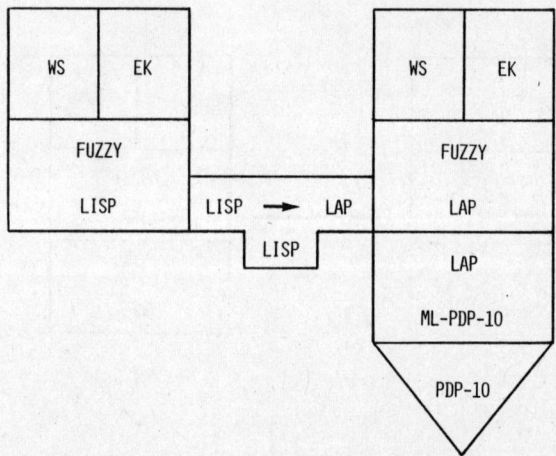

Fig. 111: Effizienzsteigerung durch LISP-Compilation

tere Effizienzsteigerung ist durch die Implementation von FUZZY auf einer LISP-
Maschine zu erwarten, besonders durch Microcompilation (Compilation in den Micro-

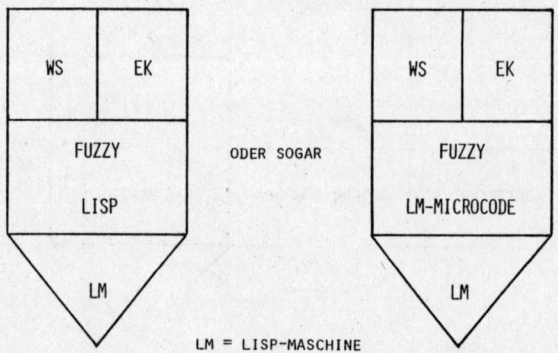

Fig. 112: Effizienzsteigerung bei Einsatz der LISP-Maschine

code der LISP-Maschine) von FUZZY-Systemprozeduren (vgl. Fig. 112). Der Einsatz des ATN-Compilers (vgl. Fig. 113) führt zu einer weiteren Steigerung der Laufzeiteffizienz für den Sprachgenerierungsteil der Erklärungskomponente.

Die Antwortzeiten für die Beantwortung von 'Warum'-Fragen liegen in der nicht optimierten Version der Erklärungskomponente zwischen 0.5 und 4 sec, wenn sich das Dialogsystem in der High Priority Queue des Betriebssystems be-

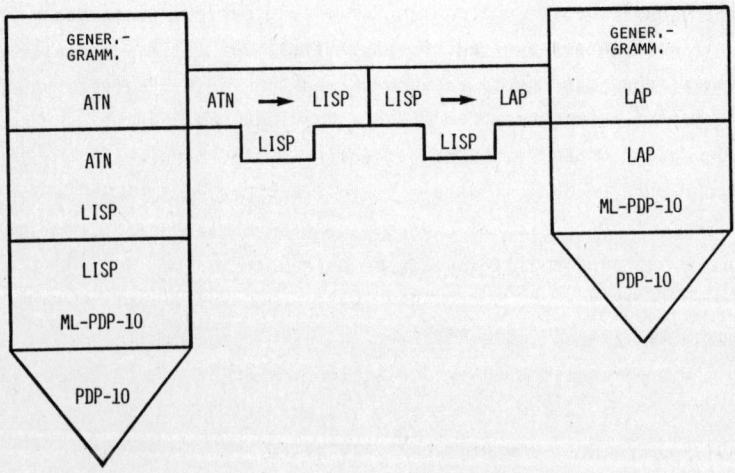

Fig. 113: Effizienzsteigerung durch ATN-Compilation

findet. Experimente auf einem DECsystem 10 der University of California, Berkeley ergaben, daß auf dem schnelleren KL-10-Prozessor bei Normalbetrieb die Antworten rd. 4.5 mal schneller erfolgen. Durch den Aufbau des Inferenzgedächtnisses verlängert sich der Beantwortsprozeß für inferenz-basierte Systemantworten im Mittel um rd. 5%.

Die Implementierung der Erklärungskomponente dauerte ca. ein Mannjahr, in dem mehrere Versionen der Erklärungskomponente interaktiv entwickelt und getestet wurden.

ANHANG 2: ELEMENTE DER KI-PROGRAMMIERSPRACHE FUZZY

FUZZY ist eine mehrwertige KI-Programmiersprache, die in einer vergleichsweise
effizienten Implementation alle wesentlichen Sprachkonzepte PLANNER-artiger Programmiersprachen (vgl. HEWITT 1971) zur Verfügung stellt (vgl. LEFAIVRE 1974,
LEFAIVRE 1977). Neben dem Sprachumfang von LISP (vgl. z.B. WINSTON/HORN 1981)
enthält FUZZY einen Pattern-Matcher, eine Verwaltung für assoziative Datenbasen,
einen Kontextmechanismus zur getrennten Verwaltung mehrerer Datenbasen sowie Möglichkeiten zum pattern-gesteuerten Proceduraufruf, zur pattern-gesteuerten Suche
und zum automatischen oder gesteuerten Backtracking. Bisher existieren Implemen-
tationen des FUZZY-Interpreters für die Rechenanlagen UNIVAC 1110, DECsystem 10,
DECsystem 20 und CDC CYBER 73. FUZZY ist voll in Rutgers/UCI-LISP und die dazu-
gehörende Programmierumgebung (Editor, Prüfhilfen, LISP-Compiler) integriert.
Dadurch ist FUZZY im Vergleich zu anderen auf LISP basierenden KI-Programmiersprachen, die einen eigenen Interpreter benötigen, bezüglich der Laufzeit wesentlich effizienter. AIMDS (vgl. SHRIDHARAN 1978) und L-FUZZY (vgl. FREKSA 1980) sind
zwei KI-Programmiersprachen, die FUZZY teilweise als Implementationssprache benutzen bzw. die ursprüngliche Sprachdefinition von FUZZY modifizieren und erweiter

Ziel dieses Anhangs ist es, dem Leser, der bereits über LISP-Kenntnisse verfügt, ein Verständnis der in diesem Buch angegebenen Programmbeispiele zu ermöglichen, ohne daß er die ausführliche Sprachdefinition (LEFAIVRE 1974) oder das
Benutzerhandbuch (LEFAIVRE 1977) konsultieren muß.

Im folgenden werden nur diejenigen Sprachelemente von FUZZY betrachtet, die in
den Programmbeispielen der vorliegenden Arbeit vorkommen. Außerdem beziehen sich
die folgenden Angaben nicht immer auf die allgemeinste Form der jeweiligen Anweisung, sondern lediglich auf die in den Programmbeispielen auftretenden Ausprägungen. Grundlage der Beschreibung ist die auf der Rechenanlage DECsystem 1070
des Fachbereichs Informatik der Universität Hamburg implementierte Version von
FUZZY, die zur Realisation der beschriebenen Erklärungskomponente benutzt wurde.

Im folgenden sind alle metasprachlichen Variablen durch spitze Klammern gekennzeichnet. Zur Markierung der LISP-Evaluation und der FUZZY-Instantiierung
wird '&' bzw. '!!' verwendet.

In FUZZY werden einfache, wertaufnehmende Variablen mit '?' und wertabgebende
Variablen mit '!' präfigiert. Wertaufnehmende Segmentvariablen werden mit '??' und
wertabgebende Segmentvariablen mit '!!!' präfigiert. Beim Pattern-Matching können
die Symbole '?' und '??' durch beliebige LISP-Objekte bzw. beliebige Listensegmen-
te ersetzt werden, falls sie nicht zur Variablenpräfigierung dienen. <SKEL> steht
im folgenden für Listenstrukturen, die nur Konstante und wertabgebende Variablen

enthalten. Bei der Auswertung eines FUZZY-Ausdrucks lassen sich die beiden
in Fig. 114 dargestellten Fälle unterscheiden. Das bei einer erfolgreichen
Auswertung eines Ausdrucks entstehende Wertepaar besteht aus einem Hauptwert und einem numerischen Z-Wert, der den Hauptwert modifiziert (vgl. 3.2.).

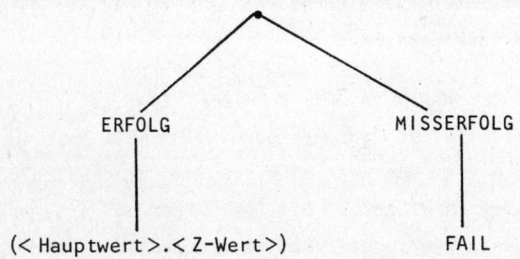

Fig. 114: Auswertungsergebnisse eines FUZZY-Ausdrucks

(ZVAL) evaluiert zu dem Z-Wert desjenigen unmittelbar vor (ZVAL) ausgewerteten
Ausdrucks, dessen Hauptwert durch einen Z-Wert modifiziert wurde (z.B. in Fig.
66).

Die folgende Liste enthält Kurzbeschreibungen aller in diesem Buch verwendeten FUZZY-Anweisungen:

(IF & <B1> THEN: & <T1>... & <Tn> ELSE: & <E1>... & <Em>), z.B. in Fig. 66
  Falls die Auswertung von <B1> FAIL oder NIL ergibt, wird <E1>... <Em>
  evaluiert; sonst wird <T1>... <Tn> ausgewertet. Der Wert der gesamten be-
  dingten Anweisung ist der Wert des zuletzt ausgewerteten Ausdrucks.

(IFANY & <B1>...& <Bn> THEN: & <T1>...& <Tm> ELSE: & <E1>...& <Ei>), z.b.
  in Fig. 66. Falls mindestens einer der Ausdrücke <B1>... <Bn> einen Wert
  ungleich FAIL und NIL ergibt, wird <T1>... <Tn> evaluiert, sonst <E1>...
  <Ei>.

(ADD! !<SKEL> &<Z-Wert>), z.B. in Fig. 96
  Falls <SKEL> nach der Instantiierung <A> und <Z-Wert> nach der Evaluation
  <Z> ergibt, so wird das Punktpaar (<A>.<Z>) der assoziativen Datenbasis als
  Eintrag hinzugefügt. Soll die Eintragung später durch Backtracking rückgängig
  gemacht werden, so muß ADD! durch ADD ersetzt werden.

(FETCH !<PAT> !<ZINT>), z.B. in Fig. 66
  Durch das optionale <ZINT> kann ein Intervall (a b) von Z-Werten angegeben

werden. Die Voreinstellung für <ZINT> ist (1 0). Durch den FETCH-Ausdruck
wird ein Eintrag in der assoziativen Datenbasis gesucht, für den sich ein
erfolgreicher Pattern-Match mit <PAT> ergibt und dessen Z-Wert im Intervall (a b) liegt Gilt a>b, so wird nach einem Eintrag mit dem höchsten
Z-Wert im Intervall gesucht. Gilt a<b, so wird nach einem Eintrag mit dem
kleinsten Z-Wert im Intervall gesucht. Falls kein Eintrag gefunden wird, ist
der Wert des FETCH-Ausdrucks FAIL.

(PROC NAME: <N1> DEMON: <N2> ACCUM: <Z-Wert> ZVAL: &<L> !<PAT>
&<E1>...&<En>), z.B. in Fig. 65. Durch eine PROC-Anweisung wird eine
FUZZY-Prozedur definiert. Als Wert eines PROC-Ausdrucks ergibt sich der Bezeichner der definierten Prozedur. Die Spezifikation der durch die Schlüssel-
wörter NAME:, DEMON:, ACCUM: und ZVAL: im Prozedurkopf gekennzeichneten Angaben ist optional. Falls durch NAME: kein Bezeichner <N1> für die FUZZY-
Prozedur spezifiziert ist, generiert das System selbst einen eindeutigen
Prozedurbezeichner. Nach ACCUM: kann ein Initialisierungswert für den akkumulierten Z-Wert der FUZZY-Prozedur angegeben werden. Der Wert von <L> wird
jeweils als zweiter Parameter an den der FUZZY-Prozedur durch DEMON: zugeordneten Prozedur-Dämon übergeben. Die Voreinstellung für <L> ist 0. <PAT>
ist das charakteristische Pattern der Prozedur und die Ausdrücke <E1>...
<En> bilden den Prozedurrumpf.

(ADD DEDUCE: <PROC>), z.B. in Fig. 65
Diese Anweisung klassifiziert die FUZZY-Prozedur <PROC> als DEDUCE-Prozedur.
Der Bezeichner von <PROC> wird der Liste DPROCS hinzugefügt. Nach dieser An-
weisung kann <PROC> durch nachfolgende GOAL-Anweisungen aktiviert werden (vgl.
Fig. 72).

(GOAL !<PAT>), z.B. in Fig. 73
Falls (FETCH !<PAT> (1 0)) den Wert FAIL liefert, wird eine DEDUCE-Proze-
dur ausgewertet, für deren charakteristisches Pattern sich ein erfolgreicher
Match mit <PAT> ergibt (vgl. Fig. 72).

(SUCCEED !<SKEL> &<Z-Wert>), z.B. in Fig. 66
Falls die Instantiierung von <SKEL> <A> und die Evaluation von <Z-Wert>
<Z> ergibt, so wird die Auswertung der FUZZY-Prozedur, die den SUCCEED-Aus-
druck enthält, mit dem Wert (<A>.<Z>) abgeschlossen. Fehlen die optionalen
Argumente <SKEL> und <Z-Wert>, so ergibt sich als Wert ein Punktpaar aus
instantiiertem charakteristischem Pattern der Prozedur und akkumuliertem
Z-Wert. Ersetzt man SUCCEED durch SUCCEED!, so sind alle bisher bei der Evalu-

ation des Prozedurrumpfes durchgeführten Modifikationen der assoziativen
Datenbasis nicht mehr durch Backtracking-Prozesse rückgängig zu machen.
Eine weitere Variante der SUCCEED-Anweisung ist SUCCEED?. Dadurch wird es
möglich, eine durch den Repetitionsoperator FOR aktivierte Prozedur nochmals zu starten, wobei darin enthaltene Suchanweisungen so verwaltet werden,
daß bei jedem neuen Aufruf ein anderes Suchergebnis erzielt wird (vgl.
LEFAIVRE 1977, S. 15).

(FAIL), z.B. in Fig. 67

Alle nach Eintritt in den Prozedurrumpf durchgeführten Modifikationen, die
durch einen Backtracking-Prozeß rückgängig gemacht werden können, werden wir-
kungslos. Der Wert der Anweisung (FAIL) ist FAIL.

(FOR ...), z.B. in Fig. 65

FOR dient als Repetitionsoperator und bietet zahlreiche Möglichkeiten zum
gesteuerten (u.a. durch NEXT, BACK, EXIT) oder automatischen Backtracking.
Bei Eintritt in eine FOR-Anweisung wird ein Backtrack-Punkt angelegt, d.h.
der aktuelle Zustand der assoziativen Datenbasis sowie der LISP- und FUZZY-
Variablenbindung wird gerettet. Bei jedem Durchlauf werden solange nacheinander alle im Rumpf der FOR-Anweisung enthaltenen Ausdrücke evaluiert, bis
sich der Wert FAIL ergibt oder eine der Steuerungsanweisungen NEXT, BACK
und EXIT auftritt. Diese Steuerungsanweisungen sind nur innerhalb von FOR-
Ausdrücken definiert. Ergibt sich der Wert FAIL, so wird ein Backtracking-
Prozeß durchgeführt und die nächste durch den FOR-Ausdruck spezifizierte
Alternative probiert.

(BACK), z.B. in Fig. 66

Diese Steuerungsanweisung löst einen Backtracking-Prozeß aus und bewirkt,
daß die nächste Alternative in der FOR-Anweisung durchlaufen wird. Wurden
bereits alle Alternativen durchlaufen, so ergibt (BACK) den Wert FAIL. Im
Sinne einer Voreinstellung wird jede FOR-Anweisung mit (BACK) abgeschlossen.

(NEXT NIL), z.B. in Fig. 65

Im Gegensatz zu (BACK) wird bei (NEXT NIL) die nächste Alternative in der
FOR-Anweisung ohne vorhergehendes Backtracking durchlaufen. Wurden bereits
alle Alternativen durchlaufen, so ergibt sich der Wert NIL.

(EXIT), z.B. auf S. 95

Durch (EXIT) wird die Auswertung einer FOR-Anweisung beendet. Als Wert ergibt sich das instantiierte Pattern der FOR-Anweisung.

Folgende Ausprägungen der FOR-Anweisung treten in Programmbeispielen dieses
Buches auf:

(FOR TRY: !< L> !< PAT> &< E1>...&< En>), z.B. in Fig. 65
Als Instantiierung von < L> muß sich eine Liste von FUZZY-Prozedurnamen ergeben. Nacheinander wird versucht, die durch < L> spezifizierten Prozeduren
auf !< PAT> anzuwenden und &< E1>...&< En> auszuwerten.

(FOR FETCH: !< PAT> &< E1>...&< En>), z.B. in Fig. 66
Bei jeder Iteration werden nach (FETCH !< PAT>) wie bei (FOR TRY: ...) die im
Rumpf enthaltenen Ausdrücke < E1>...< En> evaluiert. Ohne auftretende Steuerungsanweisungen wird die Iteration solange fortgesetzt, bis die FETCH-An-
weisung den Wert FAIL liefert.

(FOR GOAL: !< PAT> &< E1>...&< En>), z.B. in Fig. 87
Die Auswertung erfolgt analog zu (FOR FETCH ...); allerdings wird statt (FETCH
!< PAT>) bei jeder Iteration (GOAL !< PAT>) evaluiert.

Zum Schluß werden noch drei in den Programmbeispielen verwendete Anweisungen beschrieben, deren Definition nur auf Initialisierungsdateien für das beschriebene
System enthalten sind.

(ADDLIST < VAR> &< E1>), z.B. in Fig. 65
Zu der Liste mit dem Namen < VAR> wird der Wert von < E1> hinzugefügt.

(IN &< E1> < E2>), z.B. in Fig. 96
Der Wert von < E1> wird als Name eines Kontextes gedeutet. < E2> wird nur
lokal in dem durch < E1> gewählten Teil der assoziativen Datenbasis ausgewertet. Die Kontextumschaltung bezieht sich nur auf die Auswertung von < E2>.

(LET &(< VAR> < E1 >) &< E2>), z.B. in Fig. 96
Für die Evaluation von < E2> wird der Variablen < VAR> lokal der Wert < E1>
zugewiesen. Der Wert des Gesamtausdrucks ist (PROGN < E2>).

LITERATURVERZEICHNIS

AQUIST 1975   Åquist, L. (1975): A new approach to the logical theory of interrogatives: Analysis and formalization. Tübingen: Narr (2. erw. Auflage).

BARR 1979   Barr, A. (1979): Meta-knowledge and cognition. In: Proc. of the sixth International Joint Conference on Artificial Intelligence, Tokyo, S. 31-33.

BATES 1978   Bates, M. (1978): The theory and practice of augmented transition network grammars. In: Bolc, L. (ed.): Natural Language Communication with Computers. Berlin, Heidelberg, N.Y.: Springer, S. 191-259.

BENNET/ENGELMORE 1979   Bennet, J.S., Engelmore, R.S. (1979): SACON: A knowledge-based consultant for structural analysis. In: Proc. of the sixth International Joint Conference on Artificial Intelligence, Tokyo, S. 47-49.

BERGMANN/NOLL 1977   Bergmann, E., Noll, H. (1977): Mathematische Logik mit Informatik-Anwendungen. Berlin, Heidelberg, N.Y.: Springer.

BERRY-ROGGHE/ZIFONUN 1978 Berry-Rogghe, G., Zifonun, G. (1978): The 'cooperative' user: on the role of user-defined heuristics in a deductive Q-A system. In: Proc. of the seventh International Conference on Computational Linguistics, Bergen.

BOBROW/WINOGRAD 1977   Bobrow, D.G., Winograd, T. (1977): An overview of KRL, a knowledge representation language. In: Cognitive Science, 1, 1, S. 3-46.

BODEN 1977   Boden, M.A. (1977): Artificial intelligence and natural man. Hassoks: Harvester.

BOLC 1980   Bolc, L. (ed.) (1980): Natural language based computer systems. München, London: Hanser, Macmillan.

BOLEY 1979   Boley, H. (1979): Five views of FIT programming. Universität Hamburg, Fachbereich für Informatik, Bericht IFI-HH-B-57/79.

BRODIE 1980   Brodie, M.L. (1980): Data abstraction, databases and conceptual modelling. In: Proc. of the sixth International Conference on Very Large Data Bases, Montreal.

BROMBERGER 1966

Bromberger, S. (1966): Why-questions. In: Colodny, R. (ed): Mind and cosmos. Pittsburg: Univ. Press, S. 86-111.

BUNDY et al. 1978

Bundy, A., Burstall, R.M., Weir, S., Young, R.M. (1978): Artificial intelligence: an introductory course. Edinburgh: Univ. Press.

CARBONELL 1980

Carbonell, J.G. (1980): Towards self-extending models, an AI perspective. In: Preprints of the workshop on databases and conceptual modelling, Pingree Park, Colorado, S. 65-69.

De CHAMPEAUX 1978

de Champeaux, D. (1978): A theorem prover dating a semantic network. In: Proc. of the AISB/GI Conference on Artificial Intelligence, Hamburg, S. 82-92.

CHANG/LEE 1973

Chang, C.-L., Lee, R.C. (1973): Symbolic logic and mechanical theorem proving. N.Y.: Academic.

CHESTER 1976

Chester, D. (1976): The translation of formal proofs into English. In: Artificial Intelligence, 7, 3, S. 261-278.

CHRISTALLER/METZING 1979

Christaller, Th., Metzing, D. (eds.) (1979): Augmented Transition Network Grammatiken. Berlin: Einhorn.

CLANCEY 1979

Clancey, W.J. (1979): Tutoring rules for guiding a case method dialogue. In: International Journal of Man-Machine Studies, 11, S. 25-49.

COHEN 1978

Cohen, P.R. (1978): On knowing what to say: Planning speech acts. Univ. of Toronto, Dept. of Computer Science, Technical Report No. 118.

COHN 1979

Cohn, A. (1979): Mechanizing a particularly expressive many sorted logic. In: Proc. of the sixth International Joint Conference on Artificial Intelligence, Tokyo, S. 162-164.

COLLINS et al. 1975

Collins, A., Warnock, E.H., Aiello, N., Miller, M.C. (1975): Reasoning from incomplete knowledge. In: Bobrow, D.G., Collins, A. (eds.): Representation and understanding: Studies in cognitive science. N.Y.: Academic, S. 383-415.

CONRAD 1978

Conrad, R. (1978): Studien zur Syntax und Semantik von Frage und Antwort. Berlin: Akademie.

DAVIDSON 1963

Davidson, D. (1963): Actions, reasons and causes. In: The Journal of Philosophy, 60, S. 685-700.

DAVIS 1976

Davis, R. (1976): Applications of meta-level knowledge to the construction, maintenance and use of large knowledge bases. Stanford Univ., Dept. of Computer Science, Technical Report STAN-CS-76-562.

DAVIS/KING 1975

Davis, R., King, J. (1975): An overview of production systems. Stanford University, AI Lab., Memo AM-271.

DAVIS/BUCHANAN 1977

Davis, R., Buchanan, B.G. (1977): Meta-level knowledge: Overview and applications. In: Proc. of the fifth International Joint Conference on Artificial Intelligence, Cambridge, Mass., S. 920-927.

De KLEER et al. 1977

De Kleer, J., Doyle, J., Steele, G.L., Sussman, G.J. (1977): AMORD - Explicit control of reasoning. In: Proc. of the Symposium on Artificial Intelligence and Programming Languages, SIGART Newsletter, 64, S. 116-125.

DITTRICH et al. 1979

Dittrich, K.R., Hübner, R., Lockemann, P.C. (1979): Methodenbanksysteme: Ein Werkzeug zum Maßschneidern von Anwendersoftware. In: Informatik-Spektrum, 2, 4, S. 194-203.

DÖRNER 1978

Dörner, D. (1978): Self reflection and problem solving. In: Klix, F. (ed.): Human and artificial intelligence. Berlin: Deutscher Verlag, S. 101-107.

DOYLE 1978

Doyle, J. (1978): Truth maintenance systems for problem solving. M.I.T., AI Lab., Technical Report AI-TR-419.

DZIDA et al. 1978

Dzida, W., Herda, S., Itzfeld, W.D. (1978): Factors of user-perceived quality of interactive systems. Gesellschaft für Mathematik und Datenverarbeitung, St. Augustin, IST, Bericht Nr. 40, (2. Auflage).

EGLI/SCHLEICHERT 1976

Egli, U., Schleichert, H. (1976): A bibliography on the theory of questions and answers. In: Linguistische Berichte, 41, S. 105-128.

ENDERTON 1972

Enderton, H.B. (1972): A mathematical introduction to logic. N.Y.: Academic

FEIGENBAUM 1977

Feigenbaum, E.A. (1977): The art of artificial intelligence: 1. Themes and case studies of knowledge engineering. In: Proc. of the fifth International Joint Conference on Artificial Intelligence, Cambridge, Mass., S. 1014-1029.

FEIGENBAUM 1980

Feigenbaum, E.A. (1980): Expert systems: looking back and looking ahead. In: Wilhelm, R. (ed.): GI-10. Jahrestagung, Saarbrücken. Berlin, Heidelberg, N.Y.:Springer, S. 1-14.

FELLER 1968

Feller, W. (1968): An introduction to probability theory and its applications. N.Y.: Wiley, Vol.I.

FICHT 1978

Ficht, H. (1978): Supplement to a bibliography on the theory of questions and answers. In: Linguistische Berichte, 55, S. 92-114.

FININ 1977

Finin, T.W. (1977): An interpreter and compiler for augmented transition networks. Univ. of Illinois, Thesis, Dept. of Computer Science.

FREEMAN 1976

Freeman, C. (1976): A pragmatic analysis of tenseless why-questions. In: Mufwene, S.S., Walker, C. A., Steeuer, S.B. (eds.): Papers of the twelth regional meeting of the Chicago Linguistic Society, Chicago: Chicago Linguistic Society, S. 208-219.

FREKSA 1980

Freksa, C. (1980): L-FUZZY - an AI language with linguistic modification of patterns. Memo UCB/ERL M80/10, University of California, Berkeley.

GALLAIRE/MINKER 1978

Gallaire, H., Minker, J. (1978): Logic and data bases. N.Y.: Plenum.

GHISELIN 1952

Ghiselin, B. (1952): The creative process. N.Y.: Mentor.

GOLDMAN 1975

Goldman, N.M. (1975): Conceptual generation. In: Schank, R.C. (ed.): Conceptual information processing. Amsterdam: North-Holland, S. 289-371.

GÖTTERT 1978

Göttert, K.-H.: (1978): Argumentation. Tübingen: Niemeyer.

GRAESSER et al. 1980

Graesser, A.C., Robertson, S.P., Lovelace, E.R., Swinehart, D.M. (1980): Answers to why-questions expose the organization of story plot and predict recall of actions. In: Journal of Verbal Learning and Verbal Behavior, 19, S. 110-119.

GRISHMAN 1976

Grishman, R. (1976): A survey of syntactic analysis procedures for natural language. In: American Journal of Computational Linguistics, Mf. 47.

V. HAHN 1978

v. Hahn, W. (1978): Überlegungen zum kommunikativen Status und der Testbarkeit von natürlichsprachlichen Artificial-Intelligence-Systemen. In: Sprache und Datenverarbeitung, 1, S. 145-169.

V. HAHN 1979

v. Hahn, W. (1979): Über Dialogkohärenz in natürlichsprachlichen AI-Systemen. Univ. Hamburg, Germ. Seminar, HAM-RPM-Bericht Nr. 8.

V. HAHN et al. 1980

v. Hahn, W., Hoeppner, W., Jameson, A., Wahlster, W. (1980): The anatomy of the natural language dialogue system HAM-RPM. In: Bolc, L. (ed.): Natural language based computer systems. München, London: Hanser, Macmillan, S. 119-253.

HALL 1973

Hall, P. (1973): Equivilance between AND/OR graphs and context-free grammars. In: Communications of the ACM, 16, S. 444-445.

HART/DUDA 1977

Hart, P.E., Duda, R.O. (1977): PROSPECTOR - A computer-based consultation system for mineral exploration, Stanford Research Institute, Menlo Park, AI Center, Technical Note 155.

HAWKINSON 1975

Hawkinson, L. (1975): The representation of concepts in OWL. In: Proc. of the fourth International Joint Conference on Artificial Intelligence, Tiflis, S. 107-114.

HAYES 1975

Hayes, P.J. (1975): Computer programming as a cognitive paradigm. In: Nature, 254, S. 563-566.

HAYES/REDDY 1979

Hayes, P., Reddy, R. (1979): An anatomy of graceful interaction in spoken and written man-machine communication. Carnegie-Mellon Univ., Dept. of Computer Science, Technical Report CMU_CS_79-144.

HEMPEL 1977

Hempel, C.G.: Aspekte wissenschaftlicher Erklärung. Berlin, N.Y.: De Gruyter.

HENDRIX et al. 1973

Hendrix, G.G., Thompson, C.W., Slocum, J. (1973): Language processing via canonical verbs and semantic models. Univ. of Texas, Dept. of Computer Science, Technical Report NL 16.

HERINGER 1974

Heringer, H.J. (1974): Praktische Semantik. Stuttgart: Klett.

HERINGER et al. 1977

Heringer, H.J., Öhlschläger, G., Strecker, B., Wimmer, R. (1977): Einführung in die Praktische Semantik. Heidelberg: Quelle & Meyer.

HEWITT 1971

Hewitt, C. (1971): Description and theoretical analysis (using schemata) of PLANNER: A language for proving theorems and manipulating models in a robot. Ph.D. Thesis, M.I.T., Dept. of Mathematics.

HOEPPNER 1979

Hoeppner, W. (1979): Analyse über Satzpatterns: Performanzbeispiele für Welch- und Wieviel-Fragen. Universität Hamburg. Germanisches Seminar. HAM-RPM-Memo Nr. 10.

HOEPPNER/JAMESON

Hoeppner, W., Jameson, A. (1979): Kooperatives Dialogverhalten im Simulationssystem HAM-RPM. In: Proc. of the fourth workshop on Artificial Intelligence, Bad Honnef, S. 21-31.

HUNT 1975

Hunt, E.B. (1975): Artificial Intelligence. N.Y.: Academic.

JACKSON 1974

Jackson, P.H. (1974): Introduction to artificial intelligence. N.Y.: Mason & Lipscomb.

JAMESON 1980

Jameson, A. (1980): ATTACH: A package for accessing LISP programs and data from disc. Universität Hamburg, Germanisches Seminar, HAM-RPM-Memo Nr. 12.

JAMESON et al. 1980

Jameson, A., Hoeppner, W., Wahlster, W. (1980): The natural language system HAM-RPM as a hotel manager: some representational prerequisites. In: Wilhelm, R. (ed.): GI-10. Jahrestagung, Saarbrücken. Berlin, Heidelberg, N.Y.: Springer, S. 459-473.

KATZ/POSTAL 1964

Katz, J.J., Postal, P. (1964): An integrated theory of linguistic description. Cambridge, Mass. : M.I.T. Press.

KINDT 1975

Kindt, W. (1975): Argumentation. In: Linguistik und Didaktik, 23, S. 243-246.

KOLVENBACH et al. 1979

Kolvenbach, M., Lötscher, A., Lutz, H.D. (eds.): Künstliche Intelligenz und natürliche Sprache. Sprachverstehen und Problemlösen mit dem Computer. Tübingen: Narr.

LEFAIVRE 1974

LeFaivre, R.A. (1974): Fuzzy problem-solving. Univ. of Wisconsin, Dept. of Computer Science, Technical Report No. 37.

LEFAIVRE 1977

LeFaivre, R.A. (1977): FUZZY reference manual. Rutgers Univ., Dept. of Computer Science.

LEHNERT 1977

Lehnert, W. (1977): Human and computational question answering. In: Cognitive Science, 1, 1, S. 47-73.

LENDERS 1975

Lenders, W. (1975): Semantische und argumentative Textdeskription. Ein Beitrag zur Simulation sprachlicher Kommunikation. Hamburg: Buske.

LOVELAND 1978

Loveland, D.W. (1978): Automated theorem proving. A logical basis. Amsterdam: North-Holland.

MANN 1980

Mann, W.C. (1980): Toward a speech act theory for natural language processing. Information Science Institute, Marina Del Rey, Report ISI/RR-79-75.

McDERMOTT 1978 · · · · · McDermott, D. (1978): The last survey of repre-
sentation of knowledge. In: Proc. of the AISB/GI
Conference on Artificial Intelligence, Hamburg,
S. 206-221.

METZING 1975 · · · · · Metzing, D. (1975): Formen kommunikationswissen-
schaftlicher Argumentationsanalyse. Hamburg: Buske.

MICHIE 1979 · · · · · Michie, D. (ed.) Expert systems in the micro-elec-
tronic age. Proc. of AISB Summer School. Edinburgh:
Univ. Press.

MIKELSON 1975 · · · · · Mikelson, M. (1975): Computer assisted application
definition. In: Conference Record of the second
ACM Symposium on principles of programming languages,
S. 233-242.

De MILLO et al. 1979 · · · · · De Millo, R.A., Lipton, R.J., Perlis, A.J. (1979):
Social processes and proofs of theorems and pro-
grams. In: Communications of the ACM, 22, 5, S.
271-280.

MORGAN 1976 · · · · · Morgan, C.G. (1976): Methods for automated theorem-
proving in non-classical logics. In: IEEE Trans-
actions on Computing, C-25, S. 852-862.

MUNYER 1979 · · · · · Munyer, J.C. (1979): Towards the use of analogy
in deductive tasks. In: Joyner, H.W. (ed.): Proc.
of the fourth workshop on Automated Deduction,
Austin, Texas.

MYLOPOULOS 1980 · · · · · Mylopoulos, J. (1980): An overview of knowledge
representation. In: Preprints of the workshop
on data abstraction, databases and conceptual
modelling, Pingree Park, Colorado.

NAKANISHI et al. 1979 · · · · · Nakanishi, M., Nagata, M., Ueda, K. (1979): An
automatic theorem prover generating a proof in
natural language. In: Proc. of the sixth International Joint Conference on Artificial Intelligence, Tokyo, S. 636-638.

NILSSON 1980 · · · · · Nilsson, N. (1980): Principles of artificial
intelligence. Palo Alto: Tioga.

NISBETT/WILSON 1977 · · · · · Nisbett, R.E., Wilson, D.T. (1977): Telling
more than we can know: Verbal reports on mental
processes. In: Psychological Review, 84, 3, S.
231-259.

OTT 1979 · · · · · Ott, N. (1979): Das experimentelle auf natürlicher
Sprache basierende Informationssystem USL. In:
Nachrichten für Dokumentation, 30, 3, S. 129-
139.

PARKISON et al. 1977

Parkison, R.C., Colby, K.M., Faught, W.S. (1977): Conversational language comprehension using integrated pattern-matching and parsing. In: Artificial Intelligence, 9, S. 111-134.

RAPHAEL 1976

Raphael, B. (1976): The thinking computer: Mind inside matter. San Francisco: Freeman.

REITER 1980

Reiter, R. (1980): A logic for default reasoning. In: Artificial Intelligence, 13, S. 81-132.

RICH 1979

Rich, E. (1979): Building and exploiting user models. Carnegie-Mellon Univ., Dept. of Computer Science, Report CMU_CS_-79-119.

SACERDOTI 1977

Sacerdoti, E.D. (1977): A structure for plans and behavior. N.Y.: Elsevier.

SCHANK/ABELSON 1977

Schank, R.C., Abelson, R.P. (1977): Scripts, plans, goals and understanding. An inquiry into human knowledge structure. Hillsdale: Erlbaum.

SCHEFE 1979

Schefe, P. (1979): Arten von Wissen und Inferenzen in natürlichsprachlichen Systemen. Univ. Hamburg, Fachbereich Informatik, Mitteilung IFI-HH-M-73/79. auch in: Rollinger, C.-R., Schneider, H.-J. (eds.): Inferenzen in natürlichsprachlichen Systemen der künstlichen Intelligenz. Berlin: Einhorn 1980. S. 1-36.

SCHEFE 1980

Schefe, P. (1980): On foundations of reasoning with uncertain facts and vague concepts. In: International Journal of Man-Machine Studies, 12, S. 35-162.

SCHWITALLA 1976

Schwitalla, J. (1976): Zur Einführung in die Argumentationstheorie: Begründungen durch Daten und Begründungen durch Handlungsziele in der Alltagsargumentation. In: Deutschunterricht, 28, 4, S. 22-37.

SCOTT et al. 1977

Scott, C.A., Clancey, A., Davis, R., Shortliffe, E.H. (1977): Explanation capabilities of production-based consultation systems. In: American Journal of Computational Linguistics, Microfiche 62.

SCRAGG 1974

Scragg, G.W. (1974): Answering questions about processes. Univ. of California, San Diego, Ph.D. Thesis.

SCRAGG 1975

Scragg, G.W. (1975): Answering process questions. In: Proc. of the fourth International Joint Conference on Artificial Intelligence, Tiflis, S. 435-442.

SHAFER 1976

Shafer, G. (1976): A mathematical theory of evidence. Princeton: Univ. Press.

SHAPIRO 1975

Shapiro, S.C. (1975): Generation as parsing from a network into a linear string. In: American Journal of Computational Linguistics, Microfiche 33.

SHORTLIFFE 1976

Shortliffe, E.H. (1976): Computer-based medical consultations: MYCIN. N.Y.: Elsevier.

SHORTLIFFE et al. 1975

Shortliffe, E.H., Davis, R., Anline, S.G., Buchanan, B.G., Green, C.C., Cohen, S.N. (1975): Computer-based consultations in clinical therapeutics: Explanations and rule aquisition capabilities of the MYCIN system. In: Computers and Medical Research, 8, S. 303-320.

SIMMONS 1973

Simmons, R.F. (1973): Semantic networks: Their computation and use for understanding English sentences. In: Schank, R.C., Colby, K.M. (eds.): Computer models of thought and language. San Francisco: Freeman, S. 63-113.

SIMMONS/SLOCUM 1972

Simmons, R.F., Slocum, J. (1972): Generating English discourse from semantic networks. In: Communications of the ACM, 15, 10, S. 891-915.

SLAGLE 1963

Slagle, J. (1963): A heuristic program that solves symbolic integration problems in Freshman calculus. In: Feigenbaum, E., Feldman, J. (eds.) Computers and thought. N.Y.: McGraw-Hill, S. 191-203.

SLEEMAN 1979

Sleeman, D.H. (1979): Some current topics in intelligent teaching systems. In: AISB quarterly, 33, S. 22-27.

SLEEMAN/HENDLEY 1979

Sleeman, D.H., Hendley, R.J. (1979): ACE: A system which analyses complex explanations. In: International Journal of Man-Machine Studies, 11, S. 125-144.

SRIDHARAN 1978

Sridharan, N.S. (ed.) (1978): AIMDS - User Manual. Rutgers Univ., New Brunswick, Dept. of Computer Science.

STALLMAN/SUSSMAN 1977

Stallman, R.M., Sussman, G.J. (1977): Forward reasoning and dependency-directed backtracking in a system for computer-aided circuit analysis. In: Artificial Intelligence, 9, S. 135-196.

STEGMÜLLER 1969

Stegmüller, W. (1969): Probleme und Resultate der Wissenschaftstheorie und Analytischen Philosophie. Bd. I, Wissenschaftliche Erklärung und Begründung. Berlin, Heidelberg, N.Y.: Springer.

STEVENS et al. 1979   Stevens, A., Collins, A., Goldin, S.E. (1979):
*Misconceptions in student's understanding. In:
International Journal of Man-Machine Studies,
11, S. 145-156.*

SUSSMAN 1973   Sussman, G.J. (1973): A computational model of
*skill aquisition. M.I.T., AI Lab., Technical
Report TR-297.*

SWARTOUT 1977   Swartout, W.R. (1977): A Digitalis therapy ad-
*visor with explanations. M.I.T., Lab. for Computer
Science, Technical Report TR-176.*

SWARTOUT 1978   Swartout, W.R. (1978): Producing program expla-
*nations from multiple hierachical models. M.I.T.
Ph.D. Thesis Proposal, Lab. for Computer Science.*

TELLER 1974   Teller, P. (1974): On why-questions. In: Noûs,
8, S. 371-380.

TODT/SCHMIDT-RADEFELDT 1979   Todt, G., Schmidt-Radefeldt, J. (1979): Wissens-
*fragen und direkte Antworten in der Fragelogik
LA^2. In: Linguistische Berichte, 62, S. 1-24.*

TONDL 1969   Tondl, L. (1969): Semantics of the question in
*a problem-solving situation. Czech Academy of
Science, Prague, Masch.*

TOULMIN 1969   Toulmin, S.E. (1969): The uses of argument.
Cambridge: Univ. Press.

van MELLE 1979   van Melle, W. (1979): A domain-independent
*production-rule system for consultation pro-
grams. In: Proc. of the sixth International
Joint Conference on Artificial Intelligence,
Tokyo, S. 923-925.*

VÖLZING 1979   Völzing, P.-L. (1979): Begründen, Erklären,
Argumentieren. Heidelberg: Quelle & Meyer.

WAHLSTER 1977   Wahlster, W. (1977): Die Repräsentation von
*vagem Wissen in natürlichsprachlichen Systemen
der Künstlichen Intelligenz, Univ. Hamburg, Fachbereich Informatik, Bericht IFI-HH-B-38/77.*

WAHLSTER 1979a   Wahlster, W. (1979): Algorithmen zur Beantwor-
*tung von 'Warum'-Fragen in Dialogsystemen. Univ.
Hamburg, Germanisches Seminar, HAM-RPM-Bericht
Nr. 9, erscheint in: Krallmann, D., Stickel,
G.: Theorie der Frage. Tübingen: Narr.*

WAHLSTER 1979b   Wahlster, W. (1979): ATNs und die semantisch-
*pragmatische Steuerung der Analyse und Generierung
natürlicher Sprache. In: Christaller, Th., Metzing,
D. (eds.) Augmented Transition Network Grammatiken.
Berlin: Einhorn. S. 167-185.*

WAHLSTER 1980   *Wahlster, W. (1980): Implementing fuzziness in dialogue systems. Univ. Hamburg, Germanisches Seminar, HAM-RPM-Bericht Nr. 14, erscheint in: Rieger, B. (ed): Empirical semantics. Bochum: Brockmeyer.*

WAHLSTER/V. HAHN 1976   *Wahlster, W., v. Hahn, W. (1976): Einige Erweiterungen des natürlichsprachlichen AI-Systems HAM-RPM. In: Laubsch, J.H., Schneider, H.-J. (eds.): Dialoge in natürlicher Sprache und Darstellung von Wissen. Freudenstadt. S. 204-225.*

WAHLSTER et al. 1978   *Wahlster, W., Jameson, A., Hoeppner, W. (1978): Glancing, referring and explaining in the dialogue system HAM-RPM. In: American Journal of Computational Linguistics, Microfiche 77.*

WALTZ 1977   *Waltz, D.L. (1977): Natural language interfaces. In: SIGART Newsletter, 61, S. 16-65.*

WATERMAN/HAYES-ROTH 1978   *Waterman, D., Hayes-Roth, F. (eds.) (1978): Pattern-directed inference systems. N.Y.: Academic.*

WEINER 1979   *Weiner, J.L. (1979): The structure of natural explanations: Theory and application. System Development Corporation, Santa Monica, Report SP-4035.*

WEINER 1980   *Weiner, J.L. (1980): BLAH, a system which explains its reasoning. Preprint. Eingereicht in: Artificial Intelligence.*

WEISS 1974   *Weiss, S. (1974): A system for model-based computer-aided diagnosis and therapy. Rutgers Univ., New Brunswick, Computer Science Dept., Report RUCBM-TR-27.*

WEISS/KULIKOWSKI 1979   *Weiss, S., Kulikowski, S.A. (1979): EXPERT: A system for developing consultation models. In: Proc. of the sixth International Joint Conference on Artificial Intelligence, Tokyo, S. 942-947.*

WEYHRAUCH 1980   *Weyhrauch, R.W. (1980): Prolegomena to a theory of mechanized formal reasoning. In: Artificial Intelligence, 13, S. 133-170.*

WHITE 1980   *White, P. (1980): Limitations on verbal reports of internal events: A refutation of Nisbett and Wilson and of Bem. In: Psychological Review, 87, 1, S. 105-112.*

WILENSKY 1979   *Wilensky, R. (1979): Why John married Mary: Understanding stories involving recurring goals. In: Cognitive Science, 2, S. 235-266.*

WILKS 1976

Wilks, Y. (1976): Parsing English I,II. In: Charniak, E., Wilks, Y. (eds.): Computational Semantics. Amsterdam: North-Holland, S. 89-100 und S. 155-184.

WILKS 1977

Wilks, Y. (1977): What sort of taxonomy of causation do we need for language understanding?. In: Cognitive Science, 1, S. 235-264.

WINOGRAD 1972

Winograd, T. (1972): Understanding natural language. N.Y.: Academic.

WINOGRAD 1975

Winograd, T. (1975): Breaking the complexity barrier again. In: Nance, R.E. (ed.): Programming languages and information retrieval. Proc. of the ACM SIGPLAN-SIGIR Interface Meeting, SIGPLAN, 10, 1, S. 13-22.

WINOGRAD 1979

Winograd, T. (1979): Beyond programming languages. In: Communications of the ACM, 22, 7, S. 391-401.

WINOGRAD 1980

Winograd, T. (1980): Extended inference modes in reasoning by computer systems. In: Artificial Intelligence, 13, S. 5-26.

WINSTON 1977

Winston, P.H. (1977): Artificial Intelligence. Reading: Addison-Wesley.

WINSTON/HORN 1981

Winston, P.H., Horn, B.K.P. (1981): LISP. Reading: Addison: Wesley

WIRTH 1972

Wirth, N. (1972): Systematisches Programmieren. Stuttgart: Teubner.

WONG 1975

Wong, H.K.T. (1975): Generating English sentences from semantic structures. Univ. of Toronto, Dept. of Computer Science, Technical Report No. 84.

WOODS 1970

Woods, W.A. (1970): Transition network grammars for natural language analysis. In: Communications of the ACM, 13, S. 591-606.

WOODS 1980

Woods, W.A. (1980): Cascaded ATN grammars. In: American Journal of Computational Linguistics, 6, 1, S. 1-12.

V. WRIGHT 1974

v. Wright, G.H. (1974): Erklären und Verstehen. Frankfurt/M.: Fischer.

WUNDERLICH 1974

Wunderlich, D. (1974): Grundlagen der Linguistik. Reinbek: Rowohlt.

WUNDERLICH 1976

Wunderlich, D. (1976): Fragesätze und Fragen. In: Wunderlich, D. (ed.): Studien zur Sprechakttheorie. Frankfurt/M. : Suhrkamp.

ZADEH 1965   *Zadeh, L.A. (1965): Fuzzy sets. In: Information and Control, 8, S. 338-353.*

ZADEH 1976   *Zadeh, L.A. (1976): A fuzzy-algorithmic approach to the definition of complex or imprecise concepts. In: International Journal of Man-Machine Studies, 8, S. 249-291.*

ZADEH 1978   *Zadeh, L.A. (1978): PRUF - A language for the representation of meaning in natural languages. In: International Journal of Man-Machine Studies, 10, S. 395-460.*

AUTORENREGISTER

[Die mit Apostroph gekennzeichneten Seitenangaben verweisen auf Literaturzitate in denen der Autorenname nicht direkt genannt wird, da der Autor zu einer durch 'et al.' zusammengefaßten Autorengruppe gehört. In kursiver Schrift erscheinen alle Seitenangaben, die sich auf das Literaturverzeichnis beziehen.]

SACHREGISTER

[Die mit 'D' gekennzeichneten Seitenangaben verweisen auf Begriffsdefinitionen]